# Pierre Norma

# Dictionnaire encyclopédique de la Bible

Héros de la Terre promise, disciples de Jésus…
Lieux mythiques, événements historiques…
L'Ancien et le Nouveau Testament…
Toute l'histoire sainte en 1680 entrées.

# AVANT-PROPOS

La Bible, c'est d'abord le grand livre sacré sur lequel est fondée la culture occidentale, un prodigieux message d'alliance entre Dieu et les hommes, la source des religions judaïque et chrétienne.

Mais la Bible, c'est aussi une épopée guerrière, celle de la conquête de la Terre promise et de l'exil à Babylone, et une formidable galerie de personnages, prophètes maudits, rois sanguinaires, femmes fatales et apôtres martyrs... La Bible, ce sont encore des lieux légendaires à explorer, des principes moraux à analyser, des poèmes intenses à méditer...

Pour mieux comprendre ce texte éternel, pour s'y retrouver dans le foisonnement de ses symboles, dans la multitude de ses héros et de ses sites, et en savourer toutes les subtilités, lisez ce dictionnaire qui, en quelques 1 680 entrées, vous permettra de redécouvrir la Bible autrement.

## AARON

Frère aîné de Moïse dont il fut le porte-parole selon la volonté de Dieu qui dit à Moïse : *Aaron sera ta bouche et tu seras son dieu* (Exode 4, 16). Aaron était le fils d'Amrâm et de Yokèvèd (Nombres 26, 59), et le premier grand prêtre d'où sont issus les Aaronides, la seule et légitime lignée de prêtres. Aaron, sur l'ordre de l'Éternel, fit avaler leur bâton aux magiciens égyptiens puis déclencha les trois premiers grands fléaux d'Égypte : l'eau changée en sang, une pluie de grenouilles et une invasion de moustiques (Exode 7 et 8). Aaron, ses deux fils, Nadav et Avihou et soixante-dix des anciens d'Israël accompagnèrent Moïse sur le Sinaï lorsque Dieu annonça ses dix commandements (Exode 19 et 24). Avec les prêtres, Aaron fondit le veau d'or tandis que Moïse recevait les tables de la Loi. Il fut cependant ordonné prêtre par Moïse ainsi que ses fils (Exode 28) Nadav, Avihou, Éléazar et Itmar, puis la charge de grand prêtre se transmit de manière héréditaire (symboliquement les Cohen, Kahn, Kahan - *prêtres* - sont descendants d'Aaron). Aaron mourut âgé de 123 ans, quarante ans après la sortie d'Égypte du peuple d'Israël (Nombres 33).

## ABADDON

*Abîme*. Nom de l'ange de l'abîme appelé Apollyon (le destructeur) dans l'Apocalypse (chapitre 9) où il est le roi d'une armée de sauterelles destructrices.

## ABBA

*Père* (araméen). Mot emprunté par Jésus à la langue des enfants lorsqu'il prie Dieu dans le jardin de Gethsémani (Marc 14, 36). Abba est à
l'origine (via l'araméen, le grec et le latin) des mots *abbé*, *abbaye*.

## ABDIAS

Serviteur de Dieu. Quatrième « petit prophète » de l'Ancien Testament, Abdias est l'auteur présumé du livre qui porte son nom et ne
comporte que 21 versets. Rédigé pendant l'exil à Babylone (vers 587
av. J.-C.), le livre d'Abdias, ou *Vision d'Abdias*, prophétise la destruction
de la ville d'Édom, complice de la ruine de Jérusalem en 587 av. J.-C.

## ABED-NÉGO

*Serviteur du dieu Nébo*. L'un des trois compagnons du prophète Daniel pendant la captivité à Babylone (Daniel 3). De son vrai nom Azarya,
Abed-Négo ayant refusé d'adorer la statue d'or du roi Nabuchodonosor, on le jeta dans une fournaise ardente avec Meshak (Mishaël) et
Shadrak (Hanania). Alors qu'ils étaient dans le brasier, ils chantèrent
une prière, la *Prière d'Azarya*, et les flammes les épargnèrent. Nabuchodonosor les libéra et assura leur prospérité.

## ABEILLE

L'Ancien Testament mentionne l'abeille à plusieurs reprises, notamment pour le miel qu'elle produit et dont se nourrissent les prophètes
dans le désert. Symbole de l'œuvre de la nature, le miel et l'abeille sont
à la fois doux et puissants. Ce que montre Samson lorsqu'il mange le
miel produit par un essaim d'abeilles sauvages installé dans la carcasse
du lion qu'il a tué (Juges 14, 8). Dans l'Antiquité, les prêtres étaient nommés abeilles car ils étaient au service des divinités.

## ABEL

*Souffle de vent*. Second fils d'Adam et Ève, frère cadet de Caïn, Abel le
berger sacrifia à Dieu l'une de ses brebis tandis que Caïn lui offrit les
produits de la terre. Dieu se détourna de lui et Caïn, jaloux, tua Abel.

## ABIB

*Épi d'orge vert.* Premier mois du calendrier juif, qui correspond à la seconde moitié du mois de mars et à la première moitié du mois d'avril, appelé *Nisan.* Abib signifie aussi printemps : Tel Aviv, la *Colline du printemps.*

## ABIRÂM

*Le père est sublime.* Avec son frère Datân, Abirâm participa à la révolte de Coré contre Moïse lors de la traversée du désert (Nombres 16). Ils furent engloutis par la terre qui s'ouvrit sous leurs pieds.

## ABIYAM

*Le Seigneur est mon Père.* Souverain du royaume de Juda (910–908 av. J.-C.), Abiyam, descendant d'Absalon et du roi David (1 Chroniques 11, et 2 Chroniques 13), successeur de son père Roboam, plusieurs fois vainqueur du royaume d'Israël de Jéroboam ; le 1er livre des Rois (chapitre 15) lui reproche d'imiter les péchés commis par Roboam. Époux de 14 femmes, il eut d'elles 22 fils et 16 filles. Asa, son fils, lui succéda sur le trône de Juda.

## ABLUTION

Purification rituelle du corps, partielle ou totale, par un bain ou un lavage, qui peut être une pratique occasionnelle ou quotidienne.

## ABOMINATION

Dans l'Ancien Testament, l'abomination est un acte, une pensée, un être ou un objet qui provoque de la répulsion. Les critères de l'abomination sont le non-respect des interdits dictés par Dieu et placés sous la surveillance des prêtres. Font l'objet d'abomination les animaux et aliments impurs et ceux qui les absorbent, l'impudicité, les faux dieux, la transgression des tabous sexuels et les excès de toutes sortes.

## ABRAHAM

Patriarche fondateur d'Israël, descendant de Noé, dont l'histoire est rapportée dans la Genèse (chapitres 11 à 25). D'abord appelé Abram, *père élevé*, l'ancêtre d'Israël fut nommé par l'Éternel Abraham (*père d'une multitude*). Dieu lui ordonna *Pars de ton pays, de ta famille et de la maison de ton père vers le pays que je te ferai voir*, et Abraham quitta la ville d'Our où il était né (vers 1800 av. J.-C.) et s'établit à Mambré, près d'Hébron en Palestine. Là, il conclut une alliance avec le Dieu Très-Haut (*El Elyôn*) qui lui promit le pays de Canaan et une descendance aussi nombreuse *que les étoiles*. La circoncision fut le signe de cette Alliance. Abraham était alors âgé de 75 ans et son épouse Saraï était stérile ; devenue Sarah, elle lui donna cependant Isaac tandis que la servante Hagar engendrait Ismaël. La Trinité fut révélée à Abraham dans les chênes de Mambré lorsque, entendant Dieu, il vit trois êtres dans le ciel (Genèse 18,1-2). À cet endroit, il éleva un autel. Trois religions monothéistes se réclament d'Abraham : le judaïsme, le christianisme et l'islam. Dieu mit à l'épreuve Abraham en lui demandant de sacrifier son fils unique Isaac (il avait chassé Hagar et Ismaël). Il obéit mais, alors qu'il allait commettre le geste fatal, il vit un bélier retenu par les cornes dans un buisson. C'est lui qui servit de victime. Pour le Nouveau Testament, ce passage de la Genèse (chapitre 22) est la préfiguration du sacrifice du Christ offrant sa vie pour sauver le monde.

## ABSALON

Troisième fils de David, ce prince révolté contre son père était pourtant un prince modèle que le peuple affectionnait. Le livre de Samuel le décrit ainsi : *Il n'y avait personne dans tout Israël d'aussi beau qu'Absalon, d'aussi vanté que lui : de la plante des pieds au sommet de la tête, il était sans défaut* (2 Samuel 14). Pendant quatre ans, Absalon poussa le peuple d'Israël à la révolte afin de chasser son père David de son trône et de prendre sa place. Les troupes d'Absalon et celles de son père se rencontrèrent et Absalon subit une défaite sévère. S'enfuyant du champ de bataille, Absalon resta suspendu par les cheveux aux branches d'un térébinthe ; malgré les ordres de David, Joab planta trois épieux dans le cœur du jeune homme (2 Samuel 18,14).

## ABSINTHE

L'absinthe est mentionnée dans des récits bibliques pour son amertume et son odeur nauséabonde. Pour l'Ancien Testament, cette plante symbolise toujours l'amertume et le poison. L'absinthe est mentionnée dans l'Apocalypse (chapitre 8, 11) où elle donne son nom à l'étoile qui rend amère et empoisonne un tiers des eaux de la Terre.

## ACTES DES APÔTRES

Cinquième livre du Nouveau Testament, écrit en grec, relatant les débuts du christianisme, la formation de la première communauté chrétienne de Jérusalem et les premières missions évangéliques, notamment celles des apôtres Pierre, Jacques et Paul. Ce livre fut sans doute rédigé à la fin du I<sup>er</sup> siècle par Luc, compagnon de Paul (Colossiens 4, 14), également auteur de l'Évangile qui porte son nom. Les activités de l'apôtre Pierre occupent la première partie du livre des Actes, tandis que la seconde est centrée sur la mission et les voyages de l'apôtre Paul, appelé aussi l'*apôtre des païens* (ou des gentils).

## ADALIA

Vizir perse du roi Xerxès, tué après la victoire d'Esther (Esther 9).

## ADAM

Selon la Genèse (chapitres 2 et 3), Adam est l'ancêtre de l'humanité, le premier homme créé par Dieu. Avec Ève, que Dieu retira de son flanc, Adam demeurait dans le jardin d'Éden, mais tous deux en furent chassés lorsqu'ils consommèrent le fruit de l'arbre de la Connaissance proposé à Ève par le serpent, *la plus astucieuse de toutes les bêtes des champs* (Genèse 3). Lorsqu'ils eurent mangé le fruit interdit, ils surent qu'ils étaient nus et se couvrirent de feuilles de figuier. Le texte ne précise pas la nature du fruit consommé et la tradition de la pomme provient d'une erreur de traduction entre les mots latins *malum*, la pomme et *malus*, le mal. Ce péché originel condamna Ève à enfanter dans la douleur ; à l'homme fut promis le travail et la difficulté de la subsistance. Selon l'apôtre Paul, *Le premier homme Adam fut un être animal doué de vie, le dernier Adam est un être spirituel donnant la vie* (1 Corinthiens 15).

## ADAR

Douzième mois du calendrier juif correspondant à la seconde moitié du mois de février et à la première moitié du mois mars.

## ADMATA

Dans le livre d'Esther, Admata fut l'un des sept spécialistes du droit et de la loi, à la fois astrologues et ministres, qui conseillèrent Xerxès, roi des Perses. Il leur demanda quelle attitude il fallait observer après l'affront que la reine Vasti lui avait fait (elle avait refusé de paraître à son banquet). Esther fut désignée pour la remplacer (Esther 1 et 2).

## ADONAÏ

*Mon seigneur.* L'un des noms utilisés par respect à la place des quatre lettres (Y H V H) imprononçables, du nom de Dieu. Adonaï a la même origine qu'Adonis, dieu grec de la végétation.

## ADONIAS

Quatrième fils du roi David, qui, après la mort de ses frères aînés, tenta de lui succéder. Il s'allia au général Joab et au prêtre Abiatar dans ce but (1 Rois 1) mais, averti, David fit oindre roi Salomon. Après la mort de David, Salomon fit assassiner Adonias (1 Rois 2).

## ADONI-BÈZEQ

Seigneur de Bèzeq. Roi du pays de Canaan, vaincu par les Israélites. On lui coupa les pouces des mains et des pieds comme lui-même l'avait fait à soixante-dix rois vaincus. On l'emmena à Jérusalem où il mourut (Juges 1).

## ADONIRÂM

Personnage au service du roi David (2 Samuel 20), du roi Salomon et du roi Roboam (1 Rois 4 et 5), Adonirâm fut envoyé par Roboam comme négociateur à Sichem lors de la sécession des dix tribus du Nord. Il fut lapidé par la population révoltée (1 Rois 12).

## ADONI-SÉDEQ

*Mon Seigneur est juste*. Roi du pays de Canaan et de Jérusalem qui avec cinq rois cananéens essuya une défaite totale lorsqu'il attaqua Josué et les Israélites à Gabaon. Après leur défaite, les rois se réfugièrent dans la grotte de Maqqéda où ils furent tués. Après quoi, on pendit leur corps aux arbres (Josué 10).

## ADOULLAM

Grande cité du pays de Canaan au sud-ouest de Jérusalem, conquise par Josué et attribuée à la tribu de Juda (Josué 12 et 15). David, se cachant de Saül, se retira dans la grotte d'Adoullam (1 Samuel 22) et par la suite le roi Roboam fortifia la ville (2 Chroniques 11).

## ADRAMMÉLEK

*Roi puissant*. Fils de Sennakérib, roi d'Assyrie (vers 681 av. J.-C.), il assassina, avec son frère Sarècèr, son père, et s'enfuit au pays d'Ararat tandis qu'un autre fils de Sennakérib, Asarhaddon, succédait au roi défunt (2 Rois 19, Ésaïe 37).

## ADRIËL

Fils de Barzillaï de Mehola (2 Samuel 21) ; le roi Saül lui donna sa fille Mikal pour épouse, alors qu'il l'avait déjà promise à David (1 Samuel 18). Par vengeance, les cinq fils d'Adriël furent tués par les Gabaonites que le roi Saül avait cherché à anéantir.

## ADULTÈRE

Dans l'Ancien Testament, l'adultère est un délit public interdit par la loi (Exode 20 ; Deutéronome 5) puisque le mariage rappelle l'alliance faite entre l'Éternel et son peuple. Selon les textes, une femme commet l'adultère lorsqu'elle a des rapports sexuels avec un autre homme que son mari, ou lorsqu'elle se prostitue. Violée dans les champs, une femme n'est pas condamnée, car ses cris éventuels ne peuvent être entendus. L'adultère peut être puni par la lapidation ou la crémation

(Lévitique 20 ; Deutéronome 22 ; Genèse 38). Pour un homme, les relations sexuelles avec une femme mariée ou fiancée sont considérées comme adultères (Exode 20, 17 ; Deutéronome 5, 21) mais non lorsqu'il s'agit d'une femme non mariée ou d'une esclave. Le culte pour les dieux étrangers était considéré comme un adultère par les prophètes (Jérémie, Ézéchiel et Osée) qui le condamnaient de la même manière. Le Nouveau Testament donne à l'adultère une grande importance ; le Christ, dans le *Sermon sur la Montagne* déclare l'homme adultère pour le seul fait de regarder une femme avec convoitise (Matthieu 5). Cependant, Jésus met face à leur propre faute ceux qui veulent lapider une femme adultère, laquelle peut ainsi repartir libre (Jean 8, 3-11).

## AFEQ

Ville de Canaan, au sud-ouest de Sichem, depuis laquelle les Philistins attaquèrent les Israélites et capturèrent l'arche d'alliance (Josué 12). Afeq fut conquise ensuite par Josué. C'est également dans cette cité que les Philistins se regroupèrent pour le dernier combat contre le roi Saül (1 Samuel 29). Sur les restes d'Afeq, Hérode le Grand érigea la citadelle d'Antipatris (actuelle Râs el-Aïn).

## AFEQ

Cité située à l'est du lac de Gennésareth où Ben-Hadad d'Aram perdit la bataille qui l'opposait au roi Akhab d'Israël. Ben-Hadad se cacha dans Afeq dont la muraille tomba sur les 27 000 survivants de son armée (1 Rois 20) ; il dut capituler. Lui et ses soldats *attachèrent leurs coudes au-dessus de la tête*, et se rendirent au roi d'Israël Akhab qui conclut la paix.

## AFFRANCHIS

Nom donné aux esclaves libérés, ou aux chrétiens convertis et libérés du péché. En 63 av. J.-C., des Juifs prisonniers furent emmenés à Rome par le général Pompée. Lorsqu'ils furent libérés, ces *affranchis* construisirent leur synagogue à Jérusalem. Les *affranchis* furent parmi les accusateurs d'Étienne (Actes des Apôtres 6).

## AGABUS

L'un des premiers chrétiens et prophète de Jérusalem qui à Antioche annonça une grande famine, laquelle se déclara effectivement dans les années 45/46 sous l'empereur romain Claude (Actes des Apôtres 11, 27-28). Agabus prophétisa aussi l'arrestation de l'apôtre Paul s'il se rendait à Jérusalem (Actes des Apôtres 21, 10-11).

## AGAG

Nom du roi amalécite que le roi Saül vainquit et fit prisonnier mais épargna, ce qui lui fut reproché par le prophète Samuel car Dieu avait ordonné d'anéantir les Amalécites. *Samuel fit alors amener Agag, et l'exécuta devant le Seigneur à Guilgal* (1 Samuel 15).

## AGAPES

D'*agapè* (amour en grec). Repas pris en commun par les premiers chrétiens lors de réunions parfois clandestines, et qui évoquaient la Cène.

## AGGÉE

Dixième des douze « petits prophètes », Aggée donne son nom à un livre constitué de cinq prophéties annonçant la reconstruction du temple de Jérusalem après le retour de l'exil de Babylone. Ces textes ont été rédigés pendant l'an 520 av. J.-C. Le livre d'Aggée comporte des exhortations pour la reconstruction du Temple, la description de sa future splendeur et de ses trésors (chapitre 2), la bénédiction divine qui y sera attachée ainsi qu'au peuple d'Israël.

## AGNEAU

Dans l'Ancien Testament, l'agneau est l'animal du sacrifice par excellence. Au moment de la fête de la Pâque, on offrait *un agneau sans défaut, mâle et âgé d'un an* (Exode 12), de même que deux agneaux également sans défaut étaient offerts l'un au matin, l'autre au crépuscule du sacrifice quotidien (Nombres 28). L'agneau illustre le Christ, appelé *Agnus Dei* dans l'Évangile de Jean : il représente l'innocence du juste condamné à la place des coupables, et l'un et l'autre sont sacrifiés pendant le temps de la Pâque. Dans l'iconographie chrétienne, saint Jean-Baptiste le tient parfois dans ses bras : *Voici l'Agneau de Dieu qui enlève le péché du monde…* (Jean 1, 29). Dans l'*Apocalypse, l'agneau* siège à côté du trône de Dieu près duquel se tiennent *les douze apôtres de l'agneau* (Apocalypse 21). Cet agneau est doté *de sept cornes et de sept yeux qui sont les sept esprits que Dieu a envoyés sur toute la terre* (Apocalypse 5). Il ouvre les sept sceaux qui ferment le livre et débute alors la fin du monde (Apocalypse 6 et 8).

## AGRAPHA

*Non écrits.* Nom donné à des paroles que Jésus aurait peut-être prononcées mais qui n'ont pas été transcrites dans les Évangiles. Ces propos sont rapportés dans des commentaires des textes ou des citations des Pères de l'Église telle que l'axiome *Il y a plus de bonheur à donner qu'à recevoir* (Actes des Apôtres 20, 35).

## AHAWA

Petite cité (Babylonie) où le prêtre Esdras réunit les Juifs qui voulaient retourner à Jérusalem avec lui après la captivité à Babylone (Esdras 8).

## AHIKAR

L'un des grands sages de son temps, chancelier des rois assyriens Sennakérib et Asarhaddon, garde du sceau et grand échanson, chef de l'administration et des finances d'Assyrie et deuxième personnage de l'État (Tobit 1). Ahikar intercéda auprès d'Asarhaddon pour que son oncle Tobit revienne à Ninive malgré la condamnation de Sennakérib.

## AHIMÉLEK

Grand prêtre du temple de Nov (nord de Jérusalem), il donna à David l'épée de Goliath alors qu'il fuyait devant le roi Saül. David eut la vie sauve mais Saül fit assassiner Ahimélek et tous les prêtres du temple de Nov ainsi que leur famille (1 Samuel 21 et 22).

## AHINOAM

Nom de la fille d'Ahimaaç, épouse du roi Saül (1 Samuel 14).

## AHINOAM D'IZRÉEL

Nom de l'épouse du roi David (1 Samuel 25). Avec Avigaïl de Carmel, seconde épouse de David, Ahinoam d'Izréel fut prisonnière des Amalécites à Ciqlag. Ahinoam donna le jour à Amnon, le premier fils de David (2 Samuel 3).

## AHIQÂM

Haut personnage du royaume de Juda, sous le règne du roi Josias. Pendant les travaux de reconstruction du temple de Jérusalem, on trouva un rouleau du livre du Deutéronome (la Loi) et Ahiqâm fit questionner la prophétesse Houlda pour connaître la signification de cette Loi (2 Rois 22). Pendant le règne du roi Yoyaqim, Ahiqâm protégea le prophète Jérémie et empêcha qu'on le livre à ceux qui voulaient sa mort (Jérémie 26).

## AHIRA

Fils de Einân de la tribu de Nephtali. Pendant le séjour dans le désert, il fut responsable de la tribu de Nephtali qui comptait 53 400 hommes de plus de 20 ans (Nombres 1 et 7).

## AHISHAR

Chef du palais du roi Salomon (1 Rois 4).

## AHITOFEL

Conseiller du roi David qui appuya la rébellion d'Absalon contre son père David (2 Samuel 15, 12). Ahitofel le Guilonite donnait des conseils qui avaient valeur d'oracle et qu'écoutaient David aussi bien qu'Absalon (2 Samuel 16, 23). Ahitofel conseilla à Absalon un plan de bataille contre les armées de David mais Absalon n'en tint pas compte et Ahitofel se pendit à Guilo (2 Samuel 17).

## AHIYYA DE SILO

Prophète de Silo qui annonça au roi Salomon la fin de son règne et l'avènement de Jéroboam sur les dix tribus du nord d'Israël (1 Rois 11). Jéroboam devint roi après la mort de Salomon ; Ahiyya lui annonça alors la ruine de sa dynastie et des malheurs pour Israël à cause de son idolâtrie (1 Rois 14).

## AHYO

Avec son frère Ouzza, Ahyo conduit l'arche d'alliance de la maison de leur père, d'Avinadav jusqu'à Jérusalem. Parce qu'il avait touché à l'Arche, l'éternel foudroya Ouzza pendant le transport (2 Samuel 6).

## AI

*Ruines*. Ancienne cité cananéenne proche de Béthel (Genèse 12, 8), soumise par Josué qui en fit massacrer les habitants (Josué 7).

## AIGLE

Pendant spirituel du lion, qui symbolise le pouvoir temporel du lion, l'aigle est le roi des oiseaux car il peut voler dans le soleil. L'Ancien Testament signale sa rapidité, sa puissance et l'attention qu'il porte à ses petits. Le Psaume 103 assure aussi que la force de sa jeunesse se renouvelle sans cesse. D'après Ésaïe, *ceux qui espèrent dans le Seigneur retrempent leur énergie. Ils prennent de l'envergure comme des aigles, ils s'élancent et ne se fatiguent pas, ils avancent et ne faiblissent pas* (Ésaïe 40, 31). L'aigle est l'emblème de Jean qui reçut la Révélation (Apocalypse). À l'inverse, l'aigle peut illustrer la démesure et l'orgueil de l'homme qui, comme lui, place son nid dans les hauteurs, selon Jérémie (chapitre 49, 16).

## AÏNÔN

*Sources*. Endroit situé *non loin de Salim*, peut-être dans la vallée du Jourdain ou dans le nord de la Samarie, où Jean-Baptiste baptisait, selon l'Évangile de Jean (chapitre 3, 23).

## AKÂN

Après la victoire des Israélites à Jéricho, Akân, de la tribu de Juda, prit des biens malgré l'interdit (Josué 7, 1) et à cause de ce geste les Israélites ne purent vaincre la ville d'Aï. Reconnu coupable par tirage au sort, Akân fut lapidé et brûlé avec toute sa famille. On l'enterra dans la vallée d'Akor sous un grand tas de pierre (Josué 7).

## AKHAB

*Ami du père.* Faux prophète parmi les Juifs en captivité à Babylone. Jérémie, vrai prophète, annonça qu'il serait livré à Nabuchodonosor (Jérémie 29, 21-23).

## AKHAB D'ISRAËL

Roi du royaume d'Israël de 871 à 852 av. J.-C. Ayant succédé au roi Omri son père, Akhab installa le culte de Baal ; il représente le mauvais roi et le mauvais règne dans l'histoire du royaume d'Israël. L'Ancien Testament rapporte qu'il était entièrement soumis à son épouse Jézabel, fille d'un roi phénicien, qui poussa *Akhab à faire ce qui est mal aux yeux du Seigneur, et à commettre des abominations.* (1 Rois 21, 25-26). Dans Samarie, il fit dresser un temple et un autel pour le culte du dieu Baal tandis que Jézabel faisait tuer les prophètes (1 Rois 18, 4) et détruire les autels de Dieu (1 Rois 19, 10). Cependant, le prophète Élie (le *Tishbite*) égorgea les prêtres de Baal sur le mont Carmel (I Rois 18), oignit Jéhu comme nouveau roi d'Israël (1 Rois 19) et annonça à Akhab qu'il serait chassé de son trône pour avoir commis des abominations et tué Naboth pour s'approprier sa vigne (1 Rois 21, 19-29). Malgré son comportement répréhensible, le roi Akhab parvint à assurer la prépondérance de son pays et à conclure la paix avec le royaume de Juda (1 Rois 11). La ville de Jéricho fut reconstruite et servit à garantir la frontière contre les Moabites (1 Rois 16, 34).

## AKHAZ DE JUDA

Roi du royaume de Juda de 736 à 725 av. J.-C., ayant succédé à son père Yotam, et auquel il est reproché d'offrir des sacrifices et de commettre des abominations. Damas et Israël se liguèrent pour attaquer Juda qu'ils assiégèrent à Jérusalem (2 Rois 16). Conseillé par le prophète Ésaïe qui prônait la lutte contre les ennemis (Ésaïe 7), Akhaz préféra se soumettre au roi d'Assyrie Tiglath-Pilézer III et le royaume de Juda devint vassal du roi assyrien. Cette situation permit l'installation des cultes étrangers, Baal et les dieux d'Assour. Ézékias son fils lui succéda.

## AKHAZIAS DE JUDA

Roi du royaume de Juda en 845 av. J.-C., il fut tué lors de la révolte de Jéhu (2 Rois 8 et 9) alors qu'il combattait avec le roi Yoram d'Israël. Sa mère Athalie s'empara du pouvoir à sa mort (2 Rois 11).

## AKHAZIAS D'ISRAËL

Roi du royaume d'Israël de 852 à 851 av. J.-C., ayant succédé à son père Akhab. Comme lui et sa mère Jézabel, il favorisa le culte des faux dieux, notamment Baal (1 Rois 22) et interrogea Baalzeboub, dieu d'Eqrôn, pour savoir s'il mourrait de ses blessures après être tombé du balcon de son palais. Le prophète Élie lui fit savoir qu'en effet il périrait, mais pour avoir consulté Baalzeboub et non le Dieu d'Israël. Il mourut et son frère Yoram lui succéda.

## AKHÎM

Personnage mentionné dans l'arbre généalogique du Christ (Matthieu 1, 14). Ancêtre de Joseph, Akhîm était le fils de Sadoq ; il est le père d'Élioud après le retour de l'exil à Babylone.

## AKHIOR

Général ammonite qui sous les ordres d'Holopherne participa au siège de Béthulie. Dans un conseil de guerre, il évoqua les mérites des Juifs et la puissance de leur Dieu (Judith 5) ; il fut alors livré aux assiégés (Judith 6). À la mort d'Holopherne, Akhior se convertit au judaïsme.

## AKISH

Roi de la ville philistine de Gath chez lequel David se réfugia deux fois alors qu'il était poursuivi par le roi Saül (I Samuel 21 et 27). Il régna assez longtemps pour connaître le début du règne de Salomon (1 Rois 2).

## AKKO (SAINT-JEAN D'ACRE)

Ville portuaire fondée par les Philistins attribuée à la tribu d'Asher, Akko ne fut jamais conquise par les Israélites (Juges 1). Appelée Ptolémaïs à l'époque hellénistique, Akko reçut le nom de Saint-Jean d'Acre lors des croisades (1104).

## AKOR

*Vallée du malheur.* Vallée des environs de Jéricho où Akân fut lapidé et enterré avec sa famille (Josué 7 ; 1 Chroniques 2, 7). Ce lieu reçut le nom de vallée du malheur (Akor) mais le prophète Osée annonça qu'elle serait *une porte d'espérance.* (Osée 2, 17).

## AKSHAF

Ville d'un roi cananéen, au nord de la Palestine ; elle fut conquise par Josué et attribuée à la tribu d'Asher (Josué 19, 25).

## ALEXANDRE

*Protecteur.* Prénom grec masculin de plusieurs personnages bibliques parmi lesquels un Juif d'Éphèse qui pendant la révolte des orfèvres tenta de soulever la foule contre les chrétiens (Actes des Apôtres 19).

## ALEXANDRE BALAS

Roi séleucide et usurpateur (153-146 av. J.-C.) qui profita de sa ressemblance avec Antiochus IV pour prendre son trône avec le soutien de ses ennemis. Alexandre Balas nomma Jonathan Macchabée grand prêtre puis gouverneur civil et militaire de Judée (1 Macchabées 10, 20). Trahi par le roi d'Égypte Ptolémée VI, Alexandre Balas s'enfuit en Arabie où Zabdiel l'assassina et expédia sa tête à Ptolémée (1 Macchabées 11, 17).

## ALKIME

Personnage important parmi les Juifs hellénisants de Jérusalem au temps des Macchabées, Alkime fut nommé grand prêtre par le roi Antiochus V et reconnu par les Juifs orthodoxes tandis que Judas Macchabée et ses fidèles le combattaient (2 Macchabées 14). Alkime mourut au moment où il commençait à abattre le mur de la cour intérieure du temple de Jérusalem (1 Macchabées 9, 54-57).

## ALLÉLUIA

*Louez le Seigneur.* Formule liturgique prononcée devant la communauté selon le texte du Psaume 106 (verset 48) : *Tout le peuple dira : Amen ! Alléluia !*

## ALLIANCE

L'un des principes fondamentaux du judaïsme. Alliance conclue entre Yahvé, le Dieu unique, et les hommes auxquels il a donné ses dix commandements (Décalogue). Cette Alliance divine fut d'abord conclue avec Noé (Genèse 8, 21), à la suite du Déluge, puis avec Abraham (Genèse 17, 1-8), Jacob (Genèse 32, 29) avant d'être reconduite avec Moïse (Exode 19, 24) à qui Il donna les tables de la Loi sur le mont Sinaï. Le premier signe de l'Alliance fut l'arc-en-ciel, visible après le Déluge, puis l'arche de l'alliance, qui disparut après la chute du temple de Jérusalem. Selon l'apôtre Paul, la mort du Christ amène une Nouvelle Alliance (Galates 3, 15-17) entre Dieu et l'humanité tout entière.

## ALPHA ET OMÉGA

Première et dernière lettre de l'alphabet grec, alpha et oméga illustrent le commencement et la fin de toute chose et font référence à la parole du Christ *Je suis l'Alpha et l'Oméga, le commencement et la fin* (Apocalypse 21).

## ALPHÉE

Nom du père de l'apôtre Jacques le Mineur, cité dans les trois premiers Évangiles et les Actes des Apôtres (chapitre 1).

## AMACYA

*Dieu est fort*. Prêtre attitré du veau sacré à Béthel pendant le règne du roi Jéroboam Ier d'Israël. Amacya chassa le prophète Amos qui s'élevait contre ce culte et prophétisait la fin de Jéroboam (Amos 7).

## AMALEQ

Descendant d'Ésaü (Genèse 36, 12), ancêtre éponyme de la tribu des Amalécites en lutte continuelle contre les Israélites (Exode 17 ; Deutéronome 25). Le roi Saül les vainquit (1 Samuel 15) sans les anéantir malgré l'ordre de Dieu, puis David les extermina (1 Samuel 27).

## AMANDE, AMANDIER

Premier arbre à fleurir au printemps, l'amandier fait l'objet d'une double signification dans la Bible où le mot *shaked* désigne à la fois l'arbre et le veilleur. L'amandier produit un fruit caché et protégé dans sa coque. Dans le sanctuaire où se trouvait l'arche d'alliance, était placé un chandelier dont les coupes de chacune des branches étaient en forme d'amande avec boutons et fleurs (Exode 25). Dans l'art chrétien, le Christ en gloire est représenté dans une *mandorle*, ou amande ouverte.

## AMARYA

*Dieu a promis*. Nom de plusieurs personnages et notamment du grand prêtre que le roi Josaphat de Juda désigna comme juge suprême pour toutes les affaires du Seigneur (2 Chroniques 19, 11). Ce fut aussi le nom de l'ancêtre du prophète Sophonie (Sophonie 1) et de l'un des lévites qui surveillaient la distribution des offrandes pendant le règne du roi Ézékias de Juda (2 Chroniques 31, 15).

## AMASA

*Dieu l'a protégé*. Général qui soutint la révolte d'Absalon contre son père David (2 Samuel 17, 25). Absalon vaincu et mort, David gracia Amasa et le désigna comme chef d'armée à la place de Joab (2 Samuel 19 et 20) qui l'assassina au moment de la révolte de Shèva.

## AMASAÏ

Nom du chef des trente héros de David (1 Chroniques 12, 19).

## AMASIAS DE JUDA

Roi de Juda (801 à 773 av. J.-C.) qui succéda à son père Joas et qui, selon les commentaires : *Fit ce qui est droit aux yeux du Seigneur, non pas toutefois d'un cœur intègre* (2 Chroniques 25, 2) *car le peuple continuait à offrir des sacrifices et à brûler de l'encens sur les hauts lieux* (2 Rois 14, 4). Après avoir fait mourir les assassins de son père, Amasias vainquit les Édomites et entama une guerre malheureuse contre le roi Joas d'Israël qui fit abattre une partie des murailles de Jérusalem et pilla la cité (2 Rois 14, 18-14). Une révolte populaire chassa Amasias qui fut assassiné à Lakish. Son fils Azarias lui succéda sur le trône de Juda.

## ÂME

Dans la Bible, le mot âme traduit le mot hébraïque *souffle* (de vie) ou *haleine*, et peut désigner aussi bien l'âme que la vie du corps physique. Lorsqu'il créa l'homme avec de la poussière, Dieu insuffla *son haleine de vie* dans ses narines et l'homme devint un être vivant (Genèse 2, 7). L'âme est ainsi une part de la force vitale de Dieu ; c'est pourquoi au jour du jugement dernier, les morts pourront ressusciter, corps et âme, devant le tribunal de Dieu (Matthieu 10, 28).

## AMEN

Dans l'Ancien Testament, Amen signifie, *En vérité*, et *Ainsi soit-il*. Ce mot sert à ratifier une parole ou à l'approuver, qu'elle soit louange ou malédiction. Jésus utilise ce terme afin d'affirmer l'authenticité de ses paroles. Dans le livre de l'Apocalypse (chapitre 3, 14), Jésus est appelé l'*Amen*, ce qui souligne qu'il est la Vérité. Le christianisme termine la plupart de ses prières et glorifications par *Amen* ou *Ainsi soit-il*.

## AMINADAB

Un ancêtre de David, cité dans la généalogie de Jésus (Matthieu 1, 4).

## AMMONITES

Peuple qui vécut à l'est du Jourdain, dont l'ancêtre Ben-Amm était le fils que Loth eut de sa fille cadette (Genèse 19, 38). Les Ammonites fondèrent un État dont Rabbath-Amon était la capitale (l'actuelle Amman de Jordanie) et furent longtemps en guerre contre Israël (Deutéronome 23, 4 à 7). Après de nombreuses batailles remportées par les uns puis par les autres, le général Joab, envoyé par David, conquit et détruisit Rabba, et le trône des Ammonites revint à David tandis que les habitants des villes étaient astreints aux travaux forcés (1 Chroniques 20). En 582 av. J.-C., les Ammonites furent soumis à Babylone, puis aux Perses, aux Grecs (Rabbath-Amon devint Philadelphie lorsque Ptolémée la reconstruisit) et aux Romains à partir de 64 av. J.-C., avant de disparaître de l'histoire, confortant la prophétie d'Ézéchiel (chapitre 25, 10) : *On ne se souviendra plus des fils d'Ammon parmi les nations.*

## AMNON

Fidèle (en hébreu). Fils aîné de David et d'Ahinoam d'Izréel (2 Samuel 13) qui viola sa demi-sœur Tamar, et fut assassiné sur l'ordre de son frère Absalon deux ans plus tard.

## AMOÇ

Père du prophète Ésaïe (Ésaïe 1, 1 ; 2 Rois 19, 2).

## AMÔN DE JUDA

Roi du royaume de Juda (641-640 av. J.-C.), fils du roi Manassé auquel il succéda et dont il suivit les mauvais travers. L'Ancien Testament le considère comme idolâtre. Après avoir régné deux ans, ses serviteurs le tuèrent mais la population du pays frappa tous ceux qui avaient conspiré contre le roi Amôn et elle établit roi, à sa place, son fils Josias (2 Rois 21). Amôn de Juda est cité dans l'Évangile de Matthieu (chapitre 1, 10) qui le place dans la généalogie de Jésus.

## AMOQ

Nom de l'un des chefs des prêtres qui revint à Jérusalem avec Zoroba-bel, fils de Shaltiel, et Josué après la captivité à Babylone (Néhémie 12).

## AMORITES

Nom donné à l'ensemble des habitants qui vivaient en Palestine avant la venue des Hébreux (Josué 10,5), ou tribu faisant partie des peuples de Palestine présentés par Dieu à Abraham (Genèse 15,21).

## AMOS

Berger et prophète juif qui annonça des malheurs au roi Jéroboam vers 755 av. J.-C.. Auteur d'un livre prophétique portant son nom et constitué de neuf chapitres, Amos est le troisième des douze « petits prophètes ». Chassé d'Israël par les prêtres, Amos est le plus farouche des prophètes bibliques. Ses prophéties étaient à la mesure de la crise sociale traversée par le pays alors gouverné par un petit groupe autoritaire, et menacé de l'extérieur par la puissance assyrienne. Selon Amos, Dieu châtiera le pays et ses maîtres par la dévastation et la déportation de son peuple.

## AMOUR

Pour l'apôtre Paul, l'Amour est un don de l'Esprit saint (Épîtres aux Romains 5,5) et l'un des trois principes fondamentaux du christianisme avec la foi et l'espérance. L'amour est personnifié par le Christ qui a offert sa vie pour sauver les hommes. Pour les Évangiles, l'amour est la condition nécessaire et première pour gagner la vie éternelle (Luc 10,25).

## AMPHIPOLIS

*Ville de forme circulaire* (en grec). Capitale de la Macédoine devenue province romaine ; l'apôtre Paul y séjourna (Actes des Apôtres 17,1).

## AMRÂM

Nom du père de Moïse, d'Aaron et de Myriam. Époux de sa tante Yokèvèd, Amrâm vécut 130 ans (Exode 6, 20 ; Nombres 26, 59). Selon le livre des Nombres (chapitre 3, 27), Amrâm est l'ancêtre des Amramites.

## AMRAPHEL DE SHINÉAR

Roi de Shinéar à l'époque du patriarche Abraham. Amraphel et les rois Kedorlaomer et Tidéal vainquirent la coalition des rois de Sodome et Gomorrhe à la bataille de la vallée du Siddium (vallée du Sel). Ensuite, ils pillèrent leurs villes ; Loth, neveu d'Abraham, fut fait prisonnier mais Abraham le libéra avec ses troupes (Genèse 14).

## ANANIAS

*Dieu est miséricordieux*. Mot grec d'origine hébraïque (*Hananya*) attribué à plusieurs personnages du Nouveau Testament. Ananias, époux de Saphira, membre de la communauté chrétienne de Jérusalem, avait promis de vendre un terrain et d'en verser le montant aux apôtres. Malgré sa parole, en accord avec son épouse, il garda une partie de la somme en donnant un faux montant de sa vente. Pierre leur signifia qu'ils n'avaient pas seulement menti aux hommes, mais à Dieu, et tous deux moururent en entendant ces paroles (Actes des Apôtres 5).

Un autre Ananias était un chrétien de Damas à qui Dieu dans une vision demanda d'aller visiter Saul de Tarse (Paul), devenu aveugle au moment de sa conversion. Ananias lui imposa les mains et Saul recouvra aussitôt la vue. Après cela il reçut le baptême (Actes des Apôtres 9). Le troisième Ananias était grand prêtre (47 à 59) à Jérusalem. Parce que l'apôtre Paul avait déclaré vivre avec une conscience sans reproche devant Dieu, Ananias le fit frapper sur la bouche devant le Sanhédrin mais Paul répliqua : *C'est toi que Dieu va frapper, muraille blanchie* (Actes des Apôtres 23, 1-5). Après cela, Ananias dénonça l'apôtre auprès du gouverneur romain Félix et l'accusa de semer le trouble parmi les Juifs, d'être le chef de la secte factieuse des nazôréens et de vouloir profaner le Temple. Finalement, des zélotes juifs assassinèrent Ananias lors de la première révolte juive (66).

## ANAQITES

Peuple préhistorique de Palestine, considérés comme des géants par les Israélites. Anaq était leur ancêtre. Ils furent chassés d'Hébron ou anéantis par les Israélites (Josué 10, 36-37 ; Nombres 13, 22).

## ANATHÈME

Dans l'Ancien Testament, l'anathème consistait à offrir à Dieu les villes conquises puis à les détruire en anéantissant tout ce qui y vivait. Peu à peu, l'anathème signifia simplement un don matériel remis au sanctuaire ou une punition infligée par Dieu aux vaincus. Par la suite, l'anathème devint l'une des trois formes d'excommunication, c'est-à-dire d'expulsion d'un membre de la communauté (judaïque) qui ne pouvait être réintégré que s'il montrait un repentir sincère.

Le Nouveau Testament utilise aussi le terme anathème, devenu synonyme de malédiction et d'excommunication. L'apôtre Paul affirme que sera anathème celui qui annoncera un évangile différent de celui qu'il annonce avec les autres apôtres (Galates 1), sans préciser les conséquences de cet anathème.

## ANATOTH

Ville lévite plusieurs fois mentionnée dans l'Ancien Testament qui faisait partie du territoire de la tribu de Benjamin (Josué 21, 18), proche de Jérusalem. Dans cette ville naquit Jérémie mais Dieu annonça leur perte aux habitants qui menaçaient la vie du prophète (Jérémie 1 et 11). Anatoth était aussi la ville natale d'Avièzer qui fit partie des trente héros du roi David (2 Samuel 23, 27), de Jéhu, partisan du roi David (1 Chroniques 12, 3) et d'Aviatar, prêtre destitué par le roi Salomon (1 Rois 2, 26).

## ANCIENS

Dans l'Ancien Testament, le terme *Anciens* correspond aux notables d'une localité, d'une tribu ou de tout le peuple d'Israël. Ils peuvent être désignés en raison de leur âge, de leur qualité, de leur expérience, de leur influence (religieuse ou politique) ou même par l'importance de leur fortune. Souvent ils représentaient l'ensemble du peuple d'Israël

(Exode 3, 16 ; 12, 21). Sur l'ordre de Dieu et de Jéthro son beau-père, Moïse créa un conseil de 70 + 1 Anciens à qui Dieu délégua une partie des responsabilités accordées à Moïse (Nombres 7 ; Exode 24). Après l'installation en Palestine, les conseils d'Anciens laissèrent la place aux fonctionnaires royaux mais, pendant l'exil à Babylone, les Anciens furent les gardiens des traditions religieuses et la mémoire de la nation (Jérémie 29 ; Ézéchiel 8, 1). Le *Sanhédrin* (du grec *Synedrion*, « communauté siégeant de concert ») était une autorité religieuse suprême, juridique et politique, dont l'origine venait des conseils des Anciens. Les Romains ôtèrent au conseil des Anciens le droit de juger les crimes de sang ; c'est pourquoi Jésus comparut devant le gouverneur romain Ponce Pilate après avoir été présenté devant le conseil des Anciens qui n'avait plus le pouvoir de le mettre à mort.

Dans le Nouveau Testament, les Anciens étaient les chefs responsables des communautés chrétiennes après le départ des apôtres. L'apôtre Paul les désigne comme étant *les bergers de l'Église de Dieu*, des êtres vigilants capables de venir en aide aux plus faibles, et de garder et transmettre l'héritage spirituel (Actes des Apôtres 20).

## ANCRE

Dans le Nouveau Testament (Hébreux 6, 19), l'ancre symbolise la persévérance et la fidélité. Elle manifeste la foi et l'espérance des chrétiens. L'ancre se fixe dans les rochers, éléments solides dans l'élément mobile, et préserve les marins des naufrages. L'apôtre Paul conseille de s'ancrer dans le Christ (le Roc du croyant) afin de ne point disparaître dans les tempêtes du monde.

## ANDRÉ

*Le viril* (en grec). L'un des douze disciples du Christ, frère de Simon Pierre, tous deux natifs de la cité de Betsaïda, sur lac de Tibériade (Jean 1, 44). Pêcheurs, les deux frères devinrent les deux premiers disciples du Christ lorsque celui-ci les appela à le suivre : *Venez à ma suite, et je ferai de vous des pêcheurs d'hommes* (Marc 1, 16-17). L'apôtre André exerça son ministère en Scythie et en Grèce. Dans l'iconographie religieuse, il est reconnaissable par la croix en forme de X qu'il maintient à son côté, instrument de son martyre, à Patras en l'an 60.

## ÂNE, ÂNESSE

Cumulant des qualités et des défauts aussi différents que bêtise, humilité, puissance vitale, résistance passive et bonté, l'âne et l'ânesse ont une place importante dans l'imagerie biblique, notamment dans le sacrifice d'Isaac, avec le prophète de *Balaam*, dans la crèche de la Nativité, comme monture de Marie lors de la fuite en Égypte… Bien que considéré comme un animal impur dont la viande ne pouvait être consommée qu'en cas de nécessité, comme lors du siège de Samarie (2 Rois 6, 25), et animal de trait, l'âne est aussi un signe de richesse. Avant de tout perdre, Job possédait 500 ânesses, mais il en eut 1 000 lorsqu'il récupéra ses biens (Job 42, 12). Dans les temps anciens, les personnes importantes se déplaçaient sur des ânesses blanches (Juges 5, 10) ; c'est pourquoi le Christ entre ainsi dans Jérusalem. Seul l'Évangile de Luc décrit la naissance de Jésus sans mentionner la présence d'un âne.

## ANGE

Du latin *angelus*, lui-même issu du grec *angelos*, signifiant messager. En hébreu, ange se dit *malak*, c'est-à-dire message, devenu par la suite messager. Intermédiaires ailés entre Dieu et les hommes, êtres spirituels souvent guides attentionnés des hommes, ces *fils de Dieu* sont parfois chargés d'appliquer la justice divine, tel l'ange exterminateur de l'Apocalypse. Il existe différentes sortes d'anges, reconnaissables à leur nombre d'ailes. Il s'agit des séraphins, des chérubins et des archanges. Selon l'Ancien Testament, il existe sept sortes d'anges (Tobit 12, 15) dont font partie Michel, Gabriel, Raphaël, Ouriel… L'ange manifeste de manière visible la présence spirituelle de Dieu se tenant toujours auprès des hommes. Les chérubins étaient pour les Hébreux les gardiens de l'arche d'alliance placée dans le Saint des saints, au cœur du temple de Jérusalem.

## ANIMAL

*Petit frère* des hommes qui doivent le protéger, l'animal illustre le rôle de la nature dans l'expérience humaine. Souvent, les animaux sont au service de Dieu et des prophètes, qu'ils transportent, nourrissent ou remplacent, notamment pour les sacrifices, tel le bouc émissaire d'Abraham ou l'ânesse du Seigneur. L'Ancien Testament répartit les animaux en quatre groupes, les poissons, les oiseaux, les animaux terrestres et les reptiles (Genèse 1, 26), lesquels sont aussi répartis entre animaux purs et animaux impurs. Parmi les animaux aquatiques, ceux qui ont des nageoires et des écailles sont purs et peuvent être consommés, tandis que ceux qui n'ont ni nageoires ni écailles sont impurs, donc non comestibles. Pratiquement toutes les bêtes ailées sont interdites de consommation.

Les quadrupèdes sont répartis entre bêtes apprivoisées (bétail) et bêtes des champs (sauvages). Parmi le bétail se distinguent ceux qui ont les sabots fendus, purs et comestibles, et ceux qui n'ont pas les sabots fendus, impurs et non comestibles. D'autre part, bêtes et insectes qui se déplacent sur le ventre ou à quatre pattes (et davantage) sont décrétés impurs sauf ceux dont les membres leur permettent de sauter (Lévitique 11).

## ANNE

*Miséricorde*. Nom donné aussi bien à un homme qu'à une femme. Il existe dans l'Ancien Testament, Anne épouse d'Elqana et mère du prophète Samuel qu'elle conçut avec l'aide de Dieu alors qu'elle était stérile. C'est pourquoi elle le consacra à Dieu dans le temple de Silo, puis chanta un cantique d'action de grâces considéré comme le prototype du Magnificat (1 Samuel 1 et 2).

Anne est le nom de la mère de la Vierge Marie que l'on représentait un livre à la main auprès de sa fille encore enfant.

Anne est aussi le nom de la prophétesse qui séjournait dans le temple de Jérusalem et qui accueillit Jésus lors de sa présentation. Elle avait alors 84 ans mais servait Dieu jour et nuit dans le jeûne et la prière. Elle annonça que l'enfant qui était présenté était celui que l'on attendait pour la résurrection de Jérusalem (Luc 2, 36-38).

Anne est encore le nom du grand prêtre installé par les Romains à Jérusalem (6 ap. J.-C.) et déposé en l'an 15 ; lui succédèrent ses cinq fils puis son gendre Caïphe. Anne garda cependant une grande influence car Jésus lui fut présenté avant de l'être à Caïphe, qui était pourtant le grand prêtre officiel (Jean 18, 13, 24).

## ANNÉE

L'année biblique était fondée sur le calendrier lunaire comptant de 353 à 355 jours, selon qu'elle était une année *défective*, *normale* ou *surnuméraire*. Elle comportait 12 mois de 29 ou 30 jours et l'on ajoutait un mois de 29 jours tous les trois ans afin de récupérer la différence entre l'année lunaire et l'année solaire.

Un mois commençait toujours au coucher du soleil le soir de la pleine lune. La journée débutait également avec le soir et était divisée en 12 heures diurnes et 4 veilles nocturnes de 3 heures chacune. Après l'exil à Babylone et sous l'influence de ses astronomes, les mois portèrent des noms babyloniens et l'année débuta au printemps.

## ANNONCIATION

Fêtée le 25 mars, l'Annonciation commémore la visite que fit l'ange Gabriel à la Vierge Marie pour lui annoncer la naissance future de Jésus. C'est l'un des moments fondateurs du christianisme que rappelle chaque jour la prière de l'*Angelus*.

## ANTÉCHRIST

Adversaire du Christ, esprit du mal qui, à la fin des temps, essayera d'amener les croyants à renier ce à quoi ils ont cru, et exposera le monde à sa perte. Son apparition annonce cependant l'arrivée du Christ (*parousie*) lors de la fin du monde. L'Antéchrist ou *avant-Christ*, est surtout mentionné par saint Jean dans son Apocalypse (chapitre 13).

## ANTIOCHE DE PISIDIE

Ville d'Asie Mineure, plusieurs fois citée dans les Actes des Apôtres, qui faisait partie de la province romaine de Galatie. Paul et Barnabé furent dénoncés et persécutés par les Juifs et les païens de cette ville. Ils lapidèrent Paul qui survécut et revint à Antioche par la suite (Actes des Apôtres 13, 14-52 ; 14, 19).

## ANTIOCHE DE SYRIE

Ville (actuelle Antakya de Turquie) fondée par le roi Séleucus I$^{er}$ Nicator en 300 av. J.-C., ainsi nommée en l'honneur de son père Antiochus. Forte de 500 000 habitants, elle était la capitale du royaume séleucide et devint un grand centre chrétien. C'est dans cette ville que les disciples du Christ reçurent le nom de chrétiens pour la première fois selon les Actes des Apôtres (chapitre 11, 26) qui rapportent comment Paul et Barnabé y prêchèrent l'Évangile.

## ANTIOCHUS IV ÉPIPHANE

*Divinité manifestée* (en grec). Roi séleucide de 175 à 164 av. J.-C., fils d'Antiochus III le Grand. Après avoir conquis l'Égypte en 170 av. J.-C., Antiochus IV dut abandonner ce pays sur l'ordre de Rome. C'est alors qu'il occupa Jérusalem dont il pilla le Temple et ses trésors puis tenta d'helléniser les Juifs en interdisant leur culte pour le remplacer par les cultes grecs. Ces mesures déclenchèrent la révolte des Macchabées dirigée par Judas Macchabée.

## ANTIOCHUS V EUPATOR

*Père illustre* (en grec). Roi séleucide (164 à 162 av. J.-C.), successeur de son père Antiochus IV Épiphane. Antiochus V signa avec Judas Macchabée la paix de Lysias (1 Macchabée 6). En 162 av. J.-C., Antiochus fut assassiné par son cousin Démétrius (1 Macchabée 7, 1-4 ; 2 Macchabée 14, 1-2).

## ANTIOCHUS VII ÉVERGÈTE SIDÉTÈS

Roi séleucide (138 -129 av. J.-C.), fils de Démétrius I$^{er}$ Sôter qui monta sur le trône à 16 ans, lorsque son frère Démétrius II Nicator tomba aux mains des Parthes. Antiochus VII chassa l'usurpateur Tryphon après s'être allié avec Simon Macchabée, mais il se dressa ensuite contre ceux qui l'avaient soutenu et conquit Jérusalem en 134 av. J.-C., dont il fit raser la muraille. Il fut tué au cours d'une bataille contre les Parthes (1 Macchabée 15-16).

## ANTIPAS

*Portrait de son père* (en grec). Nom de plusieurs personnages dont le tétrarque Hérode Antipas et l'un des premiers martyrs chrétiens originaire de Pergame où l'Apocalypse (chapitre 2, 13) situe la demeure de Satan.

## ANTONIA

Forteresse stratégique construite au nord du temple de Jérusalem, mentionnée dans l'Ancien Testament au moment du retour des Juifs de Babylone (Néhémie 2, 8), qui la nomme Citadelle ainsi que le second livre des Macchabées (chapitre 4). La construction d'origine fut transformée par Hérode le Grand en un luxueux palais fortifié (Baris) avec salles d'apparat, bains et casernes. À sa mort, une garnison romaine y resta pour surveiller le temple de Jérusalem (Actes des Apôtres 21, 31-40).

## APOCALYPSE

*Révélation* (en grec). Ce terme ne désigne pas seulement l'Apocalypse de Jean, mais aussi d'autres textes prophétiques nommés apocalypses dans les livres bibliques de l'Ancien Testament (livre de Daniel) et des textes intertestamentaires.

L'Apocalypse de Jean est un texte prophétique écrit, vers l'année 85, par un Jean (peut-être le disciple Jean déjà auteur d'un Évangile) dans l'île de Patmos. L'Apocalypse ne fut acceptée dans les livres canoniques du Nouveau Testament que difficilement par les Pères, bien qu'il décrive la fin du monde, le jugement dernier et la parousie, c'est-à-dire le retour du Christ victorieux. De nombreuses scènes de l'Apocalypse ont été reproduites par l'art roman et gothique, notamment dans les enluminures et tapisseries (Angers). L'Apocalypse, à laquelle sont associés les anges joueurs de trompette, le livre fermé de sept sceaux, les monstres déchaînés, ainsi que le trône de Dieu et la Jérusalem céleste, annonce la victoire du Christ rétablissant la justice sur le monde, récompensant les justes et les fidèles et punissant les méchants et les injustes.

## APOSTASIE

Terme biblique désignant l'abandon du culte de Dieu, de la foi, pour l'adoration d'autres divinités. L'apostasie était frappée de malédictions telles celles qui furent infligées à Sodome et Gomorrhe

## APÔTRES

Appelés individuellement par le Christ au commencement de sa mission terrestre, les douze disciples ne devinrent apôtres, c'est-à-dire *envoyés*, messagers, qu'après avoir reçu le Saint Esprit sous la forme de langues de feu, le jour de la Pentecôte. Les noms des douze apôtres nous sont connus par les Évangiles de Matthieu (10, 2-4), Marc (3, 16-19), Luc (6, 14-16) et par les Actes des Apôtres (1, 13).

D'origine modeste, artisans ou pêcheurs, les apôtres furent enseignés par le Maître avant d'aller annoncer au monde la *Bonne Nouvelle* et guérir ceux qu'ils rencontraient tout au long de leur route. Le Christ prévint ses apôtres qu'ils seraient persécutés mais sauvés pourvu qu'ils conservent la fidélité : *Voici que je vous envoie comme des brebis au milieu des loups ; soyez donc rusés comme les serpents et candides comme les colombes (…) celui qui tiendra jusqu'à la fin, celui-là sera sauvé* (Matthieu 10, 16-23). En effet, à l'exception de Jean, disparu dans la Lumière selon la légende, tous les apôtres furent martyrisés. Les Actes des Apôtres, qui font suite aux quatre Évangiles, livrent quelques détails de leur ministère.

**Pierre**. Le premier des Douze, le prince des Apôtres, est toujours représenté portant les clefs du ciel car Jésus lui affirma à Césarée de Philippe : *Je te donnerai les clés du royaume des cieux* (Matthieu 16, 13). Il symbolise Rome, le pouvoir papal et l'Église depuis sa fondation. De son vivant, Pierre exerça son sacerdoce à Rome où il mourut martyr, crucifié la tête en bas (parce qu'il ne voulait pas qu'on puisse le confondre avec le Seigneur).

**André**. Le frère de Pierre, identifiable par la croix en forme de X (instrument de son martyre) qu'il maintient à son côté. Il exerça son ministère en Scythie et en Grèce.

**Jacques le Majeur** (*Jacobus Major*). Le fils de Zébédée, apôtre de l'Ouest, est représenté tenant un long bâton de pèlerin (bourdon) et arborant une coquille. Les églises espagnoles le surnomment *matamore* (guerrier vainqueur des Maures) et ajoutent une grande épée à sa panoplie. Jacques le Majeur mourut décapité (par le sabre) sur l'ordre d'Hérode Agrippa. Ses restes reposent à Compostelle, lieu de son pèlerinage.

**Jean l'Évangéliste**, fils de Zébédée, frère cadet de Jacques le Majeur, tient une coupe sur laquelle veille un dragon (vouivre ou salamandre), afin d'illustrer la légende du poison mortel qu'il but sans dommage. Jean l'Évangéliste était le disciple préféré de Jésus, et l'auteur assuré du quatrième Évangile, ou *Évangile spirituel*, d'épîtres, et peut-être de l'Apocalypse. C'est Jean qui reçut Marie lorsque le Seigneur disparut. D'après la légende, l'apôtre quitta la Terre dans un nuage de lumière, enlevé dans son église d'Éphèse. Jean symbolise la Connaissance et l'Est du monde. Il était le patron des fabricants de chandelles.

**Philippe**. Le cinquième apôtre était en mission en Scythie, en Phrygie ; il a été crucifié à Hiérapolis. Il est représenté tenant une croix.

**Barthélemy**. Fils de Tholmaï, seulement cité dans les trois premiers Évangiles et appelé Nathanaël dans l'Évangile de Jean. Il a généralement un couteau à la main car la légende assure qu'il fut écorché vif en Arménie après avoir prêché en Phrygie et au Pont. Il était le patron des tanneurs.

**Matthieu** le publicain fut percepteur avant d'être disciple du Seigneur (certaines sculptures font allusion à cet ancien état). Il est l'auteur du premier Évangile. En mission en Éthiopie, il y mourut tué d'un coup de hache, arme avec laquelle il est souvent représenté.

**Thomas** l'incrédule évangélisa l'Inde et, architecte d'un grand roi, selon la légende, il fut pour cela statufié avec une équerre, ou une règle, à la main. Il est aussi associé à l'incrédulité (selon les Évangiles). Il mourut par le glaive.

**Jacques le Mineur** (*Jacobus Minor*). Confondu avec Jacques le Juste, dit *Frère du Seigneur*, il mourut lapidé et assommé par un coup de foulon (bâton de teinturier) à Jérusalem dont il aurait été le premier évêque. On le représente avec un gros et court bâton.

**Thadée** (Jude) prêcha au Pont, en Mésopotamie, et en Perse avec l'apôtre Simon où ils luttèrent contre des magiciens. Ils furent tous deux égorgés.

**Simon** est un apôtre dont on ne sait rien, sinon qu'il accompagna Thadée en Mésopotamie et en Perse.

**Judas**, comptable et responsable de la trésorerie des apôtres, est représenté soit pendu, soit comptant ses trente deniers, prix de sa trahison. Il symbolise l'ultime étape du parcours initiatique, la mort rédemptrice, volontaire, qui permet de se détacher des valeurs du monde profane auxquelles on a vendu son âme.

Les douze apôtres choisis par Jésus furent rejoints par de nouveaux disciples tels Matthias, Paul et Barnabé (Actes des Apôtres 14, 14).

**Matthias** est le treizième apôtre, celui qui remplace Judas, après sa pendaison. Il est un moment charnière entre ceux qui ont connu le Christ et ceux qui n'en n'ont qu'une vision spirituelle. Il fut appelé parmi les Douze après avoir été tiré à la courte paille. On le représente tenant une croix et/ou un livre.

**Paul** est fréquemment représenté avec l'apôtre Pierre, tenant un glaive. De nombreuses églises leur sont consacrées.

## AQUILAS ET PRISCILLE

Ce couple de convertis au christianisme vit en Asie Mineure où il s'est établi après l'expulsion des Juifs de Rome (Actes des Apôtres 18). Ils accompagnent Paul quand il part pour Éphèse et enseignent le néophyte Apollos. Paul les désigne comme ses collaborateurs en Jésus-Christ (Romains 16, 3-4).

## ARABA

Nom donné dans l'Ancien Testament à la partie sud de la vallée du Jourdain, entre le golfe d'Aqaba et la mer Morte appelée *mer de la Araba* (2 Rois 14, 25). Les Hébreux longent cette mer pour se rendre vers le pays de Canaan car les Édomites les empêchent de passer à l'ouest de la mer Morte (Deutéronome 1).

## ARABIE

Dans l'Ancien Testament, nom donné à la partie du désert où vivaient les Arabes (ou Nabatéens) nomades (Ésaïe 21, 13) souvent vassaux des Israélites. Le royaume de Saba était le plus important d'Arabie mais les Nabatéens le ruinèrent au IIᵉ siècle.

## ARAD

Ancien royaume cananéen conquis par les Israélites et nommé par eux Horma. Arad était situé dans le nord-est du Néguev, à 15 km de la mer Morte (Nombres 21). Cette cité eut son apogée vers 1900 av. J.-C. puis, vers l'an 1000 av. J.-C. On construisit un sanctuaire pour l'Éternel au faîte de la ville, dont la structure était semblable à celle du temple de Jérusalem. Shéshonq Iᵉʳ, roi d'Égypte, conquit Arad en 920 av. J.-C. et, en 701 av. J.-C. , l'Assyrien Sennakérib détruisit la ville.

## ARAMÉENS

Tribus issues d'Aram, le cinquième fils de Sem selon la Genèse, (chapitre 10), les Araméens vivaient sur les rives de l'Euphrate et en Syrie où ils fondèrent de petites principautés avant de régner sur de grands territoires dont le plus important avait Damas pour capitale. Les Araméens furent constamment en conflit avec les Israélites (1 Rois 11) bien que Jacob, leur ancêtre, soit nommé dans le Deutéronome (chapitre 26, 5 ; Genèse 25, 20) *l'Araméen errant*. Au temps du Christ, l'araméen était la langue usuelle.

## ARARAT

Selon l'Ancien Testament, le mont Ararat est le lieu où s'échoua l'arche de Noé à la fin du Déluge (Genèse 8, 4). Sur cette montagne, située au nord de l'Assyrie, se réfugièrent les princes assyriens Adrammélek et Sarècèr ⟨a⟩rès l'assassinat de Sennakérib leur père (2 Rois 19, 37).

## ARAUNA

Membre de la tribu des Jébusites auquel David acheta un terrain pour y construire un autel, ainsi que cinquante bœufs pour le sacrifice (2 Samuel 24, 16-25). C'est à cet emplacement choisi par Dieu que Salomon, fils de David, construisit le temple de Jérusalem (2 Chroniques 3, 1).

## ARBRE

Comme les quatre éléments et les animaux, les végétaux, fleurs, céréales et arbres sont présents dans la Bible. L'arbre est un symbole vertical, en analogie avec l'homme debout sur la Terre. Arbre de Vie et arbre de Connaissance plantés dans le Jardin d'Éden, arbre de prophétie et de force (chêne), d'éternité (cyprès) ou de justice, il symbolise par ses feuilles et ses racines l'homme placé entre ses origines et son devenir.

Le christianisme associe la croix du Seigneur à un arbre reliant la Terre et le Ciel, l'homme et Dieu. Dans les paraboles, les arbres sont comparés aux œuvres des hommes. Ainsi existe-t-il des arbres féconds, des arbres stériles et des arbres ne portant ni feuilles ni fruits, images de ceux qui n'offrent rien à leurs semblables.

## ARBRE DE JESSÉ

Cet arbre symbolique figure la généalogie de Jésus depuis Jessé, père de David. C'est le symbole de l'enracinement dans la Tradition prophétique de la mission du Christ selon les paroles du prophète Isaïe (chapitre 11) : *Un rameau sortira de la souche de Jessé, un rejeton jaillira de ses racines. Sur lui reposera l'esprit du Seigneur…*

## ARBRE DE VIE / ARBRE DE LA CONNAISSANCE

Premiers arbres plantés au centre du jardin d'Éden, (Genèse 2, 9), au moment de la Création, l'arbre de Vie confère l'éternité à ceux qui s'en nourrissent. Chassés du jardin pour avoir consommé les fruits de l'arbre de la Connaissance, malgré l'interdiction qui leur en avait été faite, Adam et Ève ne purent plus consommer des fruits de l'arbre de Vie et s'interdirent ainsi l'immortalité. L'arbre de Vie annonce le Christ et sa mort sur la croix (bois du sacrifice). Après le jugement dernier, dans la Jérusalem céleste, un nouvel arbre de Vie sera planté, qui sera source de santé et de nourritures éternelles.

## ARC-EN-CIEL

Dans la Bible, l'arc-en-ciel symbolise l'Alliance faite entre Dieu et les hommes par laquelle l'Éternel promit de ne plus envoyer de déluge sur la Terre, tandis que les hommes s'engageaient à le servir et à l'adorer comme Dieu unique. Ce signe dans le ciel annonce un renouveau, et réunit ce qui est en haut et ce qui est en bas, les hommes et l'univers.

## ARCHANGES

Au faîte de la hiérarchie angélique, car placés à proximité de Dieu, les sept archanges ont pour nom Michel, Gabriel, Anaël, Raphaël, Samaël, Cassiel et Sachiel. La tradition leur accorde des pouvoirs et leur donne des rôles que la Bible ne mentionne qu'à de très rares occasions.

## ARCHE D'ALLIANCE

L'arche d'Alliance commémorait la conclusion de l'Alliance passée entre Dieu et le peuple hébreu (Exode 25). Elle était gardée dans la tente de l'Alliance avec les tables de La loi reçues par Moïse au mont Sinaï, des documents officiels, des vases d'or contenant un peu de la manne qui avait nourri le peuple dans le désert, et le bâton d'Aaron (Exode 40, 20). Pour les Hébreux, l'arche d'Alliance conservait la Connaissance donnée à Moïse et, symboliquement, pour le christianisme, celle de toute l'humanité. Venant à la suite du Déluge, l'arche signifie aussi la fin d'un temps et le début d'un nouveau. Pour le christianisme, l'arche illustre l'Église, et le Nouveau Testament succédant à l'ancienne Loi désormais accomplie. Les mesures de l'arche d'alliance, données par Dieu, sont précisées dans le livre de l'Exode (chapitre 25), et le second livre des Chroniques (chapitre 3). L'arche d'alliance fut détruite et perdue vers 587 av. J.-C. , lors de la destruction du temple de Jérusalem par Nabuchodonosor.

## ARCHE DE NOÉ

Selon la Genèse (chapitre 6,14), l'Éternel fit construire à Noé un navire appelé arche, afin qu'il accueille un couple de chaque espèce d'animaux, qu'il y fasse monter sa famille, et s'y enferme tandis que les pluies tomberaient et que l'eau submergerait les terres en ne laissant subsister aucune vie. Cet immense navire comportait trois étages, avait 100 m de long et 50 m de large. Au terme du Déluge, le 17e jour de navigation du 7e mois, l'arche s'échoua sur le mont Ararat après la descente des eaux et *la fermeture des réservoirs du ciel et de l'abîme* (Genèse 8, 4). Par la profusion des variétés animales et humaines qui prennent place dans l'embarcation de Noé, l'arche manifeste les multiples aspects de la vie terrestre, physique et spirituelle.

## ARGENT

Posséder l'argent, c'est posséder une première parcelle de pouvoir puisque la monnaie porte l'effigie du roi ou un emblème de sa puissance. L'argent donne l'illusion de la force, à l'inverse de la véritable sagesse (Dieu), le Christ conseillant même de rendre à César (force terrestre) ce qui lui appartient. Le Nouveau Testament présente souvent l'aspect négatif de l'argent, le riche et Lazare, ou la trahison de Judas pour 30 deniers. C'est pourquoi il recommande de ne posséder ni pouvoir ni argent.

## ARGENT (MÉTAL)

Métal importé de Tarsis (Espagne) que l'on utilisait dans la fabrication d'objets de culte, d'ornements, ou d'ustensiles. Des idoles furent coulées en l'argent (Ésaïe 2, 20).

## ARIEL

*Foyer de sacrifice, Lion de Dieu* (en hébreu). D'abord nom symbolique donné à Jérusalem par Ésaïe (chapitre 29), Ariel est le nom d'un ange dans la démonologie juive. Depuis le Moyen Âge, Ariel est considéré comme l'esprit des éléments, maître de l'élément Terre ou comme l'un des princes de l'Enfer.

## ARIMATHÉE, ARIMATHIE

Ville située à 35 kilomètres au nord-ouest de Jérusalem, où vivait Joseph d'Arimathée, qui offrit le tombeau qu'il s'était fait creuser pour y inhumer le Christ (Matthieu 27, 57).

## ARISTARQUE

Chrétien de Salonique (Macédoine), il accompagna l'apôtre Paul dans son troisième voyage missionnaire puis dans son transfert à Rome (Actes des Apôtres 19 et 27). Quand se produisit à Éphèse l'émeute des orfèvres qui défendaient le culte d'Artémis, et refusaient que l'on fonde les représentations des idoles en métaux précieux, Aristarque fut traîné à l'amphithéâtre par la population en colère, qui faillit le massacrer (Actes des Apôtres 21, 20, 4).

## ARISTOBULE

*De très bon conseil* (en grec). Nom porté par plusieurs personnages dont un Juif d'Égypte, précepteur du roi Ptolémée VI Philométor (180-145 av. J.-C.) qui tenta de concilier l'éducation grecque avec la tradition juive. Un second Aristobule fut grand prêtre, roi des Macchabées (104-103 av. J.-C.) et le premier Macchabée à porter le titre de roi sous le nom d'Aristobule Ier. Le troisième personnage fut Aristobule II, dernier roi et grand prêtre (67-63 av. J.-C.), emmené à Rome après la conquête de Jérusalem par les troupes du général romain Pompée.

## ARMÉE

C'est sous le règne du roi David que se forma une armée de métier, d'abord issue de la garde royale. Avant cette organisation, tous les hommes devaient se soumettre à l'obligation militaire dès l'âge de 20 ans (Nombres 1, 3, et 26, 2), hormis les hommes ayant construit une nouvelle maison sans l'avoir encore inaugurée, ceux qui avaient planté une vigne sans l'avoir jamais encore vendangée et ceux qui s'étaient fiancés mais ne s'étaient pas encore mariés.
D'autre part, on refusait les peureux, afin qu'ils ne découragent pas les autres (Deutéronome 20). Le roi Saül leva une armée composée de 3 000

hommes (I Samuel 13 et 24), puis le roi David institua une armée populaire composée de douze classes de 24 000 hommes dont chacune devait faire un mois de service (1 Chroniques 27). Salomon constitua une armée de 12 000 hommes possédant 1 400 chars de combat (2 Chroniques 1 et 9).

## ARNI

Père d'Admin et grand-père d'Aminadab, mentionné dans l'arbre généalogique de Jésus (Luc 3, 33).

## AROËR

Nom de deux villes situées l'une à l'est de la mer Morte sur la rivière Arnôn et l'autre à l'est du Jourdain dans le territoire des fils de Gad (Josué 13, 25).

## ARPAD

Ville située au nord de la Syrie à 30 km d'Alep et capitale d'un royaume araméen. Elle fut détruite par les Assyriens (2 Rois 18, 34 ; Ésaïe 10, 9).

## ARPAKSHAD

L'un des fils de Sem, fils de Noé (Genèse 10, 22) qui fut le père de Shèlah. Arpakshad est cité dans l'arbre généalogique de Jésus (Luc 3, 36).

## ARQITES

Nom de l'une des tribus établie au pays de Canaan (Genèse 10, 17).

## ARSACE

Nom royal de Mithridate Ier, *Arsace VI*, fondateur de l'Empire parthe situé dans la vallée de Kaboul (Mésopotamie, 140 av. J.-C.). En 139 av. J.-C., Arsace vainquit Démétrius II Nicator, et le fit prisonnier (1 Maccabées 14, 2). Les Arsacides furent anéantis par les Sassanides perses.

## ARTAXERXÈS Iᴱᴿ

Artaxerxès Makrocheir, *à la main longue*, roi de Perse de 464 à 425 av. J.-C., qui fit cesser les guerres médiques par la *paix de Callias*. En 445, il désigna Néhémie comme gouverneur de Judée.

## ARTÉMAS

Compagnon de l'apôtre Paul (Épître à Tite 3, 12).

## ARVAD

Ville commerçante (actuelle ErRouwâd) édifiée sur l'île d'Arvad et dépendante de Tyr. Ces habitants, nommés Arvadites, sont cités dans la Genèse (chapitre 10, 18) et le Livre d'Ézéchiel (chapitre 27, 8-11) les qualifie d'excellents soldats.

## ARYOK

Roi d'Ellasar, dans le sud de la Babylonie, qui, avec le roi Amraphel de Shinéar et d'autres monarques, fit la guerre aux rois de Sodome et de Gomorrhe (Genèse 14, 1).

## ARYOK

Chef des bourreaux et de la garde personnelle du roi Nabuchodonosor à Babylone (Daniel 2, 14 -25).

## ASA DE JUDA

Roi du royaume de Juda (Sud) de 908 à 868 av. J.-C., ayant succédé à son père le roi Abiyam. Asa de Juda lutta contre l'idolâtrie et réorganisa le culte d'Israël (1 Rois 15, 11-15 ; 2 Chroniques 15, 1-18), et repoussa une attaque du roi Baésha d'Israël (1 Rois 15, 11-15 ; 2 Chroniques 16, 1-10). Son fils Josaphat lui succéda. Asa de Juda est mentionné dans l'arbre généalogique de Jésus (Matthieu 1, 7).

## ASAF

Chanteur lévite ayant vécu sous le règne du roi David (1 Chroniques 6, 24) qui est à l'origine d'une dynastie de chanteurs préposés au culte du Temple. Asaf serait l'auteur des Psaumes 50 et des Psaumes 73 à 83.

## ASAHEL

Un des trois fils de Cerouya, frère de Joab, le général de David. Un des trente héros de David (2 Samuel 2, 18 ; 23, 24). Pendant la guerre entre David et Ishbosheth, fils de Saül, Asahel fut tué par Avner, le général d'Ishbosheth (2 Samuel 2, 19-23). Joab assassina ensuite Avner pour venger Asahel (2 Samuel 3, 27).

## ASARHADDON

Roi d'Assyrie de 680 à 669 av. J.-C. , qui succéda à son père Sennakérib après son assassinat. Asarhaddon amena l'Assyrie à son apogée. En 677 av. J.-C. , il détruisit le port phénicien de Sidon puis installa des colons à Samarie. Le roi Manassé de Juda fut son vassal mais à sa mort, en 669 av. J.-C. , l'Assyrie fut partagée entre Assourbanipal qui devint roi d'Assour et Sharnash-shumukin, roi de Babylone.

## ASCENSION

Bien que réservé au Christ, le mot *ascension* désigne aussi la disparition de deux personnages de l'Ancien Testament. Il s'agit du patriarche Hénok, qui avait 365 ans lorsque Dieu l'enleva de la terre (Genèse 5, 24), et du prophète Élie qui monte au ciel dans un char de feu (2 Rois 2, 11). Dans le Nouveau Testament, l'ascension désigne le départ du Christ vers le ciel en présence des disciples (Marc 16, Luc 24 ; Actes des Apôtres 1). L'événement, que ne rapportent pas les évangélistes Jean et Matthieu, se produisit sur le mont des Oliviers, près de Béthanie. Toujours fêtée un jeudi, l'ascension se produit quarante jours après la résurrection (fêtée le dimanche de Pâques) et annonce, selon les Actes et les Évangiles, un identique retour du Christ sur la Terre. On ajoutera aussi les départs légendaires des apôtres Jean et André, emportés chacun dans un nuage de lumière (*Légende dorée*).

## ASENATH

*Celle qui appartient à la déesse Neith.* Selon la Genèse (chapitre 41, 45), Asenath, fille du prêtre d'On, était l'épouse égyptienne du patriarche Joseph.

## ASHDOD

L'une des cinq cités royales des Philistins (Josué 13, 3 ; 1 Samuel 6, 17) qu'auraient habitée les géants Anaqites (Josué 11, 22). Dans la ville d'Ashdod était édifié un temple au dieu Dagôn, dans lequel les Philistins placèrent l'arche d'alliance qu'ils avaient enlevée aux Israélites vaincus à Afeq (I Samuel 5). Le roi de Juda Ozias (787-736 av. J.-C.) victorieux des Philistins, conquit Ashdod dont il fit détruire les fortifications (2 Chroniques 26, 6). En 711 av. J.-C., les Assyriens conquirent Ashdod et en firent une capitale que Jonathan le Macchabée incendia (I Macchabées 10) puis que les Romains rebâtirent. L'apôtre Philippe y annonça l'Évangile (Actes des Apôtres 8, 40).

## ASHER

*Félicité* (hébreu). Fils de Jacob et d'une servante de son épouse Léa (Genèse 30, 10-13), Asher est peut-être l'ancêtre de la tribu d'Asher, installée au nord du pays de Canaan (Josué 19, 24-31).

## ASHÉRA

Malgré les lois de l'Ancien Testament, cette déesse de la fertilité était honorée dans Israël puisqu'avant l'exil à Babylone, au temps de la reine Jézabel, elle avait 400 prophètes à son service (1 Rois 18, 19). La déesse Ashéra était personnifiée par des poteaux sacrés placés près des autels (1 Rois 14, 15).

## ASHKÉNAZ

Arrière petit-fils de Noé, petit-fils de Japhet, et fils de Gomer selon la Genèse (chapitre 10) et le premier livre des Chroniques (chapitre 1, 6). C'est du nom de ce personnage que provient le terme *Ashkénazim*, qui désigne les juifs d'Europe occidentale, centrale et orientale.

## ASHQELÔN

Une des cinq capitales des Philistins, où naquit le roi Hérode le Grand. À plusieurs reprises les Israélites essayèrent sans succès de la conquérir *mais il n'était pas possible de déposséder les habitants de la plaine parce qu'ils avaient des chars de fer* (Juges 1, 18-19). C'est d'Ashqelôn que proviennent les échalotes, rapportées par les pèlerins de Jérusalem.

## ASHTAROTH

Cité située à l'est du lac de Gennésareth, dans le pays de Moab, résidence du roi Og de Bashân (Deutéronome 1, 4). Au temps d'Abraham, un grand combat opposa les quatre rois de l'Est aux Refaïtes dans un lieu nommé Ashtaroth Qarnâm.

## ASILE

Dans l'Ancien Testament, certaines villes étaient désignées comme des lieux d'asile pouvant préserver les meurtriers de la vengeance, selon le Deutéronome (chapitre 4, 42), à condition *qu'ils aient tué involontairement un homme qu'il ne haïssait pas auparavant.* En se réfugiant dans l'une de ces villes, le meurtrier avait la vie sauve. L'autel pouvait servir aussi de lieu de refuge en cas de meurtre non prémédité (Exode 21, 12-14). Les églises perpétuèrent cette tradition au Moyen Âge.

## ASMODÉE

Esprit démoniaque qui personnifiait la colère pour les Perses. Selon Tobit, Asmodée tua successivement les sept maris de Sara avant qu'ils ne puissent s'unir à elle mais l'archange Raphaël le fit partir et le démon *s'enfuit par les airs. Raphaël l'entrava et l'enchaîna* (Tobit 8, 2-3).

## ASSIDÉENS

*Les pieux.* Groupe de Juifs restés fidèles à la Loi, qui luttaient contre le paganisme et soutinrent pour cela la révolte des Macchabées (1 Macchabées 2, 42). Vers 150 av. J.-C. , les Assidéens se divisèrent entre pharisiens et esséniens qui faisaient partie de la communauté de Qumrân.

## ASTARTÉ

Déesse phénicienne de la fertilité et de la guerre proche de la déesse babylonienne Ishtar. Le roi Salomon fit ériger un lieu de culte à cette divinité malgré les interdits (1 Rois 11, 5-33).

## ATAROTH

Nom de plusieurs lieux dont le plus connu est celui situé à l'est du Jourdain (Nombres 32, 3) qui fut conquis par les Moabites (mentionné sur la stèle de Mésa).

## ATHALIE

Fille du roi Ahav d'Israël et de son épouse Jézabel. Athalie épousa le roi Yoram de Juda dont elle eut un fils, Akhazias, qui mourut quelques mois après l'assassinat de Yoram. Devenue reine du royaume de Juda (845-840 av. J.-C.), elle fut chassée par le prêtre Yehoyada. Elle revint cependant au pouvoir en faisant assassiner tous les membres de la maison royale. Seul Joas fut sauvé et put chasser Athalie six ans plus tard avec le soutien des prêtres. Athalie fut mise à mort et Joas lui succéda sur le trône (2 Rois 11).

## AUMÔNE

Du grec *eleemosyne*, du latin *alemosine*, signifiant soulagement, compassion. Don que l'on fait à une personne nécessiteuse, ou don que l'on fait pour épauler une œuvre charitable. Selon le Nouveau Testament, la charité est l'un des premiers devoirs du chrétien. L'Évangile de Matthieu (chapitre 6, 2-4) explique ce que doivent être la charité et les aumônes, loin des exhibitions vaniteuses. *Quand donc tu fais l'aumône, ne le fais pas claironner devant toi, comme font les hypocrites dans les synagogues et dans les rues, en vue de la gloire qui vient des hommes. En vérité, je vous le déclare : ils ont reçu leur récompense. Pour toi, quand tu fais l'aumône, que ta main gauche ignore ce que fait ta main droite, afin que ton aumône reste dans le secret ; et ton Père, qui voit dans le secret, te le rendra.*

## AUTEL

Du latin *altaria*, qui signifie bûcher, feu d'offrande. Dans son acception la plus répandue, un autel était une table où l'on célébrait un sacrifice, puis un temple puis une église. Dans l'Ancien Testament, l'autel, ou autel des holocaustes, était un espace surélevé, tertre ou construction de pierre, où l'on offrait des incantations et des prières (c'est-à-dire où l'on rendait sacré par un rituel approprié) et sacrifiait des animaux à Dieu. Cette table sacrée faite de terre ou des pierres non taillées selon la loi mosaïque (Exode 20, 24-25) était un lieu de rencontre entre Dieu et les hommes.

## AVAGTA

Appelé Zatholtha par la version des Septante, Avagta était l'un des sept dignitaires eunuques de la cour du roi de Perse. Avagta servait personnellement Xerxès et était reçu par la reine (Esther 1, 10).

## AVARIM

Chaîne de montagnes situées à l'est du Jourdain et de la mer Morte, où culmine le mont Nébo d'où Moïse aperçut la Terre promise (Nombres 33, 47 ; Deutéronome 32, 49).

## AVDIËL

Père d'Ahi, chef des familles de la lignée issue de Gad (1 Chroniques 5, 15).

## AVDÔN

*Petit serviteur*. Nom du dernier des « petits juges » d'Israël qui exerça huit ans la fonction de juge, dans le territoire d'Éphraïm où il fut enterré. Fils d'Hillel de Piréatôn, le livre des Juges (chapitre 12, 13-15) annonce qu'il avait 40 fils et 30 petits-fils qui montaient 70 ânons.

## AVEL-BETH-MAAKA

Cité araméenne située dans l'extrême nord d'Israël (Galilée), proche de la ville de Dan. Avel-Beth-Maaka était connue pour la sagesse de ses habitants qui refusèrent de suivre Shèva en révolte contre le roi David, le tuèrent, et donnèrent sa tête à Joab qui assiégeait la ville (2 Samuel 20, 13 à 22). Parfois appelée Avel-Maïrn, Avel-Beth-Maaka fut plusieurs fois conquise, et ses habitants déportés, notamment par le roi d'Assyrie Tiglath-Piléser III (2 Rois 15, 29).

## AVEL-MEHOLA

Contrée d'où provenait le prophète Élisée, successeur d'Élie (1 Rois 19, 16-19) qui lui avait laissé son manteau avant d'être emporté sur un char de feu. Avel-Mehola est située vers Beth-Shéân (1 Rois 4, 12) à l'ouest du Jourdain.

## AVE MARIA

*Salut, Marie !* Prière mariale, dite salutation angélique. C'est le salut attribué à l'ange Gabriel au moment où il annonça à Marie la naissance de Jésus (Luc 1, 28).

## AVEUGLE

Dans l'Ancien Testament, on rencontre les aveugles Tobit, Samson, Jonas enfermé trois jours dans la fameuse baleine. Dans le Nouveau Testament, Paul lors de sa conversion, et enfin le Christ séjournant trois jours dans les ténèbres du sépulcre avant de renaître. La guérison de la cécité est comparable à une prise de conscience lumineuse. Plusieurs prophètes et visionnaires furent aveugles, parfois momentanément, et cependant consultés pour leur vision spirituelle.

## AVI

Fille de Zekarya et mère d'Ézékias roi de Juda, (2 Rois 18).

## AVIÉZER

Fils de Manassé dont les descendants (Josué 17, 2) étaient appelés les Aviézérites. Le juge Gédéon était un Aviézérite. Ofra, était la capitale des Aviézérites.

## AVIGAÏL

*Mon père exulte.* Nom de l'épouse du riche Naval de Maon, propriétaire de terres et de bétail à Karmel, qui malgré sa fortune, 3 000 moutons et 1 000 chèvres, était méchant et dur. Intelligente et belle, Avigaïl devint la seconde femme de David après la mort de son époux, qu'elle avait préservé de la vengeance du roi (I Samuel 25). Pendant la campagne menée par David contre les Amalécites, Avigaïl et Abinoam furent enlevées à Ciqlag puis libérées par David (1 Samuel 30). Avigaïl fut la mère de Kiléav, fils de David que le premier livre des Chroniques (chapitre 3, 1) nomme Daniel.

## AVIGAL

Demi-sœur de David, mère d'Arnasa (2 Samuel 17, 25) nommée Avigaïl dans le premier livre des Chroniques (chapitre 2, 16-17).

## AVIHOU

Second fils d'Aaron et Élisabeth (Exode 6, 23) qui accomplit un sacrifice interdit avec son frère aîné Nadav. Tous deux en moururent (Lévitique 10, 1-2), c'est pourquoi ce furent Éléazar et Itamar qui exercèrent le sacerdoce en présence de leur père Aaron (Nombres 3, 4).

## AVINADAC

Frère aîné de David et deuxième fils de Jessé de Bethléem (1 Samuel 16, 8). Autre Avinadac, le fils de Saül, qui mourut en combattant les Philistins sur le mont Guilboa (1 Samuel 31, 2).

## AVINADAV

*Mon père est noble*. Nom d'un des habitants de Qiryath-Yéarim, chez qui fut mise en sécurité l'arche d'alliance après qu'on l'eut reprise aux Philistins. Le fils d'Avinadav, Éléazar, fut désigné pour garder l'arche (1 Samuel 7, 1). David fit ensuite transporter l'arche vers Jérusalem mais pendant le voyage, Ouzza, son deuxième fils, mourut lorsqu'il porta la main sur l'arche pour éviter qu'elle ne tombe (2 Samuel 6, 3-7 ; 1 Chroniques 13, 7-10).

## AVIRAM

Fils premier-né de Hiel. Conformément à la malédiction de Josué après la destruction de Jéricho (Josué 6, 26), il perdit la vie lorsque son père reconstruisit Jéricho et en posa les nouvelles fondations (I Rois 16, 34).

## AVISHAG LA SHOUNARNITE

Jolie jeune femme qui servait le roi David devenu vieux et dormait chastement auprès de lui (1 Rois 1, 1-4). Lorsque David mourut, Adonias, l'un de ses fils, voulut devenir roi à la place de Salomon et pria la reine Bethsabée de l'autoriser à épouser Avishag. Craignant pour sa couronne, Salomon fit aussitôt assassiner Adonias (1 Rois 2).

## AVIYA

Second fils du juge Samuel que celui-ci installa à sa place, avec son frère aîné Yoël, à Béer-Sheva lorsqu'il se sentit trop vieux pour exercer. Les deux frères ne marchèrent pas sur ses traces. Dévoyés par le lucre, acceptant des cadeaux, ils firent dévier le droit (1 Samuel 8, 2, 3). Cette mauvaise conduite amena les Anciens d'Israël à demander à Samuel d'instaurer la royauté (1 Samuel 8, 4).

## AVIYA

Fils malade du roi Jéroboam I<sup>er</sup> d'Israël (926-907 av. J.-C.) ; le prophète Ahiyya de Silo annonça qu'après sa mort, il serait le seul à conserver une sépulture parmi les membres de la famille de Jéroboam (I Rois 14, 1-18) : à cause de leur impiété, tous les autres seraient balayés (I Rois 14, 11).

## AVNER

*Le Père est lumière.* Fils de Ner, général et cousin de Saül, le premier roi d'Israël (I Samuel 14, 50) qui avait la place d'honneur près du roi pendant les repas (1 Samuel 20, 25). Avner présenta le jeune berger David devant le roi Saül (1 Samuel 17, 55-56) après sa victoire contre le géant philistin Goliath. Lorsque le roi Saül mourut, Avner installa le fils du roi, Ishbosheth, comme nouveau roi d'Israël (2 Samuel 2, 8-9) et entama une guerre contre David qui avait été oint roi de Juda à Hébron. Avner tua Asahel, le frère de Joab, chef de l'armée de David qui le poursuivait (2 Samuel 2, 12-32) mais Joab et son frère Avshai le vengèrent en tuant Avner (2 Samuel 3, 22-39). Par la suite, David fit ensevelir la tête d'Ishbosheth dans la tombe d'Avner à Hébron (2 Samuel 4, 12).

## AVSHAI

*Le Père existe.* Tout comme ses frères Joab et Asahel, Avshai était parent et général du roi David car leur mère Cerouya était la demi-sœur de David (1 Chroniques 2, 16). Dans l'Ancien Testament, Avshai, Joab et Asahel sont nommés fils de Cerouya (2 Samuel 2, 3, 16 et 19). Malgré ses revers, fuite de devant le roi Saül, David fut toujours soutenu par Avshai qui l'accompagna dans ses activités guerrières.

Lorsque pendant la guerre entre David et Ishbosheth, le général Avner tua Asahel, Avshai et Joab assassinèrent le général trop puissant. Lorsque Absalon se révolta contre son père David, Avshai seconda une nouvelle fois son ami (2 Samuel 16, 9). Bien qu'il ait eu toujours un rôle de second plan par rapport à son frère Joab, Avshai est l'un des principaux héros du parti de David.

## AYYALÔN

*Lieu des cerfs.* Nom d'une ville et d'une vallée proches de Jérusalem, sur le territoire de la tribu de Dan (Josué 19 et 21), qui devint israélite sous le règne de David, puis philistine après la scission du royaume d'Israël (2 Chroniques 28, 18). À Ayyalôn furent livrées de grandes batailles dont celle qui vit le triomphe du roi Saül sur les Philistins (I Samuel 14, 31).

## AZARIAS

*Dieu a aidé* (hébreu). Nom plusieurs fois cité dans l'Ancien Testament. Ce fut l'autre nom d'Ozias de Juda et le nom symbolique donné par l'archange Raphaël à Tobit, père de Tobias (Tobit 5, 12). Azarias est aussi le nom d'un général de Judas Macchabée (1 Macchabées 5, 18-56).

## AZARYA

*Dieu a aidé* (hébreu). L'un des compagnons de Daniel à Babylone (Daniel 1, 6 ; 3, 23) dont le nom babylonien était Abed-Négo.

## AZAZEL

Démon du désert à qui l'on envoyait un bouc (émissaire) le jour du Grand Pardon. L'animal était symboliquement chargé de tous les péchés d'Israël par l'imposition des mains (Lévitique 16).

## AZÉQÂ

Ville cananéenne donnée à la tribu de Juda après la conquête israélite (Josué 10 et 15). Le roi Roboam transforma la ville en citadelle (2 Chroniques 11, 9). Azéqa et Lakish furent les dernières villes de Juda à résister au roi babylonien Nabuchodonosor (Jérémie 34, 7).

## AZYME

*Qui est sans levain.* Pain sans levain mangé pendant la Pâque en mémoire de la manne qui fut donnée aux Hébreux alors qu'ils étaient dans le désert après leur sortie d'Égypte.

## BAAL

Nom signifiant *seigneur, maître* dans les langues sémitiques (baalim au pluriel). Divinité agraire de la fertilité, de la croissance des animaux (bétail) et des végétaux (céréales et fruits) à laquelle on sacrifiait des animaux et parfois des humains dans l'Antiquité. Baal est souvent cité dans la Bible par les prophètes qui luttent sans cesse contre son culte ; pour eux Baal désigne tous les faux dieux. Au temps de la reine Jézabel, ils étaient 450 prophètes à son service (1 Rois 18). Les cultes de Baal ne cessèrent qu'après la captivité à Babylone.

## BAALA

*Maîtresse, propriétaire.* Toponyme utilisé à plusieurs reprises dans le livre de Josué (chapitre 15). D'abord pour désigner une ville située aux confins des territoires des tribus de Benjamin, Dan et Juda, que l'on appelait Qiryath-Yéarim (Josué 15, 9) ; ensuite pour nommer une montagne située entre Eqrôn et Yavnéel (Josué 15, 11).

## BAALATH

*Maîtresse, propriétaire.* Ville fortifiée par le roi Salomon (I Rois 9, 18), peut-être située sur le territoire de la tribu de Dan, près de Beth-Horôn.

## BAAL-BERITH (OU EL BERITH)

*Maître, seigneur de l'alliance.* Surnom d'un dieu phénicien (vers 1200 av. J.-C.) à qui l'on sacrifiait des ânes à Sichem car c'était son animal sacré.

## BAAL-CEFÔN

*Seigneur, maître du nord.* Lieu de culte des Phéniciens qui offraient des sacrifices au dieu Baal du vent du nord pour qu'il facilite leurs navigations. Le peuple hébreu s'arrêta dans cet endroit que l'on n'a pu identifier avec certitude (Exode 14, 2).

## BAAL-GAD

*Baal du bonheur.* Nom d'un site qui se trouvait au pied du mont l'Hermon, sans doute le même que Baal-Hermon, sur un affluent du Jourdain (Josué 11, 17). Le site est identifié à l'actuel Hasbeyyah, à l'ouest du mont Hermon.

## BAAL-HAÇOR

C'est en ce lieu qu'Absalon, fils de David, réunit ses frères afin de tuer Amnon (2 Samuel 13, 23), auteur du viol de sa sœur Tamar. Cet endroit se situerait sur le territoire de la tribu de Benjamin, au nord-est de Béthel.

## BAAL-HERMON

*Seigneur, maître, du Hermon.* C'est au mont Hermon que le Jourdain prend sa source, là aussi que l'*Épopée de Gilgamesh* place le royaume des dieux babyloniens.

## BAALIS

Roi des Ammonites qui tenta d'agrandir son royaume aux dépens de Juda (Jérémie 40, 14) au temps du prophète Jérémie (650-585 av. J.-C.). Après que le Chaldéen Ismaël eut détruit une partie de Juda, Baalis tenta de faire assassiner le gouverneur de Nabuchodonosor par Ismaël, afin de déclencher une guerre entre les Chaldéens et Juda.

## BAAL-MÉÔN

*Maître de la maison.* Ville sur la frontière de Moab, sur le territoire de la tribu de Ruben (Nombres 32, 38). Le prophète Ézéchiel dit de Baal-Méôn (Ézéchiel 25, 9) qu'elle est splendide. Elle est située en Jordanie (Ma'in).

## BAAL-PÉGOR

*Seigneur de Pégor.* Dieu moabite dont le culte, associé aux cycles de la fertilité des plantes, attira beaucoup d'Israélites (Nombres 25, 5).

## BAAL-PERACIM

*Seigneur des brèches.* Site proche de Jérusalem où David remporta une victoire sur les Philistins lorsque Dieu ouvrit une brèche au milieu d'eux (2 Samuel 5, 17-20).

## BAAL-ZEBOUB

*Seigneur des mouches.* Nom donné peut-être ironiquement au dieu Bêelzéboul par l'auteur du second livre des Rois (chapitre 1, 3).

## BAANA

Nom de trois personnages dont le premier fut l'un des assassins, avec son frère Rékav, d'Ishbosheth, fils et successeur du roi Saül. Dans l'espoir d'une récompense, ils apportèrent sa tête chez David à Hébron mais David les fit exécuter (2 Samuel 4). Le deuxième Baana était un Israélite qui revint de l'exil avec Zorobabel (Esdras 2, 2), et le troisième le père de Sadoq, l'un des hommes qui s'engagèrent à observer la Loi. Le fils Sadoq participa à la construction de la muraille de Jérusalem au temps de Néhémie (Nehémie 3, 4).

## BABEL (TOUR DE)

*Porte de Dieu.* Citée dans la Genèse (chapitre 10 et 11), Babel fut représentée sous la forme d'une tour spiralée s'écroulant sous les coups du ciel. La tour de Babel symbolise l'orgueil humain face à la divinité. La punition divine fut la confusion des langues qui dispersa les peuples.

## BABYLONE

*La Porte du dieu*. Ville située sur l'Euphrate, qui dès le II$^e$ millénaire avant notre ère fut la ville la plus importante du Moyen-Orient et de l'empire babylonien, que ses habitants appelaient royaume de Sumer et royaume d'Akkad en raison des deux ethnies qui le composaient. L'Ancien Testament dit que Babylone était la capitale du roi Nemrod (Genèse 10, 10). Elle fut détruite en 312 av. J.-C. par les Séleucides qui édifièrent Séleucie, avec ses matériaux et ses ruines. En raison de l'exil du peuple juif à Babylone, les jugements concernant cette ville, associée à la tour de Babel, sont négatifs. Les Évangiles utilisent le nom de Babylone pour désigner la Rome des empereurs qui s'oppose à la communauté chrétienne, et comme symbole de la puissance du Mal.

## BABYLONIE

Après deux mille ans d'histoire, en 626 av. J.-C., les Assyriens maîtres de Babylone cédèrent la place aux Chaldéens qui fondèrent un nouvel empire babylonien. Le roi Nabuchodonosor II redonna à Babylone la puissance et la place dominante qu'elle avait eues jadis et, en 605 av. J.-C., son territoire s'étendait jusqu'à l'Égypte. Nabuchodonosor II mit fin à l'État juif indépendant, détruisit le temple de Jérusalem et exila la population à Babylone. En 539 av. J.-C., la ville fut conquise par Cyrus, roi des Perses, qui laissa les Juifs retourner à Jérusalem. Ce n'est qu'au temps d'Alexandre que les Perses furent chassés de Babylonie.

## BAÉSHA D'ISRAËL

Fils d'Ahiyya de la maison d'Issakar (1 Rois 15, 27) qui assassina Nadab et lui succéda sur le trône d'Israël. Durant son règne, de 906 à 883 av. J.-C., le siège du gouvernement du royaume du Nord fut déplacé une première fois à Tirça (1 Rois 15, 33).

## BAGOAS

Eunuque du général assyrien Holopherne. Le livre de Judith (chapitre 14, 14) rapporte qu'il trouva Holopherne mort dans sa tente, la tête enlevée du corps, assassiné par Judith alors qu'il *était noyé dans le vin*.

## BAGUETTE

Instrument magique, la baguette est utilisée dans la Bible par Moïse qui en frappe un rocher pour en faire jaillir l'eau. La baguette symbolise un pouvoir offert par la divinité à l'homme qui la sert.

## BAHOURIM

*Les jeunes célibataires*. Site sur la route reliant Jérusalem au Jourdain où vivait Shiméï, fils de Guéra, qui lança des malédictions contre David (2 Samuel 16, 5) en lui jetant des pierres. C'est là que se cacha Jonathan, lorsqu'il informa David des projets de révolte de son fils Absalon (2 Samuel 17).

## BAIN

Symbole de mort et de renaissance, de purification (baptême), montrant le pouvoir vital de l'eau. Dans l'Ancien Testament, les ablutions et bains rituels ont une grande place, aussi bien dans la tente sacrée que dans le Temple (Exode 40; Lévitique 14, 15, 17). Devant l'entrée du Temple qu'il construisait, Salomon fit fondre par Hiram de Tyr une grande cuve en bronze qui pouvait contenir 80 000 litres d'eau utilisée pour les ablutions rituelles des prêtres et des fidèles (1 Rois 6 et 7).

## BAISER

Dans l'Ancien Testament, le baiser est une marque de respect dont il faut cependant se méfier car *les embrassements d'un ennemi sont trompeurs* (Proverbes 27, 6). Dans le second livre de Samuel (chapitre 20, 9), Joab fait semblant d'*embrasser* Amasa mais en profite pour le transpercer de son épée. Selon le Psaume 72, le pire avilissement est de baiser les pieds de quelqu'un, mais cette humiliation, lorsqu'elle est volontaire, telle la *pécheresse* baisant et oignant les pieds de Jésus (Luc 7, 38) apporte le pardon des péchés. Dans le christianisme, le baiser le plus souvent cité est celui de Judas, avant le baiser fraternel préconisé par l'apôtre Paul, qui symbolise l'union, tant sur le plan physique que sur le plan spirituel (frères dans la foi). Cet acte, fréquent dans de nombreux rituels, symbolise l'appartenance d'un individu à une communauté.

## BALAAM

Fils de Béor, le prophète Balaam était un devin de Canaan qui suivait les ordres de Dieu. Balaam refusa d'obéir au roi Balaq de Moab qui voulait qu'il maudisse les Israélites, car Dieu lui avait ordonné en rêve de ne pas le faire. À la seconde demande du roi, Balaam s'exécuta cependant contre une forte somme d'argent et prit la route sur son âne pour aller maudire les Israélites. Pendant le voyage, un ange du Seigneur lui barra la route par trois fois. Finalement, Balaam fut autorisé à poursuivre son chemin à condition de répéter les paroles de Dieu et non pas celles du roi. Par trois oracles, il bénit Israël au lieu de le maudire (Nombres 22, 22-34). Cependant, il conseilla par la suite au roi Balaq de pousser les Israélites au culte de Baal et de les écarter de Dieu (Nombres 31, 7 ; Josué 13, 22). Pour l'Ancien Testament, Balaam est le faux prophète type, bien qu'il ait été initié par Dieu.

## BALAQ

*Il a honoré.* Roi des Moabites au temps où le peuple d'Israël séjournait dans le désert. Inquiet, il demanda au devin Balaam de maudire les Israélites mais, sur l'ordre de Dieu, Balaam fit le contraire et les bénit (Nombres 22, 6).

## BAPTÊME

Le baptême par immersion, pratiqué par Jean le Baptiste lorsqu'il ondoya Jésus dans les eaux du Jourdain, est devenu le principal sacrement chrétien institué par le Christ lui-même. Il est destiné à purifier un être du péché originel puis à le faire entrer dans la communauté de l'Église. Ineffaçable, le baptême accorde la grâce et ne peut être annulé ou recommencé. Les rituels de l'immersion, ou bain sacré, symbolisent la mort à une ancienne vie et la renaissance à une nouvelle (2 Colossiens 5, 17 et Galates 6, 15).

## BARABBAS

*Fils du père.* Émeutier pendant une révolte à Jérusalem, Barabbas était coupable d'un meurtre et avait été emprisonné comme brigand. Cependant, le peuple le regardait comme un résistant contre les Romains et on demanda à Pilate de le libérer, car Pilate avait proposé au peuple de choisir qui devait être condamné de Barabbas ou de Jésus.

## BARAKÉEL

*Dieu bénit.* Père d'Élihou le Bouzite, un ami de Job (Job 32, 2 ; 32, 6).

## BARAQ

*Éclair.* Nom d'un général israélite qui eut pour mission de mener dix mille hommes de Nephtali et Zabulon contre le général Sisera qui commandait les neuf cents chars du roi Yavin le Cananéen. Juge et prophétesse, Débora communiqua à Baraq la volonté divine et le lieu du combat, qui devait se dérouler sur le mont Tabor. Cependant, Baraq refusa d'aller seul à la bataille et exigea que Débora soit à ses côtés. C'est pourquoi Dieu amoindrit sa victoire en faisant périr le général ennemi Sisera de la main d'une femme, Yael, épouse de Heber le Quénite (Juges 4). Après cela, Débora et Baraq chantèrent un cantique pour fêter la victoire sur les Cananéens (Juges 5).

## BARBARES

Dénomination grecque des peuples utilisant des sons gutturaux dans leur dialecte, puis terme désignant tous les peuples non grecs. Ce terme est fréquemment utilisé dans le Nouveau Testament.

## BARBE

Alors qu'en Égypte la décence voulait que les hommes se rasent entièrement, les Israélites portaient la barbe comme le voulaient les traditions des peuples sémites. On ne se coupait la barbe (Ésaïe 15, 2) qu'en signe de deuil, et raser la barbe d'un homme contre son gré était un sacrilège (2 Samuel 10).

## BARNABÉ (BARNABAS)

*Homme de réconfort*. L'un des premiers apôtres, issus des soixante-douze disciples entourant le Seigneur. Barnabé était réputé pour son talent de prophète (Actes des Apôtres 13, 1), et c'est lui qui fit entrer Paul dans la communauté chrétienne de Jérusalem (Actes des Apôtres 9, 27). Ensuite, il fut envoyé dans la première communauté chrétienne d'Antioche et emmena avec lui Paul afin de l'organiser. Leurs relations étant parfois tendues, Paul et Barnabé se séparèrent (Galates 2, 11-13). Barnabé mourut lapidé à Salamine ; on le représente un évangile à la main et une pierre à ses pieds. Au Moyen Âge, il était le patron des tisserands et protégeait de la grêle et de la mélancolie.

## BARQUE

La barque transporte les mortels vers l'au-delà ; celle du dieu Soleil, Râ, navigue chaque nuit dans les ténèbres, et celle de Charon transporte les âmes dans le royaume des morts. Dans l'Évangile de Marc (chapitre 4, 35-41), les disciples du Christ, dans une barque, sont pris dans une tempête. Réveillé, le Seigneur apaise miraculeusement les vents et les flots.

## BARTIMÉE

*Fils de Timée*. Nom du mendiant aveugle installé au-dehors de la porte de Jéricho, qui recouvra la vue après avoir touché le vêtement du Christ qui lui déclara : *Va, ta foi t'a sauvé* (Marc 10, 46-52).

## BARUCH

*Béni*. Nom du fils de Nériyya, disciple du prophète Jérémie. Il annonça à Jérémie que l'oracle du Seigneur assurait qu'il survivrait à toutes les catastrophes (Jérémie 45). Après la chute de Jérusalem, Jérémie et Baruch émigrèrent en Égypte avec les Juifs survivants. Baruch était aussi le nom du fils de Zabbaï, qui après l'Exil participa à la construction de la muraille de Jérusalem (Nehémie 3, 20).

## BARUCH (LIVRE DE)

Livre de l'Ancien Testament considéré comme apocryphe par les Églises réformées, mais qui fait partie de la *Traduction œcuménique de la Bible* (TOB).

## BARZILLAÏ

*De fer.* Nom d'un homme riche de la ville de Roguelim, de la tribu de Galaad, qui reçut le roi David alors que son fils révolté Absalon le pourchassait (2 Samuel 17, 27-29). Une fois victorieux, David offrit à Barzillaï de l'accompagner à la cour (2 Samuel 19, 32), mais ce dernier refusa en raison de son grand âge et David emmena ses fils avec lui (1 Rois 2, 7). Barzillaï est aussi le nom d'un prêtre, beau-fils du précédent, dont les descendants furent écartés de la prêtrise après l'Exil, car ils ne parvenaient plus à établir leur origine (Esdras 2, 61).

## BASHÂN

*Terrain lisse, plaine sans pierre et fertile.* Territoire allant d'Hermon à l'est du Jourdain et au nord de Galaad. Des géants avaient habité la région avant que les Amorites s'y installent et les chassent. Pendant la conquête de la région par le peuple d'Israël, soixante villes fortifiées étaient édifiées dans Bashân, sur lesquelles régnait le roi Og. Après la victoire d'Israël à la bataille d'Edreï, le territoire fut attribué à la demi-tribu de Manassé puis à la tribu du Nord Argob (Deutéronome 3).

## BASKAMA

Lieu situé au nord-est du lac de Galilée, où Jonathan Macchabée fut assassiné puis enterré provisoirement (1 Macchabées 13, 23).

## BASMATH

*Balsame parfumée.* Nom de la femme d'Ésaü présentée parfois comme la fille d'Ismaël (Genèse 36, 3), parfois comme la fille d'Elôn le Hittite (Genèse 26, 34). Basmath est aussi le nom de la fille de Salomon qui épousa le gouverneur de Nepthali (1 Rois 4, 15).

## BATH-GALLIM

Ville située au nord de Jérusalem, que le prophète Ésaïe menace de destruction (Ésaïe 10, 30).

## BAT-RABBIM

*Fille d'une multitude, la populeuse.* Nom d'une porte de la ville d'Hesh-bôn, ville royale des Amorites puis capitale du royaume de Moab. (Cantique des Cantiques 7, 5).

## BAUME

Essence odoriférante extraite du tronc du baumier ou de plantes analogues, dont le nom est utilisé par l'Ancien Testament et le Nouveau Testament pour désigner les différents d'aromates nécessaires au culte, l'huile d'onction et le parfum à brûler (Exode 25, 6). Le baume était aussi utilisé pour les soins de beauté, et l'inhumation de certains personnages, tel le roi Asa dont on posa le corps *sur un lit rempli d'aromates et de divers produits d'embaumement* (2 Chroniques 16, 14). Le baume faisait partie des cadeaux précieux offerts par la reine de Saba (2 Chroniques 9, 1) au roi Salomon.

## BÉÇALEL

*À l'ombre de Dieu.* Fils d'Ouri, de la tribu de Juda qui, avec Oholiav, fils de la tribu de Dan, fut choisi par Dieu et désigné à Moïse pour être l'artisan des objets du culte car il était rempli de l'esprit de Dieu, avait sagesse, intelligence, connaissance et savoir-faire universel, pour le travail de l'or, de l'argent et du bronze. Les deux hommes bâtirent la tente de la rencontre, l'arche, le chandelier pur, l'autel des parfums et l'autel des holocaustes, tous leurs accessoires, et les vêtements des prêtres. Ils associèrent d'autres artisans à cette tâche (Exode 31 et 35).

## BEELZÉBOUL

Nom que donnaient les pharisiens et les docteurs de la Loi au chef des esprits et à Jésus qui était des leurs, selon eux (Matthieu 10, 25). Ce nom n'est pas utilisé ailleurs dans la Bible. Désignant quelque chose de malpropre, Beelzéboul, dieu des mouches, a été souvent utilisé dans la démonologie médiévale et la sorcellerie.

## BÉÉRI

*Du puits.* Nom du Hittite auquel Ésaü donna sa fille Judith pour épouse (Genèse 26, 34), et nom du père du prophète Osée (Osée 1, 1).

## BÉÉROTH

*Nombreux puits et sources.* Ville située à une quinzaine de kilomètres au nord de Jérusalem (tribu de Benjamin) dont les habitants furent sauvés par ruse au moment de la conquête mais furent condamnés pour cela à des corvées par les autres tribus (Josué 9, 17). De Bééroth arrivèrent les meurtriers du roi Ishbosheth (2 Samuel 4), et Nahraï, héros du roi David (1 Chroniques 11, 39).

## BÉER-SHÉVA

*Puits des sept ou puits du serment.* Situé dans le Néguev à 80 km au sud-ouest de Jérusalem, c'est l'endroit où résida le patriarche Abraham, là qu'il creusa un puits, fit une alliance avec le roi philistin Abimélek afin de mettre fin à la guerre entre eux (Genèse 21, 29-30). Après Abraham et Abimélek, Isaac et un second roi nommé Abimélek prêtèrent un serment identique autour du puits Béer-Shéva (Genèse 26, 33). Le territoire où se trouvait le puits fut donné à la tribu de Siméon (Josué 19, 2). C'était la ville qui limitait le pays d'Israël.
Le prophète Amos, prêcha vers 755 av. J.-C. dans cette ville devenue l'actuelle capitale du Néguev.

## BÉHÉMOTH

*Le Bestial.* Le livre de Job (chapitre 40, 15-24) décrit Béhémoth comme un bœuf gigantesque, parce qu'il mangeait le foin que lui servaient les montagnes. Par la suite, il fut considéré comme un démon stupide, maître de la gourmandise, et on le montra comme un éléphant bedonnant.

## BEL

Nom proche du nom hébreu Baal. Autre nom du dieu Mardouk, grand dieu de Babylone (Jérémie 51, 44).

## BÉLIAL

*Sans utilité, vaurien*. Démon, Prince de la Tromperie, Esprit des Ténèbres, Chef des Mauvais Esprits, et autre nom de Satan dans le Nouveau Testament. On comparait Bélial à l'Antéchrist et à la Bête de l'Apocalypse. Parce qu'il avait un culte à Sodome, il devint le démon de la pédérastie. Bélial illustrait les cultes de l'Antiquité pour les chrétiens qui le représentaient conduisant un char de feu.

## BÉLIER

Animal que l'Ancien Testament destine aux sacrifices, tel le bélier retenu par les cornes dans un buisson au moment du sacrifice d'Isaac (Genèse 22). Pour l'avènement du roi Salomon, mille béliers furent sacrifiés selon le premier livre des Chroniques (chapitre 29, 1). On utilisait la corne du bélier comme instrument à vent, notamment pour rassembler et donner l'alarme. Le bélier symbolise une force naturelle que seules la maîtrise et la vertu parviennent à pacifier.

## BELLE PORTE

Porte située sur le côté est du temple de Jérusalem, qui menait de l'avant-cour où se tenaient les profanes à la cour des femmes. C'est devant la Belle Porte que les apôtres Pierre et Jean guérirent un paralytique de naissance (Actes des Apôtres chapitre 3).

## BELSHASSAR

*Bel protège le roi*. Fils aîné du dernier roi des Chaldéens qui régna de 556 à 539 av. J.-C. Les Annales babyloniennes notent que Nabuchodonosor, son grand-père maternel, était son prédécesseur sur le trône et son propre père. Dans le livre de Daniel (chapitre 5) est décrite la cour du roi Belshassar qui voit apparaître une main écrire mystérieusement trois mots sur le mur de son palais. Seul le prophète Daniel est capable de donner la signification de l'inscription : *Pesé, Compté et Divisé* : le royaume a été examiné, et jugé, et sera détruit et morcelé. Belshassar meurt la nuit même et Darius le Mède lui succède.

## BELTSHASSAR

*Bel protège sa vie*. Nom babylonien donné au prophète Daniel par le prévôt de Nabuchodonosor (Daniel, chapitre 1, 7).

## BELZÉBUTH

Nommé *Prince des Démons* dans les Évangiles de Matthieu, Marc et Luc, mais aussi *Seigneur des Mouches* dans les textes rabbiniques, Belzébuth est représenté avec des ailes de chauve-souris et une ceinture de feu. Selon certains, il serait placé directement sous les ordres de Satan.

## BEN-AMMI

*Fils de mon peuple*. Fils que Loth conçut avec sa fille cadette (Genèse 19, 38). Il serait l'ancêtre du peuple des Ammonites.

## BENAYAHOU

*Le seigneur a construit*. Nom de plusieurs personnages de l'Ancien Testament dont le principal est Benayahou de Kabzéel (Judée), fils du prêtre Yehoyada, héros et fidèle conseiller du roi David dont il dirigea la garde personnelle (2 Samuel 8 et 23). Avec le prêtre Sadoq et le prophète Natan, Benayahou oignit Salomon lors de son avènement et fut nommé chef de son armée après avoir tué Joab (1 Rois 1 et 2). Un autre héros de David, venu d'Éphraïm, se nommait Benayahou et était responsable du service militaire du 11e mois (2 Samuel 23, 30). Benayahou est aussi le nom d'un lévite qui chanta un psaume au moment du déplacement de l'arche d'alliance vers Jérusalem, puis devant l'arche installée tandis qu'un autre Benayahou, prêtre, sonna de la trompette pour la même occasion (1 Chroniques 15 et 16).

## BÉNÉDICTION

Transmission d'une énergie, d'une force spirituelle particulière d'un père à sa famille, d'un maître à un disciple. Dans l'Ancien Testament, la bénédiction donnée ne peut être reprise même en cas de substitution (Isaac et Jacob, Genèse 27, 1-41). La bénédiction de Dieu rassemble en elle toutes les promesses qu'il a faites à son peuple (Deutéronome 28, 3-6) dans la mesure où ce peuple respecte l'alliance. Dans le cas contraire, la bénédiction peut se transformer en malédiction. On appelle *Bénédiction de Jacob* les oracles de bénédiction et de malédiction prononcés par Jacob sur son lit de mort qui annonçaient la destinée des tribus d'Israël (Genèse 49).
Dans l'Église chrétienne, la bénédiction est une faveur particulière que reçoit un fidèle ou que demande un prêtre afin de recevoir un bienfait, exaucer un souhait individuel ou collectif.

## BENEDICTUS

*Béni*. Psaumes du Nouveau Testament attribué à Zacharie, père de Jean le Baptiste. Il est appelé Benedictus, mot latin, car il commence par *Béni soit le Seigneur* ; il fait partie des liturgies chrétiennes (Luc 1, 68-79).

## BEN-HADAD

*Fils du dieu Hadad*. Nom de trois rois de Damas aux VIIIe et IXe siècles, ennemis du royaume du Nord (Israël) qui luttèrent successivement pour avoir la domination sur la Palestine et la Syrie. Ben-Hadad Ier régna au temps du roi d'Israël Jéroboam Ier, et du roi Baésha (fin du Xe siècle av. J.-C.). Ben-Hadad Ier s'allia avec le roi Asa de Juda contre Baésha, mais attaqua ensuite la région de Juda (1 Rois 15, 18-22). Ben-Hadad II régna au temps du roi d'Israël Ahav et du roi Yoram. Il s'imposa par de bons traités et obtint la paix entre la Syrie et Israël à cause de la menace assyrienne (1 Rois 20, 22 ; 2 Rois, chapitre 6). Ben-Hadad III ne put empêcher que Damas devienne vassale de l'Assyrie et ne subisse trois défaites contre Israël (2 Rois 13).

## BEN-HINNÔM

Nom du ravin situé à l'ouest et au sud de Jérusalem.

## BENJAMIN

*Fils de la main droite.* Fils cadet de Jacob, né de Rachel, son épouse préférée, qui mourut peu après sa naissance (Genèse 35, 16-20). Cet enfant fut le fils préféré de Jacob et ses frères l'entourèrent de tendresse. Souffrante, Rachel l'avait nommé Ben-Oni, c'est-à-dire *Fils de mon malheur*, mais Jacob changea son nom en Benjamin, *enfant du bonheur*. Après lui, la tribu de Benjamin fut nommée *bien-aimée du Seigneur* par Moïse dans sa bénédiction (Deutéronome 33, 12) ; Jacob déclare de lui, dans sa bénédiction, que *loup, il déchire et mange encore* (Genèse 49, 27), car il avait de grandes aptitudes guerrières.

## BENJAMIN (TRIBU DE)

Nom des descendants du fils de Jacob et du territoire qui leur fut donné après la conquête, à l'ouest du Jourdain et au nord de Jérusalem. Dans cette région étaient édifiées les villes de Béthel, Gabaon, Jéricho, Rama, Miçpè (Josué 18, 11-28). Les Benjaminites, volontiers guerriers, fournirent aussi à Israël des hommes politiques fameux, tels le juge Ehoud, qui assura la paix avec les Moabites pendant 80 ans (Juges 3, 12-30), et Saül, premier roi d'Israël. À sa mort, la tribu de Benjamin resta fidèle à son fils Ishbosheth (2 Samuel 2, 9).

Devenu roi, David fit de Jérusalem sa capitale et noua entre Juda et Benjamin des liens qui durèrent alors que le royaume d'Israël était divisé entre le Nord et le Sud. Une partie seulement de la tribu de Benjamin revint dans son territoire après l'Exil (Esdras 4, 1) tandis que les autres restèrent dispersés. Selon l'Apocalypse (chapitre 7, 8), la tribu de Benjamin sera marquée du sceau du Seigneur

## BÉOR

Père de Bèla, qui fut couronné premier roi d'Édom (Genèse 36, 32). Un autre Béor était le père du devin Balaam (Nombres 22, 5).

## BÉRÉE

Ville de Macédoine (actuelle Verria) à 75 km à l'ouest de Salonique. L'apôtre Paul se rendit dans cette ville pendant sa troisième mission et prêcha dans la synagogue (Actes des Apôtres 17, 11). Sopater, l'un des collaborateurs de Paul, était originaire de cette ville.

## BÈRÈKYA

*Le seigneur a béni.* Nom de l'un des quatre porteurs de l'arche d'alliance (1 Chroniques 15, 23), et nom du père du prophète Zacharie (Zacharie 1, 1).

## BÈRÈKYAHOU

Nom du fils de Meshillémot, il fut l'un des Éphraïmites exigeant des guerriers du roi Pekach qu'ils libèrent les prisonniers capturés dans leur guerre contre Juda, et qu'ils les renvoient dans leur pays ainsi que le butin pris aux vaincus (2 Chroniques 28, 12).

## BERGER

Parmi les bergers célébrés par l'Ancien Testament, David est le plus illustre. Avant d'être héros puis roi, il n'était qu'un jeune berger remarqué par Dieu. De même, le prophète Amos était un éleveur (Amos 1 et 7). De nombreux rois furent qualifiés de bergers, dans le sens où ils étaient chargés de protéger le peuple et de le guider selon les lois d'Israël. Il y eut ainsi les bons et les mauvais bergers, ceux qui aiment leurs troupeaux et ceux qui l'utilisent égoïstement et *se paissent eux-mêmes* (Ézéchiel 34, 2). Dieu est considéré dans l'Ancien Testament comme un berger par Jacob (Genèse 48, 15). David dans son Psaume 23 chante : *Le Seigneur est mon berger, je ne manque de rien.* On notera que tous les grands dieux, tel Hélios, Apollon et Hermès furent, à l'origine, bergers ou possesseurs de troupeaux.

Dans le Nouveau Testament, Jésus est le Bon Pasteur qui connaît ses brebis, que ses brebis connaissent, et qu'il enseigne (Jean 10, 11-14). La symbolique du berger s'applique aussi aux disciples et aux prêtres qui les suivent et sont chargés du troupeau des fidèles.

## BÉROTAÏ

Ville sur laquelle régnait Hadadèzer, roi de Cova. David, l'ayant vaincu, lui prit un énorme butin qu'il ramena à Jérusalem (2 Samuel, 8, 8). Il s'agit peut-être de l'actuelle Bereitân, située près de Baalbek.

## BÊTE (LA)

L'Apocalypse désigne par ce nom la *Bête à sept têtes* dont les pouvoirs s'étendent comme ceux de Satan sur la matière et sur les hommes qui s'y attardent ou s'y engluent.

## BETH-ANATH

*Maison de la déesse Anath.* Vieille cité fortifiée de Galilée attribuée à la tribu de Nephtali (Josué 19, 38). Il s'agit peut-être de la ville nommée Saint-Georges par les croisés, située non loin d'Akko (Acre).

## BÉTHANIE

*Maison de pauvre.* Village situé sur le versant est du mont des Oliviers où Jésus s'arrêta à plusieurs reprises ; il y rencontra Simon le lépreux (Matthieu 26, 6) et Marthe et Marie, les sœurs de Lazare (Jean 11). En mémoire de la résurrection de Lazare, le village fut appelé par la suite El-Azarlyeh. Béthanie est aussi le nom d'un lieu situé à l'est du Jourdain, où Jean-Baptiste prêchait.

## BETH-ARABA

*Maison du désert.* Poste frontière aux confins du territoire de la tribu de Juda dans le désert (Josué 15, 6), non loin de Jéricho.

## BETH-AWÈN

*Maison d'iniquité.* Centre religieux et sanctuaire de Béthel ainsi nommé ironiquement par le prophète Osée (chapitre 4, 15) car on y priait Dieu personnifié par un veau.

## BETHBASI

Cité au sud-est de Jérusalem que Jonathan et Simon défendirent pendant le siège de Bakkhidès lors de la guerre des Macchabées (1 Macchabées 9, 62-64). Bethbasi est l'actuelle Khirbet Bêt Bassa proche de Bethléem.

## BETH-ÇOUR

*Maison des Roches.* Ville de Judée située au nord d'Hébron (Josué, chapitre 15, 58) que fortifia le roi Roboam de Juda (2 Chroniques, chapitre 11, 7) car elle tenait la vallée des Térébinthes. Beth-Çour, détruite, fut rebâtie après le retour de Babylone (Néhémie 3, 16) ; elle était toujours considérée comme une forteresse imprenable au temps des Macchabées.

## BETH-DIVLATAÏM

Ville fortifiée des Moabites (Jérémie 48, 22), peut-être la même qu'Almôn-Divlataïma citée dans les Nombres (chapitre 33, 46). Cette place forte était construite sur les collines afin de défendre et fermer la vallée fertile de Medeba.

## BETH-ECEL

*Maison noble,* ou *Maison de la noblesse.* Lieu situé en Judée du Sud (Michée 1, 11), peut-être à l'est de Débir.

## BETH-EDEN

Ville araméenne édifiée entre l'Euphrate et le Balikh (Amos 1, 5) qui passa sous la domination du roi assyrien Salmanasar III en 856 av. J.-C. (2 Rois 19, 12). Pour le prophète Ézéchiel (chapitre 27, 23), la ville est nommée Éden.

## BÉTHEL

*Maison de Dieu.* Nom d'un sanctuaire cananéen situé à 17 km au nord de Jérusalem. Abraham considérait ce lieu comme sacré (Genèse 12, 8), puis Jacob y édifia un autel (Genèse 18, 11-19) au Seigneur. Un centre prophétique y fut fondé au temps d'Élie (2 Rois 2, 3) et c'est à Béthel qu'était gardé l'arche d'alliance. Après la division du royaume, le roi d'Israël Jéroboam honora Béthel du titre de sanctuaire du roi et de temple du royaume (Amos 7, 13) tout en en faisant également le centre du culte du veau d'or. Le roi Josias détruisit et brûla le sanctuaire (2 Rois 23, 15-18) lorsqu'il réforma le royaume.

## BETH-HORÔN

*Maison du dieu Horôn.* Citée bâtie aux confins des territoires des tribus de Benjamin et d'Ephrùm (Josué 18, 13 ; 16, 3-5), où résidaient les lévites (Josué 21, 22). C'est dans ce lieu que Josué battit les cinq rois des Amorites (Josué, 10, 11) ; puis le roi Salomon (1 Rois 9, 17) la fortifia par la suite car elle avait une importance stratégique. En 165 av. J.-C., les soldats de Judas Macchabée y triomphèrent de l'armée syrienne (1 Macchabées 3, 10-26).

## BETH-KÉREM

Forteresse édifiée entre Jérusalem et Bethléem. D'abord nommée Kérem (Josué 15, 59), elle fut reconstruite sous Joachim ou Joachaz (Jérémie 6, 1 ; Néhémie 3, 14).

## BETH-LÉAFRA

*Maison des jeunes cerfs.* Petite cité de Judée comprise dans le territoire des Philistins, que le prophète Michée appelle *Maison des cendres* car le mot hébreu *afar* signifie poussière, cendres (Michée 1, 10).

## BETHLÉEM

*Maison du pain.* Ville située à sept kilomètres au sud de Jérusalem, regardée comme le lieu d'origine de la dynastie de David (1 Samuel 17, 12), et la cité natale de Jésus.
Nommée primitivement Éphrata, la ville prit le nom de la population qui vivait dans cette région. La Genèse mentionne le lieu où l'on enterra Rachel *sur la route d'Éphrata*, c'est-à-dire Bethléem (Genèse 35, 19). À Bethléem vécurent les ancêtres de David ainsi que Booz et son épou-

se Ruth, aïeule de David et de Joseph (Ruth 2). C'est à Bethléem que le prophète Samuel oignit David roi de Juda (1 Samuel 16). Roboam son petit-fils, roi de Juda, fortifia Bethléem (2 Chroniques 11, 5-6). Michée annonça *Et toi, Bethléem Éphrata, trop petite pour compter parmi les clans de Juda, de toi sortira pour moi celui qui doit gouverner Israël* (Michée 5). Cette prophétie désignait Bethléem comme lieu de naissance de Jésus, bien que Luc affirme que Marie et Joseph vivaient à Nazareth et que l'ange Gabriel annonça l'heureux avènement à Marie dans cette ville (Luc 1, 26-27). C'est cependant à Bethléem que Marie accoucha d'un fils et là que se rendirent les trois mages venus de l'Orient suivant une brillante étoile. Avertie par un ange qu'Hérode voulait faire mourir tous les nourrissons, la Sainte Famille s'enfuit vers l'Égypte d'où elle ne revint qu'après la mort d'Hérode.

## BETH-NIMRA

*Résidence des léopards.* Ville des Amorites qui fut donnée aux fils de Gad après la conquête de la région par les Israélites (Nombres 32, 36 ; Josué 13, 27). Beth-Nimra désigne aujourd'hui les collines de Tell-Nimrin, sur la rive est du Jourdain, face à Jéricho.

## BETH-PÈLETH

Ville située sur le territoire de la tribu de Juda.

## BETH-PÉOR

*Maison de Péor.* Petite cité située dans le territoire de la tribu de Ruben, aux environs du mont Nébo (Deutéronome 4, 46 ; 34, 6). Moïse fut enterré auprès de ce lieu d'où l'on aperçoit la Terre promise.

## BETHPHAGÉ

*Maison des figues vertes.* Lieu situé sur le mont des Oliviers, proche de Béthanie (Matthieu 21, 1 ; Marc, 11, 1 ; Luc 19, 29) vers lequel Jésus envoya deux de ses disciples pour qu'ils demandent une ânesse et son ânon, avant d'entrer dans Jérusalem.

## BETHSABÉE

*Fille d'opulence*. Fille d'Eliâm et femme d'Urie le Hittite (2 Samuel 11, 3), le roi David l'aperçut dans son bain et l'aima aussitôt. Ayant partagé contre son gré la couche du roi, Bethsabée mit au monde un enfant qui mourut à la naissance. Afin de cacher leur adultère, David expédia Urie dans une guerre suicide où il trouva la mort. Après le temps rituel de deuil le roi épousa Bethsabée légitimement et elle eut de lui Salomon et trois autres fils (2 Samuel 12). Bethsabée joua un rôle important dans l'histoire agitée de son pays (1 Rois 1, 11-53 ; 2, 13-25).

## BETHSAÏDA

*Maison de la pêche*. Village situé près du lac de Gennésareth dont les apôtres Pierre, André et Philippe étaient originaires (Jean 1, 44). Les Évangiles rapportent qu'un aveugle y fut guéri (Marc 8, 22-26) et que cinq mille auditeurs y furent rassasiés (Luc 9, 10-17), mais malgré les œuvres et miracles du Christ, la population ne se convertit pas et le Seigneur la maudit (Matthieu, 11, 21).

## BETH-SHÉÂN

Ville destinée à la tribu de Manassé pendant la conquête, mais que Saül ne parvint pas à libérer des Cananéens (Josué 17, 11) malgré son sacrifice héroïque (1 Samuel 31, 10). Après la mort de Saül et de ses trois fils face à eux, à la bataille de Gilboa, les Philistins firent circuler sa tête dans le peuple en signe de victoire et exposèrent ses armes dans le temple d'Astarté. Ils clouèrent son corps sur le rempart de la ville. Il fallut attendre Salomon pour que la cité soit conquise par Israël (1 Rois 4, 12).

## BETH-SHEMÈSH

*Maison du Soleil*. Nom de plusieurs villes citées dans l'Ancien Testament. La première était située aux confins des territoires de Juda et de Dan, entre Qiryath-Yéarim et Eqron (Josué 15, 10). Le roi Amasis de Juda y fut vaincu et fait prisonnier par Joas d'Israël (2 Rois 14, 11). Par la suite, la ville fut reprise par les Philistins (2 Chroniques 28, 18). La deuxième ville était établie dans le territoire d'Isakkar, au nord de Beth-Shéân (Josué 19, 22) et la troisième dans le territoire de Nephtali (Josué 19, 28).

## BÉTHULIE

*Maison de Dieu.* Ville située en Samarie, dans laquelle résidait Holopherne, général de Nabuchodonosor (Judith 10, 10). Le nom de cette ville personnifie probablement le peuple d'Israël dont Judith symbolise la résistance. Béthulie personnifie également le pays menacé.

## BETH-YESHIMOTH

*Maison de la steppe.* Lieu situé dans le territoire de la tribu de Ruben, près de la mer Morte (Josué 13, 20) et qui fut conquis par les Moabites, selon Ézéchìel (chapitre 25, 9). Le site se nomme aujourd'hui Tell el-Adzeime.

## BETHZAKHARIA

Village situé au nord de Beth-Hôron, où le roi Antiochos V vainquit les Macchabées et où mourut le frère cadet de Judas, Éléazar Awaran (1 Macchabées 6, 32-33).

## BETHZATHA

*Maison de la miséricorde.* Nom de la piscine proche du temple de Jérusalem et de la porte des Brebis, où Jésus guérit un paralytique (Jean, 5, 2-9).

## BÉTOUËL

Nom de l'un des fils de Nahor, neveu d'Abraham et père de Rébecca, future épouse d'Isaac (Genèse 22). Bétouël était également le nom d'une cité sur le territoire de la tribu de Siméon (1 Chroniques 4, 30) que Josué nomme Bétoul (Josué 19, 4).

## BIBLE

*Les Livres* (grec). La Bible est un ensemble de livres que la religion juive et le christianisme considèrent comme inspirés par Dieu, d'où ses autres noms : *La Parole, l'Écriture sainte, les Saintes Écritures, etc.* Il est, pour ces raisons, interdit de changer un mot, une lettre ou une ponctuation. Divisée en deux grandes parties, l'Ancien Testament, ou *Alliance de Dieu*, rédigé en langue hébraïque et en araméen, et le Nouveau Testament, ou *Nouvelle Alliance*, réalisée avec le Christ, rédigé en grec. Les premiers textes reconnus sont datés du XIe siècle avant notre ère. La Bible débute par le Pentateuque, c'est-à-dire les cinq livres de la Torah, et ce termine par l'Apocalypse de Jean, au terme du Nouveau Testament. De l'hébreu, la Bible fut d'abord traduite en grec, du IIIe au IIe siècle avant notre ère par soixante-dix docteurs de la Loi ; c'est pourquoi on lui donna le nom de *Version des Septante*, puis de *Septante*. Saint Jérôme (390-405) en fit ensuite une traduction latine complète que l'on appela la *Vulgate* en raison de sa grande diffusion.

## BIGTÂN

*Don de Dieu* en perse. Nom de l'un des deux eunuques (le second s'appelait Tèresh), gardiens du seuil à la cour du roi Artaxerxès (Xerxès Ier) qui complotèrent contre lui. Mardochée, oncle d'Esther, prévint le roi, ce qui l'amena à regarder les Juifs avec bienveillance (Esther 2, 21).

## BIGWAI

Chef d'une famille qui revint de Babylone avec Zorobabel après la captivité (Esdras 2 ; Néhémie 7, 19). Bigwai fit partie de ceux qui signèrent l'alliance avec Néhémie (chapitre 7, 7).

## BIJOUX

Signe de richesse et de rang social, les bijoux symbolisent aussi l'orgueil et la puissance. Les bijoux étaient portés notamment pendant les fêtes. On ne les arborait pas pendant les périodes de deuil (Exode 33, 4-6). Le Nouveau Testament enseigne que les véritables bijoux sont les bonnes œuvres (1 Timothée 2, 9).

## BILDAD

Nom de l'un des amis de Job (Job 2, 11) qui avait une conception juridique de la justice de Dieu. L'attitude et les discours de Bildad irritèrent Dieu qui fut cependant apaisé par l'intercession de Job (chapitre 42, 7-9).

## BILHA

*Insouciance.* Esclave que Rachel, stérile, offrit à Jacob comme concubine. Rachel considérait ses deux enfants, Dan et Nephtali, comme ses propres fils (Genèse 30, 1-8). Parce que Ruben, fils aîné de Jacob, avait eu des relations avec Bilha, il perdit son droit d'aînesse (Genèse 35, 22 ; 49, 4).

## BIQÉATH-AWÈN

*Vallée de la Nullité.* Nom d'une localité que le prophète Amos menaça des foudres de Dieu parce que ses habitants avaient fait souffrir la population de la tribu de Galaad (Amos 1, 5). Biqéath-Awèn est peut-être la région où fut édifiée ensuite la cité de Baalbek.

## BITHYNIE

Province romaine située au sud de la mer Noire (dans l'actuelle Turquie), où Paul et Silas voulaient annoncer l'Évangile. L'Esprit de Dieu les en détourna (Actes des Apôtres 15, 7) mais par la suite, des communautés chrétiennes s'y créèrent (1 Pierre 1).

## BIZTA

*Victoire.* Nom d'un des chambellans de la cour du roi des Perses Xerxès (Esther 1, 10).

## BLASPHÈME

Parole ou discours qui outrage Dieu ou la religion ainsi que ceux qui l'exercent ou la professent. Dans l'Ancien Testament, le blasphème était puni de mort (Lévitique 24, 10). Dans le Nouveau Testament, le Christ assure que tout blasphème sera pardonné, hormis le blasphème contre l'Esprit (Matthieu 12,31). La notion de blasphème s'étendait aussi à tout ce qui différait de la pensée dominante, comme le montrent les accusations de blasphème portées contre le Christ et ses apôtres.

## BLASTUS

*Rejeton.* Chambellan et favori du roi Hérode Agrippa Ier selon les Actes des Apôtres (chapitre 12, 20).

## BLÉ

Dans l'Antiquité, le blé destiné à la fabrication du pain était cultivé en Palestine (plaine d'Yizréel) et était un produit d'exportation et d'enrichissement (Ézéchiel 27, 17). La Terre promise était aussi appelée *Pays de blé et d'orge.* Nourriture principale dans de nombreuses civilisations, don divin, le blé symbolisait la richesse (greniers pleins) et le cycle de la vie et de la mort. Par la suite, le blé fut le symbole des transformations amenant vers la libération spirituelle. Le Christ annonce en effet que rien n'est possible *si le grain ne meurt* (Jean 12, 24) et reprend cette céréale dans la parabole du semeur (Matthieu 13,4). Outre l'alimentation physique qu'il représente, le blé est aussi l'image de la nourriture spirituelle éternelle.

## BOANERGUÈS

*Fils du tonnerre.* Surnom donné par Jésus aux apôtres Jacques et Jean, fils de Zébédée (Marc 3, 17). Ce terme illustre à la fois le tempérament des deux apôtres et la nature de leur mission (Luc 9,54).

## BOAZ

*Dans la force.* Nom d'une des deux colonnes du temple de Salomon, l'autre étant nommée Jakin (*Il établira*). Ces deux colonnes avaient été coulées en bronze par le fondeur Hiram.

## BOÇRA

*Localité inaccessible.* Grande cité caravanière d'Édom que les prophètes Esdras, Jérémie et Amos menacèrent de destruction. Boçra était peut-être située sur l'actuelle el-Bouçeira. Le nom de cette ville était aussi celui d'une ville moabite (Jérémie 48, 14).

## BŒUF

Bovidé domestique castré, animal de trait (1 Rois 19, 19) qu'il était interdit d'atteler avec un âne (Deutéronome 22, 10). La description de la Nativité et du lieu de la naissance de Jésus (Luc 2) ne fait aucune allusion à la présence d'un bœuf ou d'un âne dans la crèche.

## BOOZ

Riche propriétaire de Bethléem, parent d'Elimélek, époux de Noémi, qui se maria avec Ruth la Moabite, belle-fille de Noémi.
Leur fils premier-né, nommé Obed, fut le grand-père du roi David (Ruth 2, 4), et donc l'ancêtre du Christ. Il figure dans son arbre généalogique (Matthieu 1, 3).

## BOSOR

Ville de Galaad, où les païens persécutèrent les Juifs. En 165 av. J.-C., Judas Macchabée donna l'assaut et reconquit Bosor (I Macchabées 5, 36). Il s'agit peut-être de la ville de Bouçr el-Hariri, à 75 km de Damas.

## BOSORA

(Parfois *Bosra* ou *Bozra*). Capitale du royaume des Nabatéens qui appartenait à la tribu de Galaad et fut conquise par Judas Macchabée entre 165 et 160 av. J.-C. (I Macchabées 5, 16-28).

## BOUC

Animal souvent destiné au sacrifice et à la réparation des péchés (Lévitique 4,9 ; 10) mais dont la chair pouvait être mangée. Symbole de puissance et de fécondité, on sacrifiait rituellement deux boucs le jour du Grand Pardon. L'un était destiné au pardon des péchés du peuple, l'autre, portant noué au cou un rouleau sur lequel on inscrivait les péchés du peuple, était envoyé dans le désert, chez le démon Azazel (Lévitique 16, 15-22). C'est de cette pratique que provient l'expression *bouc émissaire* donnée à toute personne qui endosse les fautes des autres et en paie le prix. Dans le Nouveau Testament, les boucs illustrent les impies et les mauvais guides, les méchants et les damnés du jugement dernier.

## BOUZI

*Dédain*. Père du prophète Ézéchiel (Ézéchiel 1, 3).

## BRAS

Membre actif, le bras symbolise la force, le pouvoir et la justice immanente lorsqu'il s'agit du bras de Dieu (Deutéronome 4, 34). Dans l'iconographie chrétienne, le bras de Dieu sort d'une nuée céleste pour menacer autant que pour bénir.

## BREBIS

Modèle de douceur et d'innocence, la brebis symbolise Jésus se livrant au bourreau (les brebis étaient immolées pour les sacrifices). On rencontre souvent cette représentation dans l'art chrétien. Parfois c'est le personnage de saint Jean Baptiste qui tient l'agneau dans ses bras : *Voici l'Agneau de Dieu qui enlève le péché du monde…* (Jean 1, 29). Pour le Nouveau Testament, les brebis illustrent les hommes égarés en quête d'enseignement. Le Seigneur qui entend et reconnaît leur voix, délaisse un troupeau de cent brebis afin de retrouver *la brebis perdue* (Matthieu 18, 10).

## BRONZE

Le bronze, appelé aussi l'airain, constitué d'un mélange de cuivre et d'étain, avait autant d'utilisations pratiques que de significations symboliques. Il était utilisé pour les instruments cultuels et pour les armes, défensives (boucliers) et offensives (glaives). Métal noble, le bronze tintait comme la voix divine, et représentait la force, la beauté et la sagesse ; des gongs puis des cloches en bronze éloignaient les mauvais esprits et attiraient l'attention divine. C'est en bronze que Salomon fit couler les colonnes, Jakim et Boaz, de son temple ainsi que les bassins destinés aux purifications.

## BUISSON

Le buisson joue à plusieurs reprises un rôle dans l'Ancien Testament. C'est un buisson qui retient par les cornes le bouc qui remplace Isaac au moment du sacrifice d'Abraham. Le feu du buisson ardent (enflammé) ne consume pas les feuilles car Dieu se trouve au milieu d'elles ; c'est pourquoi l'on appelle Dieu *Celui qui demeure dans le buisson* (Deutéronome 33, 16).

## BUTIN

Selon l'Ancien Testament, tout butin de guerre était la propriété de Dieu. Lorsqu'il revenait au peuple, dans certains cas exceptionnels, le butin était partagé entre les combattants et le peuple mais avec une part pour le Seigneur selon la loi de Moïse (Nombres 31, 26). Au temps du roi David, il fallait soustraire le 500e de la prise et la remettre au prêtre. Tout le reste était partagé moitié pour les guerriers et moitié pour le reste du peuple. Le cinquième de cette portion, soit dix pour cent de l'ensemble, était réservé aux lévites.

## CADAVRE

La loi mosaïque était très stricte quant au contact des vivants avec les morts, autant pour éviter le culte des défunts que par souci d'hygiène dans une région chaude. Celui qui avait touché un cadavre était assimilé à un lépreux et devait être exclu du camp des Hébreux (Nombres 5, 2). C'est pourquoi les cimetières étaient situés à l'extérieur des cités. De même, ne pas être enseveli était considéré par les Israélites comme un grand malheur. On ne devait jamais laisser le cadavre d'un pendu passer la nuit suspendu à l'arbre de son supplice afin qu'il ne souille pas la terre. On devait l'enterrer sitôt son exécution (Deutéronome 21, 22-23). C'est pour cette raison que l'on enleva le corps du Christ et qu'on l'inhuma rapidement (Jean 19, 31).

## CAFÔN

Lieu ou la tribu d'Éphraïm déclara la guerre au juge Jephté le Gaaladite (Juges 12, 1) qui vainquit les troupes des Éphraïmites. Cet endroit était compris dans le territoire de la tribu de Gad (Josué 13, 27).

## CAILLE

Oiseau mangé par les Israélites pendant la traversée du désert (Exode 16, 13), ce qui est rappelé dans d'autres livres de l'Ancien Testament.

## CAÏN

Fils d'Adam et Ève (Genèse 4), Caïn (peut-être forgeron) était cultivateur et Abel, *Souffle de vent*, était berger. Un jour que les deux frères lui faisaient une offrande, l'Éternel accepta celle d'Abel mais n'agréa pas celle de Caïn. Frustré, Caïn tua son frère et l'enterra dans un champ, mais le sang d'Abel *criait vers le ciel*. Pour ce premier crime, le meurtrier fut maudit par Dieu et condamné à errer sur la terre. Cependant, Dieu voulut le préserver des autres hommes et le marqua d'un signe afin que personne ne le frappe. Lorsque la malédiction divine fut suspendue, Caïn s'installa *à l'est d'Éden* et fonda *une ville qu'il appela du nom de son fils* (Genèse 4, 17). L'Ancien Testament ne donne pas la raison du refus de l'offrande de Caïn ni de l'agrément de celle d'Abel. Dans l'art chrétien médiéval, Caïn est représenté par un homme de forte stature, identifiable par l'œil et le rayon qui depuis le ciel le surveillent et le protègent.

## CAÏPHE (JOSEPH)

Grand prêtre juif (18-37 apr. J.-C.) nommé par les Romains, qui recommanda au conseil des Anciens de condamner Jésus à mort (Jean 11), mena son interrogatoire et l'accusa de blasphémer (Matthieu 14 ; 26 ; Jean 18, 24). Ayant obtenu sa condamnation des Anciens, Caïphe fit comparaître Jésus devant le Romain Ponce Pilate.

## CALEB

Fils de Yefounnè, membre de la tribu de Juda, il fut désigné par Moïse avec onze autres pour aller espionner le pays de Canaan (Nombres 13, 6). Au bout de quarante jours, lorsque les envoyés revinrent auprès de Moïse et Aaron, dix d'entre eux décrivirent les habitants comme étant des guerriers dangereux et recommandèrent de ne pas entamer la conquête de Canaan. Mal renseigné par de faux rapports, le peuple s'éleva contre Moïse et Aaron et seuls Caleb et Josué défendirent son projet (Nombres 14). Dieu annonça alors à Moïse que seuls Caleb et Josué reviendraient vivants de la conquête de la Terre promise, alors que tous les hommes ayant quitté l'Égypte seraient morts avant (Nombres 14, 20-30). Après cela, les dix envoyés qui avaient dressé le peuple contre Moïse moururent de mort brutale devant le Seigneur. Caleb et Josué survécurent et Caleb devint responsable de la tribu de Juda à l'âge de 85 ans (Josué 14, 10).

## CALMANA

Lieu où campèrent les Israélites selon le livre des Nombres (chapitre 33, 41-42) pendant la traversée du désert.

## CALMÔN

Mont situé près de Sichem, cité dans le livre des Juges (chapitre 9, 48), et nom de l'un des héros de David (2 Samuel 23, 28).

## CALMOUNNA

Roi madianite exécuté par le juge Gédéon dont les frères avaient été tués peu de temps auparavant (Juges 8, 4 à 21).

## CALVAIRE

Du latin *calvaria*, lui-même de l'araméen *gulgota*, c'est-à-dire crâne. Selon les Évangiles, colline à l'extérieur de Jérusalem au sommet de laquelle on crucifia le Christ.

## CANA (NOCES DE)

Localité où le Christ accomplit son premier miracle : devant Marie, il transforma de l'eau en vin afin d'étancher la soif des invités d'une noce (Jean 2). Nathanaël, l'apôtre Barthélemy, était originaire de la ville de Cana.

## CANAAN

*Bas pays*. Région comprenant l'actuelle Syrie et la Palestine, *pays de lait et de miel* devenu *Terre promise* après la promesse de Dieu. Cette contrée, dont l'ancêtre était Canaan, fils de Cham, fut conquise par les Israélites. Byblos, Tyr et Ougarit étaient les grands centres de Canaan, nommée aussi Phénicie.

## CANON

*Règle*. Terme désignant la liste des livres bibliques constituant pour les Églises l'Ancien Testament et le Nouveau Testament.

## CANTIQUE

Chant liturgique dont l'origine se trouve dans l'un des Cantiques, le *Canticum* (en latin). D'autre part, un cantique est le nom donné dans le christianisme au recueil (*Cantica*) contenant l'ensemble des chants liturgiques, hormis les Psaumes. Le texte des cantiques fait partie des grands livres bibliques (Exode 15, 1-19 ; Deutéronome 32, 1-43 ; 1 Samuel 2, 1-10 ; Ésaïe 26, 9-20 ; 38, 10-20 ; Jonas 2, 3-10 ; Habaquq 3, 2-19 ; Daniel 3, 26-45 ; 52-90) de l'Ancien Testament ; le cantique de louanges de Marie (le Magnificat), de Siméon (Nunc dirnittis), de Zacharie (Bénédictus), et le Gloria (Luc 2, 14) figurent dans le Nouveau Testament.

## CANTIQUE DES CANTIQUES

Ce livre de l'Ancien Testament est une collection d'œuvres spirituelles et poétiques attribuées au roi Salomon, bien que certainement rédigées en 300 av. J.-C., à l'époque hellénistique. Le *Cantique des Cantiques* célèbre l'amour entre l'homme et la femme et, plus spirituellement, entre Dieu et Israël. Plus largement encore, le *Cantique des Cantiques* évoque et magnifie l'amour entre Dieu et l'homme.

## CAPHARNAÜM

Cité située sur la rive du lac de Gennésareth (Matthieu 8, 5) où Jésus vécu et où il demeura, comme semblent le montrer nombre de ses interventions et miracles, telles la guérison de la belle-mère de Pierre (Matthieu 8, 14) et la résurrection de la fille de Jaïre (Matthieu 9, 18-26). Cependant, la population de Capharnaüm refusa de se convertir et Jésus maudit la ville, comme il le fit aussi pour Chorazin et Bethsaïda (Matthieu 11, 23), soulignant que les païens entendaient mieux sa parole que ses concitoyens.

## CAPTIVITÉ DE BABYLONE

Nom donné à la déportation et l'exil des Juifs à Babylone sous le règne de Nabuchodonosor II qui détruisit le temple de Jérusalem.

## CAPTIVITÉ (ÉPÎTRE DE LA)

Nom donné aux quatre lettres de l'apôtre Paul durant sa captivité romaine vers l'an 60. Ces épîtres étaient destinées aux communautés chrétiennes d'Éphèse, de Colosses, de Philippes, et à Philémon. Les deux dernières furent écrites par l'apôtre Paul alors que les deux autres (aux Colossiens et aux Éphésiens) le furent par ses disciples.

## CARIENS

Centeniers étrangers qui servaient les rois de Juda (2 Rois 11, 4, 19) qui vivaient au sud-ouest de l'Asie Mineure.

## CARMEL

*Verger.* Chaîne de montagnes au nord d'Israël surplombant le port d'Haïpha (Akko), d'une hauteur de 546 mètres. Le mont Carmel était un lieu fertile que Salomon chante dans un cantique (Cantique des Cantiques 7, 6) et sur lequel vécurent dans des grottes de nombreux ermites à l'origine des Carmélites. C'est aussi sur cette montagne qu'eut lieu le massacre des prêtres de Baal sur les ordres du prophète Élie (2 Rois 2 ; 4). Carmel est également le nom d'une cité située au sud d'Hébron dans le pays de Juda (Josué 15, 55), où le roi Saül érigea un monument à sa gloire après sa victoire sur les Amalécites (1 Samuel 15, 12). L'une des femmes du roi David, Avigaïl, était native de Carmel (1 Samuel 27, 3).

## CARPOS

Chrétien venu du port égéen de Troas que l'apôtre Paul hébergea (2 Timothée 4, 13).

## CATHOLIQUES (ÉPÎTRES)

*Épîtres universelles.* Nom donné aux sept épîtres du Nouveau Testament qui ne portent que le nom de leurs auteurs et non celui des destinataires. Ces lettres (épîtres) étaient destinées à l'ensemble des membres de l'Église (en grec, *Katholikos*). Ces sept épîtres sont celles de Jacques, de Pierre (deux), de Jude et de Jean (trois).

## CÉCITÉ

Maladie inguérissable dans l'Antiquité, que l'on attribuait à Dieu et à sa justice. Les différents degrés de la cécité montraient l'importance de la punition ou de l'emprise d'un démon sur le malade. L'aveuglement marquait à la fois le manque de foi et le passage d'un profane à l'état de disciple, tel Saul de Tarse devenant l'apôtre Paul sur le chemin de Damas (Actes des Apôtres 9). La foi peut naître dans la nuit de l'aveuglement, comme le montre l'aveugle de Jéricho (Marc 10).

## CÈDRE

C'est avec des cèdres du Liban, réputés imputrescibles, que fut réalisée la menuiserie du temple de Salomon à Jérusalem (I Rois, 6, 16). Le cèdre symbolisait la Force majestueuse et l'immortalité car c'était l'arbre le plus grand du Proche-Orient.
Dans l'Ancien Testament, *cèdre du Liban* désigne poétiquement quelqu'un ou quelque chose de grand, de majestueux et de longue durée ; l'homme juste est comparé à un *cèdre du Liban* (Psaume 92).

## CÉDRON

*Le foncé.* Nom de la vallée à l'est de Jérusalem. La vallée est irriguée par le Cédron, torrent qui traverse le désert de Juda et se jette dans la mer Morte près de Qumrân. On se servit longtemps de cette vallée pour y ensevelir les morts du peuple (2 Rois 23, 6) et le roi Asa y fit brûler les idoles qu'il avait fait arracher (1 Rois 15, 13). Appelée parfois *vallée de Josaphat* (le Seigneur juge), la vallée du Cédron est considérée comme le lieu où se tiendra le tribunal du jugement dernier (Joël 4).

## CÉLA

Lieu situé sur le territoire de la tribu de Benjamin (Josué 18, 28) où l'on enterra les restes de Saül, de ses fils et des membres de sa famille dans la tombe de Qish, le père du roi Saül (2 Samuel 21, 14).

## CÉLIBAT

Dans l'Ancien Testament, le célibat est considéré comme un déshonneur tandis que le Nouveau Testament le juge utile s'il signifie que l'on se rend plus libre pour le service de Dieu. Cet état n'était accordé qu'à un petit nombre. C'est pourquoi seul le Christ et ses disciples voulurent vivre de cette manière, mais ils ne l'imposèrent jamais à quiconque.

## CELOFEHAD

Fils de Hefer du clan de Manassé, au temps de Moïse, Celofehad était père de cinq filles et n'avait aucun fils. Selon le droit de succession, elles ne pouvaient hériter, et l'on modifia le code pour l'occasion. *Lorsqu'un homme mourra sans laisser de fils, vous transmettrez son héritage à sa fille* (Nombres 27).

## CENDRE

Symbolisant la fin des choses et leur dépréciation, la cendre était associée à la mort, au deuil et au chagrin. On se couvrait la tête ou le corps de cendre afin d'extérioriser ses sentiments. La cendre symbolisait aussi l'humilité (2 Samuel 13, 19 ; Jérémie 2, 8).

## CÈNE

Cène, du latin *coena*, souper. Désigne le dernier repas du Christ avec ses apôtres, au cours duquel il institua l'Eucharistie (Matthieu 26 ; Marc 14 ; Luc 22). Les Évangiles rapportent comment Jésus établit ce qui allait devenir le rituel de la Cène : *Puis il prit du pain et après avoir rendu grâce, il le rompit et le leur donna, en disant : "Ceci est mon corps, donné pour vous. Faites ceci en mémoire de moi". Et pour la coupe, il fit de même après le repas, en disant : "Cette coupe est la nouvelle alliance en mon sang versé pour vous"* (Luc 22, 19-20). Représenté dans presque toutes les églises chrétiennes, la Cène est facilement reconnaissable : il s'agit d'une longue table où siègent les douze disciples avec le Seigneur au milieu d'eux.

## CEPHAS

*Kefa*, rocher (araméen). Nom que Jésus donna à l'apôtre Simon lorsqu'il lui demanda de le suivre.

## CERF, BICHE

Animal pur selon le Deutéronome (chapitre 14, 5), célébré dans plusieurs livres de l'Ancien Testament pour sa rapidité et sa légèreté, le cerf était aussi apprécié pour sa chair délicate (1 Rois 5, 3). La biche, quant à elle, symbolisait l'amour maternel (Jérémie 14, 5).

## CÉSAR

Dans le Nouveau Testament, le nom de César est donné à tous les empereurs romains. Il en fut ainsi dans les nombreux territoires de l'Empire ; le nom de César (Caïus Julius) devint dans la langue allemande *Kaiser* et dans la langue russe *Tsar*. Auguste et Tibère étaient les Césars qui régnaient à la naissance de Jésus, puis lors de sa passion.

## CÉSARÉE DE PHILIPPE

D'abord consacrée au dieu Pan et nommée Panéas en son honneur, Césarée de Philippe était édifiée près des sources du Jourdain, dont Pan était le dieu. Sous Hérode le Grand, on baptisa la ville Césarée en hommage à l'empereur Tibère mais on ajouta Philippe pour ne pas la confondre avec la Césarée Maritime. C'est à Césarée de Philippe que Pierre reconnut que Jésus était le Messie annoncé par les prophètes et c'est à ce moment que Jésus dit à Pierre qu'il aurait la primauté dans l'Église : *Tu es Pierre et sur cette pierre je bâtirai mon Église* (Matthieu 16, 13).

## CÉSARÉE MARITIME

*L'impériale.* Cité de la côte de Palestine, au sud du mont Carmel, où siégeaient les procurateurs romains. Le diacre Philippe y prêcha après son passage à Azot (Actes des Apôtres 8, 40 ; 21, 8) ; le centurion Corneille y fut baptisé par l'apôtre Pierre (Actes des Apôtres 10, 1). L'apôtre Paul y fut prisonnier durant deux ans sur l'ordre du procurateur Festus (Actes des Apôtres 23, 23).

## CHACAL

Sorte de chien sauvage, craintif et nocturne se nourrissant de petits mammifères et de charognes (Psaume 63, 11). Il vit dans les déserts, appelés *pays des chacals* (Psaume 44).

## CHAIR

Dans l'Ancien Testament, le mot chair désigne le corps physique et son caractère temporaire, symbole de la faiblesse humaine qui contraste avec l'éternité de Dieu et sa puissance. Le Nouveau Testament garde cette conception que l'apôtre Paul élargit en opposant la condition terrestre et pécheresse et l'âme céleste. Selon lui, *la chair tend à la mort, mais l'Esprit tend à la vie* ; le chrétien, par la foi dans la parole du Christ, est libéré de la loi du péché et de la mort (Romains 8, 2).

## CHALDÉENS

Araméens qui envahirent et s'installèrent en Mésopotamie méridionale à partir du IXe siècle avant notre ère et dominèrent finalement toute la Babylonie (2 Rois 25). Les rois chaldéens, Nabopolassar et Nabuchodonosor II, écrasèrent les rois d'Israël et de Juda et déportèrent les populations à Babylone.

## CHAM

.*Chaud.* Le deuxième des trois fils de Noé, né avant le Déluge alors que le patriarche avait 500 ans. Après le Déluge, Cham découvrit son père enivré et nu sous sa tente et rapporta ce qu'il avait vu à ses frères qui recouvrirent pudiquement Noé. Noé sut ce qui était arrivé et maudit son fils Cham en le condamnant à toujours être le serviteur de ses frères (Genèse 9, 18-27). On considère que Cham est l'ancêtre des Cananéens et des peuples africains. Il eut pour fils Koush, Miçraïm, Pouth et Canaan (Genèse 10, 6).

## CHAMEAU

Dans l'Ancien Testament, le chameau (dromadaire) est un animal impur (Lévitique 11, 4) bien qu'utilisé comme bête de somme et monture de voyageur et de guerrier. Dans le Nouveau Testament, il symbolise la tempérance et la sagesse suivant la parabole du Christ affirmant qu'*il est plus facile à un chameau de passer par un trou d'aiguille* (petite porte dans la muraille) *qu'à un riche d'entrer dans le royaume de Dieu* (Matthieu 19, 24). Il est aussi mentionné dans la réprimande de Jésus aux mauvais *guides aveugles, qui arrêtent au filtre le moucheron et avalent le chameau !* (Matthieu 23, 24).

## CHANDELIER

*Menorah*. Dieu exigea qu'un chandelier soit placé dans la tente de la rencontre, le sanctuaire originel (Exode 25, 31-40). Le chandelier avait sept branches et était forgé d'une seule pièce, en or pur tout entier (Exode 25, 31-37). Salomon en fit installer dix dans son temple (I Rois 7, 49). Le roi Antiochus IV Épiphane vola le candélabre du temple et Judas Macchabée en fit installer un nouveau (I Macchabées 4, 49). Un chandelier plus grand avait été façonné pour le temple d'Hérode, mais les Romains le volèrent en l'an 70, au moment de la destruction de Jérusalem ; l'événement est représenté sur l'arc de triomphe de Titus à Rome.
Le chandelier à sept branches illustre la lumière spirituelle et symbolise le Christ, Lumière du monde. Dans l'Apocalypse, le chandelier à sept branches désigne les sept Églises.

## CHANT

Dans la Bible, le chant est l'un des éléments essentiels des pratiques et rites religieux ; il occupe une grande place dans la vie religieuse d'Israël, puis dans les communautés chrétiennes (cantiques).

## CHARDONS ET ÉPINES

Les deux sont souvent cités ensemble afin de désigner les choses nuisibles ou pénibles, des épreuves et punitions de toutes sortes. Ainsi, au moment d'expulser l'homme du jardin d'Éden, Dieu assure que le sol *fera germer pour lui l'épine et le chardon* (Genèse 3, 18). Ils sont comparés aux mauvais serviteurs de Dieu dans l'Ancien Testament, puis aux mauvais chrétiens dans le Nouveau ; les épines et les chardons, dans les champs, étouffent les semis et le blé. Les hommes mauvais, vains et superficiels sont comparés à des chardons et ils seront brûlés comme des buissons épineux, assure le prophète Nahoum (chapitre 1, 10).

## CHARISME

*Don de l'esprit.* Expression qui dans le Nouveau Testament désignait les dons particuliers qu'avaient reçus les apôtres et quelques membres de la communauté chrétienne. Seul le Saint-Esprit avait pu conférer ces aptitudes jugées surnaturelles, tel que le don des langues, le don de guérison et de clairvoyance, de même que la sagesse et la foi. Ces capacités devaient être utilisées pour le bien de tous (1 Corinthiens 12, 7-10).

## CHAROGNE

De même qu'il était interdit de toucher un cadavre humain, il était aussi défendu de toucher une charogne animale selon le Lévitique (chapitre 11, 24-25 ; 40). On devait jeter aux chiens la viande des animaux déchiquetés (Exode 22, 30) et ne jamais manger leur graisse, bien qu'il fût permis de s'en servir (Lévitique 7, 24).

## CHARPENTIER

Dans le Nouveau Testament, le terme de charpentier fait référence à Joseph, l'époux de Marie. Au sens large, il s'agit d'un artisan travaillant et façonnant la matière naturelle, un constructeur ou architecte.

## CHASSE

Tous les animaux pouvaient être chassés puis mangés (hormis les animaux impurs) ainsi que *tout animal qui a nageoires et écailles* selon le Deutéronome (chapitre 14, 9). C'est ainsi que sont cités parmi le gibier comestible, l'antilope, le bouquetin, le cerf, la chèvre sauvage, le daim, la gazelle et l'oryx, mais il est interdit de consommer du chameau, du lièvre et du sanglier. Le roi Salomon faisait venir à sa table *des cerfs, des gazelles et des chevreuils* (1 Rois 5, 3). Les grands chasseurs que furent Caïn, Nemrod, Ésaü et Benayahou utilisaient des filets, des lacets, des pièges et creusaient des fosses. L'Ancien Testament donne l'avantage aux agriculteurs et pasteurs contre les chasseurs, tel Ésaü supplanté par Jacob (Genèse 25, 27), peut-être afin de stabiliser une population plus nomade que sédentaire.

## CHEMIN DE CROIX

Dans l'Église catholique, le chemin de Croix est un itinéraire, généralement inscrit sur les murs intérieurs d'un édifice, pour la méditation et le recueillement, à chacune des étapes, *stations*, du chemin suivi par le Christ de sa condamnation jusqu'à sa crucifixion. Sur les quatorze stations proposées de ce chemin, seules huit sont mentionnées par les Évangiles :

I - Jésus est condamné à mort par Ponce Pilate.
II - Jésus porte la croix.
III - Jésus tombe pour la première fois sous la charge de la croix.
IV - Jésus rencontre sa mère.
V - Simon de Cyrène aide Jésus à porter la croix.
VI - Véronique tend son suaire à Jésus.
VII - Jésus tombe pour la deuxième fois.
VIII - Jésus console les femmes en pleurs.
IX - Jésus tombe pour la troisième fois.
X - On dépouille Jésus de ses vêtements.
XI - On cloue Jésus sur la croix.
XII - Jésus meurt sur la croix.
XIII - On descend le corps de Jésus de la croix.
XIV - On met au tombeau le corps de Jésus.

## CHÊNE

Universellement considéré comme le symbole de la force et de la longévité, le chêne est aussi un arbre sacré (chêne de Sichem, Josué 24, 26) et oraculaire : dans ses branches, Abraham entendit la voix de l'Éternel à Mambré. Le chêne est un temple végétal. Dans l'Ancien Testament, *chêne* et *térébinthe* sont souvent confondus. La puissance du chêne est citée par Amos (chapitre 2, 9). Symboliquement, c'est dans la vallée du Térébinthe (ou du Chêne) que se déroula la bataille contre les Philistins au cours de laquelle David tua le géant Goliath (1 Samuel 17, 2).

## CHÉRUBIN

Situés entre le trône et les séraphins, les chérubins sont des entités célestes de second rang dans la hiérarchie angélique. On les représente comme des lions ailés à tête humaine car ils sont les protecteurs de ce qui est terrestre. Après la chute et le départ du jardin d'Éden, un chérubin armé d'une épée foudroyante fut désigné pour interdire l'accès de ce qu'on appela désormais le *paradis perdu*. Le chérubin était posté à l'orient du merveilleux Jardin (Genèse, 3, 24). L'arche de l'Alliance était protégée de deux chérubins en or massif aux ailes déployées vers le haut (Exode, 25, 19-21). Ils se faisaient face alors que dans le temple de Salomon, les chérubins avaient leurs faces tournées vers l'intérieur (1 Rois, 6, 23/28).

Dans l'une de ses visions, Ézéchiel (chapitre 1, 4-28 ; 10, 8-17) distingue des chérubins formant le char de Dieu avec les quatre personnages de ce qui sera plus tard le tétramorphe, à savoir le taureau, l'homme, le lion et l'aigle, symboles des évangélistes.

## CHEVAL

Existant depuis longtemps en Mésopotamie et en Égypte, le cheval ne fut utilisé en Israël pour la guerre que sous le règne du roi Salomon qui en aurait importé quatre mille d'Égypte (1 Rois 5, 6 ; 10, 28). Fougueux, les chevaux symbolisaient le vent, tels ceux qu'aperçut Zacharie dans ses visions où quatre attelages de chevaux tirent les chars de bronze des quatre vents du ciel.

## CHEVEUX

La chevelure la plus célèbre de l'Ancien Testament est celle de Samson. Peu avant sa naissance, sa mère avait reçu de l'ange du Seigneur l'ordre de ne jamais lui raser la tête, car l'enfant devait être consacré à Dieu (Juges 13, 5). Par la suite, Dalila lui coupa les cheveux, lui ôtant tout pouvoir, et le mit à la merci de ses adversaires (Juges 16, 13-19).

La seconde chevelure célèbre est celle d'Absalon, fils rebelle du roi David, que l'on coupait et faisait peser chaque année et qui avait un poids de deux kilos et demi (2 Samuel 14, 26). Absalon fut perdu parce que sa longue chevelure le retint prisonnier dans un chêne (2 Samuel 18, 19). Lorsqu'un homme d'Israël voulait épouser une prisonnière de guerre, celle-ci devait se raser le crâne (Deutéronome 21, 12).

Afin de montrer son chagrin, on n'entretenait pas sa chevelure en période de deuil ou de grande affliction, (2 Samuel 19, 25) ou on la coupait, tel Job se rasant la tête après la perte de tous ses biens (Job 1, 20). En public, une femme devait recouvrir ses cheveux d'un voile (1 Corinthiens 11, 41) mais, à l'inverse, on défaisait les cheveux d'une femme accusée d'adultère (Nombres 5, 18) ; c'est une pécheresse *aux cheveux flottants* (Luc 7, 38 ; Jean 11, 2) qui essuie les cheveux du Christ.

## CHÈVRE

Les chèvres citées dans l'Ancien Testament sont généralement noires, de sorte qu'on peut confondre leurs poils avec les cheveux, ce qui permit à David de s'enfuir alors que le roi Saül le pourchassait (1 Samuel 19, 13). Selon le Deutéronome (chapitre 14, 5), la chèvre sauvage est un animal pur, que l'on peut manger, de même que le bouquetin. On offrait un chevreau, tant aux hommes qu'à Dieu, sous forme de sacrifice. On buvait le lait de la chèvre et l'on se servait de son poil pour confectionner des toiles de tentes (Exode 37, 26). On fabriquait aussi avec la peau de chèvre les outres où l'on conservait l'eau, le lait et le vin.

## CHIEN

Animal impur et méprisable dans l'Ancien Testament parce qu'il mange des cadavres, le chien pouvait être nourri d'aliments impurs (Exode 22, 30). Traiter un homme de chien était une injure, bien qu'une sentence fasse la part des choses en affirmant qu'*un chien vivant vaut mieux qu'un lion mort* (Qohéleth 9, 4). Le corps de la reine Jézabel fut dévoré par des chiens (2 Rois 9, 36) et des chiens léchaient les ulcères du malheureux Lazare, ce qui témoignait d'un état misérable (Luc 16, 21). Un Proverbe affirme : *Tel le chien qui retourne à ce qu'il a vomi, tel le sot qui réitère sa folie* (26, 11) ; l'apôtre Paul qualifie de chiens les hérétiques (Philipiens 3, 2).

## CHLOÉ

*La verdoyante.* Chrétienne de Corinthe qui avertit Paul que des désaccords divisaient les chrétiens de sa communauté (1 Corinthiens 1, 11).

## CHORAZIN

Ville prospère sur la rive du lac de Gennésareth mais que Jésus maudit comme il avait maudit Bethsaïda et Capharnaüm (Matthieu 11, 2 ; Luc 10, 13) car la population de Chorazin refusait son message. Chorazin fut totalement détruite vers 350 par un tremblement de terre.

## CHOUZA

*Cruche, pot.* Intendant d'Hérode Antipas dont l'épouse, Jeanne, rejoignit les disciples du Christ pendant sa prédication, ainsi que Marie de Magdala, Suzanne et quelques autres (Luc 8, 3).

## CHRÉTIEN

Ce nom, désignant les adeptes de Jésus-Christ, d'abord appelés *nazaréens* ou *galiléens*, était une insulte créée dans la région d'Antioche, vers 43. Le terme passa dans l'usage courant et fut revendiqué par les membres de la communauté, comme le montrent les citations des Actes des Apôtres (chapitres 11 et 26). Tacite utilise aussi ce terme.

## CHRISME

Symbole de l'Église primitive, à la fois cosmique et solaire. Le chrisme est constitué par une roue à six ou huit rayons portant le monogramme (initiales) du Christ, soit *khi* et *rhô* (*khristos*, oint) auxquelles sont ajoutées les lettres grecques *alpha* et *oméga*, illustrant les paroles de l'Apocalypse (21, 6), qui annonce que le Christ est le commencement et la fin, l'alpha et l'oméga. Généralement, un cercle manifestant le cosmos, l'infini et l'éternité, entoure ces figures symboliques.

## CHRIST

Du grec *khristos*, signifiant l'*oint*. Nom donné à Jésus car il était l'*Oint du Seigneur*, le Fils de Dieu, la deuxième personne de la Trinité.

## CHRISTIANISME

Religion fondée sur l'enseignement, la vie et les œuvres du Christ, sur la Bible et plus spécialement le Nouveau Testament. Le christianisme fut d'abord répandu dans le monde gréco-romain par les apôtres et disciples dès l'Ascension du Christ et la Pentecôte. Persécuté pendant deux ou trois siècles suivant les régions, le christianisme fut reconnu par l'empereur Constantin en 313, puis il devint une religion d'État.

## CHRONIQUES (LIVRES DES)

Entrés tardivement dans l'Ancien Testament, les Événements (en hébreu) sont considérés comme les compléments des livres (1 et 2) de Samuel et des Rois auxquels ils se réfèrent constamment. Les deux livres des Chroniques ne furent introduits dans la version hébraïque de la Bible qu'au xve siècle. Conclusion de l'Ancien Testament, les Livres des Chroniques furent peut-être rédigés par Esdras entre 400 et 350 av. J.-C. ; ils sont constitués de l'ensemble de l'histoire du peuple d'Israël depuis la Genèse, les premières généalogies jusqu'au règne de David pour le premier livre. Le second livre commence avec Salomon et la construction du temple de Jérusalem, l'histoire des rois de Juda, descendants de David, et se termine par le départ des juifs, autorisé par le roi des Perses Cyrus à quitter Babylone pour retourner dans leur terre.

## CHRONOLOGIE

Les principales dates historiques généralement retenues pour les événements rapportés par l'Ancien Testament concernent tout d'abord Abraham qui s'installa dans le pays de Canaan entre 2000 et 1600 av. J.-C., puis l'exode sous le règne du pharaon Ramsès II, entre 1300 et 1250 av. J.-C. La fin de la construction du temple de Salomon correspond à 950 av. J.-C., et la division du royaume est située entre 930 et 926 av. J.-C.. Le temple de Jérusalem fut détruit en 586 av. J.-C., date à laquelle commence l'exil (70 ans). Le retour s'effectua de 538 à 515 av. J.-C., date de la reconstruction du Temple.

## CHYPRE

Île où se réfugièrent de nombreux chrétiens après la lapidation d'Étienne à Jérusalem (Actes des Apôtres 11, 19). L'apôtre Paul y fit sa première mission et son compagnon Barnabé (Chypriote) y revint en compagnie de Marc (Actes des Apôtres 15, 39).

## CIEL

Selon le premier chapitre du premier livre de l'Ancien Testament, la Genèse, Dieu créa le ciel et la terre. Le ciel est réservé à Dieu, aux anges et, pour le christianisme, aux rachetés. Dans les Psaumes, le ciel est une voûte semblable à une tente que des colonnes supportent. Des ouvertures et des écluses permettent à la pluie de se répandre sur la terre (Genèse 7, 11). Depuis ces écluses, Dieu envoie aussi bien de l'eau bienfaisante (bénédiction, manne nourrissante) que des pluies de sang ou de soufre telle celle qui détruisit Sodome et Gomorrhe (Genèse 19, 24). Ces écluses s'ouvriront pour le jugement dernier, car les puissances des cieux seront ébranlées et le ciel disparaîtra *comme un livre qu'on roule* (Apocalypse 6, 14) ; en effet sur la voûte céleste, Dieu a fixé les luminaires, c'est-à-dire le soleil, la lune et les étoiles (Genèse 1). C'est pourquoi les chrétiens attendent qu'apparaissent de nouveaux cieux et une nouvelle terre (1 Pierre 3, 13).

Outre Dieu et le Christ qui demeurent toujours dans le ciel, les anges *se tiennent sans cesse en présence de mon Père qui est aux cieux*, annonce le Christ dans l'Évangile de Matthieu (chapitre 18, 10). Ils ne sont pas seuls car Satan aussi se rend dans le ciel dont il est tombé un jour par orgueil. C'est aussi dans le ciel, devenu *Patrie des chrétiens* que conduit le Christ, qui a ouvert la voie en disant : *Je suis le chemin, et la vérité, et la vie. Personne ne va au Père si ce n'est par moi* (Jean 14, 6).

## CILICIE

Région côtière proche de la Syrie qui devint province romaine en 101 av. J.-C., avec Tarse comme capitale. L'apôtre Paul est né dans cette ville d'où jadis le roi Salomon faisait venir ses chevaux (1 Rois 10, 28). Paul débuta son ministère en Cilicie (Galates 1, 21).

## CILLA

L'une des épouses de Lamek et mère de Toubal-Caïn, ancêtre supposé des forgerons et fondeurs de bronze (Genèse 4, 19-22).

## CIPPORA

Fille de Réouël (nommé aussi Jethro), prêtre de Madian, et épouse de Moïse. Elle mit au monde un fils que Moïse appela Guershôn (*Émigré là*) car Moïse s'était établi à Madian. Elle eut un second fils que l'on appela Éliézer, c'est-à-dire *Mon Dieu est secours* (Exode 2, 21-22 ; 18, 2-7).

## CIQLAG

Ville du Néguev faisant partie du territoire de Siméon (Josué 19, 5) et appartint successivement aux Philistins, puis au roi David (I Samuel 27, 6) jusqu'à ce que les Amalécites l'incendient pendant la guerre de David contre Saül (1 Samuel 30). Ciqlag fut de nouveau peuplée au retour de la captivité à Babylone (Néhémie 11, 28).

## CIRCONCISION

Pratiquée par les peuples du Proche-Orient et notamment par les Égyptiens, la circoncision était rejetée par les Phéniciens et les Philistins. Elle fut introduite en Israël par Abraham comme symbole de l'alliance passée avec Dieu (Genèse 17, 9-14). Opérée sur les garçons âgés de huit jours, la circoncision pouvait être dispensée à n'importe quel âge à tout homme qui en faisait la demande. Elle était indispensable à qui voulait participer au repas pascal. La circoncision était réalisée par le père de l'enfant, par la mère (Exode 4, 25) ou par un médecin.

Les apôtres Pierre, Paul, Jacques et Barnabé soutinrent devant les Anciens de Jérusalem que Dieu permettait que les incirconcis réalisent, en son nom, les mêmes prodiges que les circoncis. L'assemblée décida alors que la circoncision n'était pas indispensable aux incirconcis devenus chrétiens et qu'ils en seraient désormais exemptés (Actes des Apôtres 15, 1-20). C'est à partir de cette époque que la distinction entre les circoncis et les incirconcis différencia les communautés religieuses juives des communautés chrétiennes (Galates, 2, 8).

## CITÉ (DROIT DE)

En Israël, le droit de cité concernait les droits politiques et les droits religieux, acquis par la naissance et la circoncision (Exode 12, 48). Ces droits protégeaient les Juifs de la servitude dans leur propre peuple (Exode 21, 2), et évitaient qu'ils perdent périodiquement leur terre.

## CLEF

Symbole et matérialisation de la propriété, du pouvoir ou d'une fonction supérieure. Sur terre, les palais et les villes ont des clefs que l'on prend ou que l'on offre en signe de conquête, de vassalité ou d'amitié. C'est ainsi que l'Éternel promet le pouvoir à Elyaquim : *Je mettrai la clef de la maison de David sur son épaule, il ouvrira et nul ne fermera, il fermera et nul n'ouvrira* (Ésaïe, 22, 22). Dans l'au-delà, le Nouveau Testament (Apocalypse 1) précise que le Christ possède les clefs de la mort ; de plus, *il remit les clefs du Royaume des Cieux à Pierre et lui conféra ainsi le pouvoir de lier et délier sur terre* (Matthieu 16, 19).

## CLÉMENT

Sous le nom de Clément Iᵉʳ, ce collaborateur de l'apôtre Paul à Philippes (Philipiens 4, 3) fut le troisième (pape de 88 à 97) successeur de Pierre, après Lin et Anaclet, sur le siège épiscopal de Rome. Clément serait l'auteur de l'Épître aux Corinthiens, attribuée à Paul.

## CLÉOPAS

L'un des deux disciples d'Emmaüs (Luc 24, 13-18) qui, parlant avec le Christ ressuscité, ne le reconnaissent pas.

## CLOPAS

Frère de Joseph et époux d'une Marie, de la famille de Marie, mère de Jésus, il est présent au pied de la croix (Jean 19, 25).

## CŒUR

Centre vital et lieu de rayonnement de la vie, de la chaleur, à qui la Bible attribue le symbolisme de l'âme elle-même et le siège des sentiments et de la spiritualité. Dans le cœur se trouve l'amour.

## COLÈRE

Selon l'Ancien Testament, seul le péché de l'homme provoque la colère de Dieu. Cette faute consiste à adorer de faux dieux et à leur offrir des sacrifices (Deutéronome 6, 14-15).

## COLLECTE

Pratique ritualisée dans les communautés chrétiennes, la collecte des aumônes contribue à la vie matérielle des églises et aux actions caritatives. Paul précisait qu'il s'agissait d'une marque d'amour et d'unité entre les différentes communautés chrétiennes (1 Corinthiens 16, 1-3).

## COLOMBE

Dans l'Ancien Testament et dans différentes civilisations, la colombe blanche symbolise la pureté, la beauté et la douceur. Elle est l'illustration idéalisée de la femme. La colombe est la messagère que Noé envoya pour découvrir la terre ferme après le Déluge (Genèse 8, 8).

## COLONNE

Les colonnes sont des éléments indispensables à la construction du temple mais aussi la manifestation de l'axe sacré du monde, comme le montra la colonne de feu guidant les Hébreux dans le désert (Exode 14). À l'inverse, briser les colonnes, comme le fit Samson dans le temple des Philistins (Juges 16, 29), annonce la rupture d'une association entre la terre et le ciel, les hommes et leurs divinités.

## COLOSSIENS (ÉPÎTRE AUX)

Titre d'une épître de l'apôtre Paul, destinée à la communauté chrétienne de Colosses (Phrygie). L'épître fut peut-être rédigée alors que Paul était prisonnier à Rome (Colossiens, 4, 10), bien que son authenticité soit mise en doute. Le thème principal de la lettre concerne la menace que représente les hérétiques et le piège de la philosophie, accusée d'être une *creuse duperie à l'enseigne de la tradition des hommes, des forces qui régissent l'univers et non plus du Christ* (Colossiens, 2, 8).

## COMMANDEMENTS ET INTERDITS

Pour l'Ancien et le Nouveau Testament, la loi (commandements, préceptes et interdits), est tout entière contenue dans le Décalogue (Exode 20 ; Deutéronome 5). Tous les règlements ultérieurs découlent de ce premier recueil dont le christianisme ne changera pas son contenu comme le précise le Christ, tout en affirmant que l'amour parfait surpasse la Loi. C'est le thème principal du Sermon sur la montagne (Matthieu 5). Si le christianisme des origines ne mentionne pas spécialement le Décalogue, l'établissement et l'organisation des communautés exigèrent la codification de règles d'abord associées à l'enseignement du Christ, puis à la Loi elle-même.

## COMMUNION

Selon le sens premier du terme, il s'agit d'une participation des fidèles au sacrement de l'eucharistie qui se pratique sous les deux espèces, le pain et le vin, comme ce fut le cas lors du dernier repas du Christ avec ses apôtres.

## CONCILE APOSTOLIQUE

Nom donné à une assemblée (en 48 ou 49) qui réunit à Jérusalem les douze apôtres, les anciens et les nouveaux missionnaires, Paul et Barnabé, et qui eut pour principal objet de régler le problème de la circoncision des nouveaux chrétiens (Actes des Apôtres 15). La résolution adoptée permit de libérer les païens convertis de cette obligation de la loi mosaïque afin de rendre illimitée la diffusion de l'Évangile. Ce premier concile établissait les bases de l'Église chrétienne universelle.

## CONJURATION

Procédé magique permettant de chasser les démons ou de lutter contre les influences maléfiques. La loi de l'Ancien Testament interdisait les conjurations et la magie sous toutes ses formes et réservait des punitions sévères à ceux qui les pratiquaient (Deutéronome 18, 11).

## CONNAÎTRE

Pour l'Ancien et le Nouveau Testament, connaître est une activité liée au cœur, à l'affectivité et à la conscience, plutôt qu'à la science et au savoir. *L'homme connaît*, c'est-à-dire éprouve, *le bien et le mal* (Genèse 4), la présence divine ou l'amour humain. De même, Dieu connaît un être lorsqu'il le choisit et lui manifeste son intérêt, et l'homme connaît Dieu lorsqu'il lui obéit totalement car *la crainte du Seigneur est le principe du savoir* (Proverbes 1, 7). Pour le Nouveau Testament et le christianisme, seul le Christ détient la connaissance de Dieu, lui seul la prodigue aux hommes. Elle va ainsi du Père à l'homme en passant par le Fils. Ceux qui se sont convertis et ont accepté Jésus le connaissent, le suivent et lui obéissent, et Dieu à son tour les reconnaît.

## CONQUÊTE

L'Ancien Testament décrit la conquête du pays de Canaan, appelé Terre promise, dans plusieurs de ses livres sans qu'il soit possible d'établir une histoire réelle de l'implantation des Israélites dans cette région. Les récits la décrivent tantôt comme une longue bataille menée par toute la population et tantôt comme une série de petits affrontements isolés dans l'espace et le temps. Selon le livre des Nombres, la conquête commença sitôt après la traversée du désert. Tout d'abord mis en échec par les Amalécites et les Cananéens (Nombres 14), les Hébreux menés par Moïse vainquirent à Horma le roi cananéen d'Arad, puis le roi Sihôn d'Heshbôn, anéantirent l'armée d'Og, roi du Bashân, puis s'installèrent alors dans toute la contrée située à l'est du Jourdain (Nombres 21). C'est là que Moïse mourut et fut enterré, puis que Josué prit la tête des troupes.

Le livre de Josué, lui, rapporte que les forces menées par Josué traversèrent le Jourdain à Guilgal, prirent Jéricho et détruisirent la ville d'Aï. Josué fit la paix avec les Gabaonites, écrasa les rois amorites à la bataille de Gabaon et s'appropria tout le sud du pays de Canaan. Après de nombreuses victoires contre les rois du Nord et les rois cananéens, le pays fut partagé entre les tribus au cours de la grande l'assemblée de Sichem qui instaura pour tout le peuple une unité religieuse et politique.

De son côté, le livre des Juges rapporte que seules les tribus de Juda et de Siméon tentèrent de conquérir le Sud et luttèrent contre les Cananéens dans le désert du Néguev et la plaine côtière, tandis que Benjamin ne put s'emparer de Jérusalem, conquise finalement par le roi David.

## CONVERSION

Terme désignant un changement d'état spirituel de l'homme dans l'Ancien Testament, puis un changement de religion, l'abandon d'anciennes conceptions pour l'adoption de nouvelles lois, telle la conversion de saint Paul sur le chemin de Damas, dans le Nouveau Testament. La conversion est généralement réaffirmée par une cérémonie rituelle et publique nommée *baptême* dans le christianisme.

Après cette acceptation officielle, le converti est membre à part entière de la nouvelle assemblée religieuse. Dans l'Ancien Testament, les prophètes sont envoyés par Dieu afin que les êtres changent leur mode de vie, mettent le vrai Dieu à la place des idoles et s'accomplissent spirituellement. Par ce geste volontaire, individuel, l'homme bénéficie de la profusion des dons divins et de la grâce.

## COQ

Illustrant à la fois la fierté et l'orgueil, le coq est un symbole solaire associé à la naissance du jour et, analogiquement, à l'éveil de la conscience. Participant au passage de la nuit à la lumière, le coq eut jadis la fonction d'accompagner les âmes. Cet oiseau dédié à saint Pierre symbolise aussi l'orgueil humain alors que, à l'inverse, la poule représente la bonté divine et l'amour maternel lorsqu'elle protège ses poussins sous ses ailes (Matthieu 23, 37).

## CORBEAU, CORNEILLE

Oiseau souvent considéré comme de mauvais augure, le corbeau est cependant au service des prophètes qu'il nourrit, tel Élie fuyant Jézabel (1 Rois 17, 4, 6). Messager pour Noé après le Déluge (Genèse 8, 7), le corbeau est réputé pour sa voracité. Dans le Nouveau Testament, le Christ enseigne la confiance dans la bonté divine : *Observez les corbeaux : ils ne sèment ni ne moissonnent, ils n'ont ni cellier ni grenier ; et Dieu les nourrit* (Luc 12, 24).

## CORÉ

*Chauve, lisse* (peut-être *déserté*). Fils de Yicehar, l'un des petits-fils de Levi (Exode 6,2 ; Nombres 16, 1), et fils d'Amminadav (Chroniques) Coré mena avec Datân, Abirâm et 250 autres lévites une révolte contre Moïse et Aaron pendant la traversée du désert (Nombres 16-26). Cette rébellion des lévites (prêtres) avait pour but l'obtention de pouvoirs sacerdotaux plus importants. Faisant face à la révolte, Moïse (qui avec son frère Aaron monopolisait ces pouvoirs) annonça qu'ils mourraient engloutis avec tout ce qui leur appartenait, parce qu'ils avaient méprisé le Seigneur. Il en fut ainsi et la terre s'ouvrit sous tous ceux qui avaient suivi Coré ; ils tombèrent vivants dans le séjour de la mort. Les fils de Coré, qui ne furent pas engloutis, devinrent les chanteurs du temple de Jérusalem où ils composèrent plusieurs psaumes. La fin de Coré le lévite est proche de celle de la fille de Déméter, nommée Coré, qui disparut de la même manière dans une faille ouverte dans le sol pour rejoindre Hadès au royaume des morts.

## CORINTHIENS (ÉPÎTRES AUX)

L'apôtre Paul fonda à Corinthe une grande communauté chrétienne qu'il visita à plusieurs reprises et qui ne cessa de s'étendre. C'est à ces chrétiens que l'apôtre écrivit la première épître aux Corinthiens, en réponse à une lettre que la communauté lui avait adressée (1 Corinthiens 7,1) et qu'il rédigea certainement pendant l'année 54 alors qu'il séjournait à Éphèse. La seconde épître est peut-être la réunion de plusieurs textes de l'apôtre. Le thème général des Épîtres aux Corinthiens montre l'intérêt de Paul pour la vie de la communauté, les règles qu'elle doit s'imposer, ce qu'elle peut recevoir ou refuser de la société, qu'il s'agisse de philosophie ou de culture. L'apôtre Paul doit aussi se dresser contre d'autres missionnaires qui tentent de ramener les chrétiens vers l'ancienne loi mosaïque et risquent de détruire le travail missionnaire.

## CORNE

Dans l'Ancien Testament comme dans différentes cultures, la corne de taureau, buffle ou bélier était censée apporter force et virilité, et dynamiser les guerriers. Les cornes furent à plusieurs reprises associées au fer ou à l'airain des glaives. *Dieu donne des cornes de fer et des sabots d'airain afin de broyer des peuples nombreux* (Michée 4,13).

## CORNEILLE

Nom du centurion romain de Césarée qui se convertit et fut baptisé par l'apôtre Paul (Actes des Apôtres 10).

## CORPS

Pour l'Ancien Testament et la tradition symbolique, il n'y a pas de distinction entre le corps, l'âme et l'esprit, de sorte que chaque partie du corps est en analogie avec des principes divins et des qualités spirituelles, car l'homme dans sa totalité a été créé par Dieu à son image (Genèse 1). C'est en ce sens que l'on peut comprendre l'eucharistie et le texte de l'apôtre Paul selon lequel l'Église (l'ensemble des chrétiens) est le Corps du Christ (Romains 12).

## COSMOLOGIE

Dans l'Ancien Testament, on ne rencontre pas de cosmologie équivalente à celle de l'Égypte, de la Mésopotamie ou de la Grèce. Dieu a créé le monde, et l'univers est divisé entre ce qui est ordonné et le chaos, entre le ciel et l'enfer. Dans le ciel réside Dieu, et la terre est le domaine d'où éclosent les vies, le lieu de toutes les expérimentations pour l'homme et de tout ce qui sert Dieu. Dans cette représentation, la terre est une surface plate d'où s'élèvent les montagnes qui font fonction de colonnes. Dans le Nouveau Testament, la délivrance sera la destruction de la première Création rendue mauvaise par le péché des hommes. Après cela viendront de nouveaux cieux et une nouvelle terre.

## COSTUME (DE GRAND PRÊTRE)

Le premier costume de grand prêtre est celui que Moïse fit confectionner pour Aaron (Exode 28). Il était constitué d'un pectoral, de l'éphod, d'une robe, d'une tunique brodée, d'un turban (de byssus) et d'une ceinture brochée. Selon le livre du Lévitique (chapitre 8), *Moïse mit la tunique à Aaron, le ceignit de la ceinture, le revêtit de la robe et lui mit l'éphod ; il le ceignit de l'écharpe de l'éphod et l'en drapa ; il plaça sur lui le pectoral et mit dedans le Ourim et le Toummim ; il plaça le turban sur sa tête et plaça sur le devant du turban le fleuron d'or, insigne de la consécration, comme le Seigneur l'avait ordonné à Moïse.*

## COUDÉE

Mesure de longueur née en Égypte, utilisée de l'Antiquité jusqu'à l'application du système métrique, variant de 55 à 65 cm, selon qu'il s'agissait d'une coudée pharaonique, royale, sacrée…, selon les lieux et les époques. Cette mesure s'étendait du coude à l'extrémité du majeur et symbolisait la droiture et l'ordre du monde.

## COULEURS

Comme les parties du corps, les couleurs ont dans la Bible des significations symboliques précises, utilisées dans les différentes fonctions, cultuelles et sociales. Le rouge, le roux et le brun, couleurs du feu et de la terre, étaient associés à l'homme (Adam, Ésaü) et symbolisaient le péché (comme en Égypte où Seth était le dieu rouge). Le blanc symbolisait l'innocence, la pureté et la gloire, et le noir était associé aux différents malheurs qui assombrissent l'existence de l'homme, notamment la mort, les catastrophes et les ruines.

## COUPE

Parfois associée au croissant de lune horizontal, la coupe symbolise le vase contenant ce que Dieu offre aux hommes. En ce sens, la coupe représente la destinée humaine, un poison ou un élixir, la vie éternelle ou la mort. Dans l'imagerie chrétienne, la coupe représente la communion (cène), la coupe du Salut et la coupe pascale. La *coupe* dite *d'amertume* est celle que boit le Christ ; on trouve la coupe de colère divine dans l'Apocalypse.

## COURONNE

Symbole royal, la couronne est souvent citée dans l'Ancien et le Nouveau Testament. Associée aux épines qui représentent les épreuves, la couronne est pour le Christ l'ultime récompense d'une victoire obtenue par le sacrifice de la croix (Matthieu 27, 29).

## CRAINTE

Dans la Bible, l'expression *crainte de Dieu* ne signifie pas la peur mais le respect, la déférence et la vénération. C'est le comportement que l'homme doit avoir lorsqu'il s'adresse à son créateur. Depuis l'Alliance, c'est dans la crainte de Dieu que l'on suit ses commandements et que l'on obéit à ses lois. Cette signification est conservée dans le Nouveau Testament où craindre Dieu exprime l'attitude juste du chrétien.

## CRÉATION

Selon le livre de la Genèse, la création voulue par Dieu se déroula en six jours suivis d'un septième réservé au repos. Le premier jour naquit la Lumière, le deuxième le Ciel, le troisième la Terre et les Végétaux, le quatrième les Étoiles, le cinquième les Animaux et le sixième l'Homme. Le démiurge créateur est une illustration commune à de nombreuses civilisations et l'Ancien Testament revient rarement sur ce déroulement primordial qui sert de trame à la vie sociale, notamment en ce qui concerne le repos du septième jour, le sabbat, et à la place de l'homme sur la terre.

Pour le Nouveau Testament, dans la Création se trouve le plan élaboré par Dieu qui veut faire le bonheur de toutes les créatures. L'idée de l'homme image de Dieu joue un rôle important dans le message du Christ qui précise dans le Sermon sur la montagne *vous serez parfaits, comme votre Père céleste est parfait* (Matthieu 5, 48).

## CRÈCHE

Mangeoire pour les animaux d'une étable dans laquelle Marie plaça Jésus dès sa naissance parce qu'il n'y avait pas de place pour eux dans la salle d'hôtes (Luc 2) : scène la plus populaire du christianisme. Le bœuf et l'âne sont des ajouts tardifs au même titre que la couronne des mages qui deviennent rois des siècles plus tard.

## CREDO

Du latin *je crois*. Premier mot exprimant la profession de foi chrétienne suivant la symbolique des Apôtres. Le Credo est aussi le recueil contenant tous les enseignements du Nouveau Testament.

## CRESCENS

Compagnon de l'apôtre Paul. Lorsque Paul fut emprisonné, Crescens se rendit en Galatie (2 Timothée 4, 10).

## CRÈTE

Grande île grecque appelée Kaftor dans l'Ancien Testament (Genèse 10, 14), sur laquelle vécut une importante communauté juive, puis chrétienne. Dans son épître à Tite, l'apôtre Paul s'adresse à cette communauté et lui recommande l'obéissance et la bonne conduite envers les autorités (romaines) afin que les chrétiens fassent honneur à la doctrine du Seigneur.

## CRISPUS

Chef de la synagogue de Corinthe qui se convertit et que l'apôtre Paul baptisa (Actes des Apôtres 18, 8 ; 1 Corinthiens, 14).

---

## CROIX

Symbole de l'ensemble des religions chrétiennes, illustration de la mort physique du Christ mais aussi signe universel utilisé, sous différentes formes, depuis la plus haute Antiquité. Symbole des grands axes du monde lorsqu'elle est verticale, et de l'orientation de l'homme sur la Terre lorsqu'elle est horizontale (points cardinaux), la croix manifeste l'union des contraires ; son centre est un lieu idéal de rencontre physique et spirituelle, un principe de vie tel l'*ankh* égyptien, la croix ansée ou la croix celte. Ce symbole représente à la fois le Christ et son sacrifice, puis l'expérience humaine réunissant toutes les épreuves de l'existence. Dans l'Évangile de Matthieu (chapitre 10, 38-39), le Christ affirme : *Qui ne se charge pas de sa croix et ne me suit pas n'est pas digne de moi.*

---

## CRUCIFIXION

Peine de mort humiliante, la crucifixion fut d'abord pratiquée par les Perses avant d'être adoptée par les Romains qui l'utilisèrent dans tout l'empire contre les rebelles et les condamnés de droit commun. Ce sont des soldats romains (Marc 15, 16, 20) qui procédèrent à la crucifixion de Jésus et c'est sur leur ordre que Simon de Cyrène dut porter la lourde traverse de bois que le condamné n'avait plus la force de soutenir (Matthieu 27, 32). Supplicié avec deux autres hommes, Jésus fut le premier à mourir, c'est pourquoi on ne lui brisa pas les jambes pour mettre fin à ses souffrances. Un soldat lui perça le côté d'un coup de lance afin de vérifier qu'il n'était plus en vie (Jean 19, 34).

## CULTE

Dans l'Ancien Testament, le culte est un hommage rendu à Dieu. Les premiers lieux de culte furent des autels faits de pierres posées les unes sur les autres, où l'on faisait des sacrifices pour le Seigneur. Salomon édifia pour le culte de Dieu un grand temple à Jérusalem. C'était les descendants de la tribu des lévites qui officiaient au service du Seigneur. Pour le culte chrétien, les premières communautés, sans prêtres désignés, mettaient en pratique la parole du Christ affirmant que *là où deux ou trois se trouvent réunis en mon nom, je suis au milieu d'eux* (Matthieu 18, 20).

## CYPRÈS

Arbre qui se trouvait en abondance au Liban, dont le bois était estimé autant pour la construction navale que pour les charpentes et les portes.

## CYRÈNE

Ville prospère située dans la région fertile du nord de l'Afrique (actuelle Libye) et romanisée en 96 av. J.-C., où vivait une importante communauté juive. Simon de Cyrène fut contraint par les centurions d'aider Jésus à porter sa croix (Matthieu 27, 32). Les nombreux Juifs de l'époque ptolémaïque représentaient le quart de la population de Cyrène. Nombre d'entre eux se convertirent au christianisme (Actes des Apôtres 2, 10).

## CYRUS LE GRAND

Roi de Perse de 559 à 529 av. J.-C., fondateur de l'Empire perse. Après la conquête de Babylone, Cyrus autorisa par un édit le retour des Juifs exilés à Jérusalem où ils eurent le droit de reconstruire le Temple alors que Zorobabel était le gouverneur de la ville (Esdras 1 et 6). Le prophète Ésaïe qualifie Cyrus d'*oint du Seigneur* et *de berger* (Ésaïe 44, 45).

**D**

### DAGÔN

Dieu phénicien de la fertilité que l'Ancien Testament cite comme divinité des Philistins (Juges 16, 23). Dagôn avait des temples à Ashdod et Gaza. Le premier livre de Samuel souligne la supériorité du Dieu d'Israël sur le dieu phénicien (1 Samuel 5, 7).

---

### DALILA

*Boucle ondoyante.* Femme qui vivait dans les gorges de Soreq ; Samson était amoureux d'elle ; elle parvint à lui faire révéler les secrets de sa force (Juges 16). Renseignés par Dalila, les Philistins coupèrent les cheveux de Samson, lui crevèrent les yeux et le capturèrent.

---

### DAMAN

Petit mammifère herbivore, impur parce qu'il rumine, mais qui n'a pas de sabots (Lévitique 11, 5) ; il fait partie des quatre espèces d'animaux sages parmi les sages car, peuple sans puissance, les Damans savent placer leur maison dans le roc (Proverbes 30, 26).

---

### DAMAS

*Lieu arrosé.* Ville qui fut la capitale d'un royaume araméen. Son roi Rezôn fut l'ennemi du roi Salomon (1 Rois 11, 23-25). Les prophètes Ésaïe (chapitre 17, 1-3) et Jérémie (chapitre 49, 23-27) annoncèrent sa chute et, effectivement la ville fut conquise par Tiglath-Piléser III en 732 av. J.-C. (2 Rois 16, 9) puis par les Romains en 64 av. J.-C..

Damas accueillait une forte population juive vers laquelle se rendait Saul (de Tarse) lorsque, sur la route, il eut la révélation du Christ. C'est sur ce chemin qu'il fut baptisé par Ananias (Actes des Apôtres 9), avant d'aller évangéliser la communauté juive qui le rejeta.

## DAMNATION

Peu utilisé dans l'Ancien Testament, le terme damnation apparaît dans le Nouveau Testament où il s'applique à ceux qui seront précipités dans les enfers au moment du jugement dernier.

On peut être damné en rejetant le message évangélique, en étant exclu de l'Église ou encore en se conduisant de telle sorte que l'on est en faute morale ou spirituelle (1 Corinthiens 5, 4). À plus forte raison, on peut être damné si l'on se tient en dehors du royaume de Dieu, ou si l'on en est exclu par un tribunal religieux, comme c'est le cas pour les faux prophètes et faux docteurs de l'Église (2 Pierre 2). La véritable damnation signifie que l'on est définitivement écarté de Dieu.

## DAN

*Juge.* Septième fils de Jacob et premier enfant de Bilha (servante de Rachel), ancêtre de la petite tribu de Dan installée à Lèshem, près des sources du Jourdain, à l'extrême nord d'Israël (Josué 19, 40) ; Samson en fut le membre le plus célèbre.

## DANIEL

*Dieu est mon juge.* Homme juste, sage et respectueux de sa foi, ayant pour ces raisons des dons de divination. Exilé à Babylone, Daniel fut enrôlé au service du roi Nabuchodonosor sous le nom de Beltshassar (Daniel 1). Il interprétait les songes, les visions et les textes mystérieux. Le roi le fit jeter dans une fosse aux lions mais Daniel fut protégé des animaux par un ange du Seigneur qui apaisa les bêtes féroces (Daniel 3). Daniel est considéré comme le symbole de la mort tenue en échec, comme une préfiguration de la résurrection du Christ.

## DANIEL (LIVRE DE)

Sixième livre prophétique de l'Ancien Testament, ce livre est constitué de six chapitres rédigés à la première personne rapportant l'exil à Babylone de Daniel, et de cinq chapitres apocalyptiques (révélations) qui décrivent les quatre visions que lui envoya le Seigneur.

## DANSE

Dans l'Ancien Testament la danse, profane ou religieuse, sert à exprimer les louanges de Dieu (Psaume 150) ou à montrer sa joie. Ce fut le cas après la traversée de la mer Rouge, quand la prophétesse Myriam, sœur d'Aaron, frappa un tambourin et que toutes les femmes la suivirent en dansant (Exode 15, 20). Le roi Saül, après la victoire de David sur le géant Goliath, fut accueilli par des danses (1 Samuel 18, 6). Le peuple dansa pour fêter l'arrivée de l'arche d'alliance à Jérusalem, mais il dansa aussi pour honorer le veau d'or (Exode 32, 19), tout comme les prêtres de Baal qui dansaient sur le mont Carmel auprès de l'autel de leur dieu (1 Rois 18, 26). Dans le Nouveau Testament, la danse de Salomé, fille d'Hérodiade, devant Hérode Antipas est la plus célèbre, et la plus représentée (Marc 6 ; Matthieu 14).

## DAPHNÉ

Nom d'origine égyptienne (*Ta-hout-pa-nehesy*, le castel du Nègre), devenu en hébreu *Tahpanhês*, traduit Daphné en grec. Daphné était une ville égyptienne sur le côté est du delta du Nil. Réfugiés dans cette cité après l'assassinat du gouverneur de Babylone, les membres de la cité de Juda furent avertis par le prophète Jérémie des épreuves qu'ils subiraient quand Nabuchodonosor envahirait l'Égypte.

## DARIUS

Successeur de Cambyse, Darius fut roi des Perses de 522 à 486 av. J.-C., au temps des prophètes Aggée et Zacharie. Esdras rapporte (chapitres 5 et 6) que Darius I^er autorisa la reprise des travaux sur le temple de Jérusalem. En 492 av. J.-C., la flotte perse fut anéantie dans une tempête près du mont Athos et en 490 av. J.-C., l'armée de terre fut défaite par les Grecs à Marathon.

## DATÂN

Fils d'Eliav, de la tribu de Ruben, qui fit partie, avec son frère Abirâm, à la révolte de Coré contre Moïse et Aaron. Il fut englouti dans la terre avec tous les autres rebelles.

## DAVID

Fils de Jessé, né à Bethléem, roi de la tribu de Juda (vers 1000 avant notre ère) dont l'existence est relatée dans les deux livres de Samuel, dans le premier livre des Rois (chapitres 1 et 2) et dans le premier livre des Chroniques (chapitres 11 à 29). D'abord berger, puis héros après sa victoire contre le géant Philistin Goliath, David fut au service du roi Saül comme joueur de cithare. Pourchassé par le roi qui voyait en lui un rival, David leva une armée dans le désert et fut au service des Philistins qui lui donnèrent la ville de Ciqlag. Devenu roi, époux de la fille de Saül puis d'Avigaïl et d'Ahinoam, David conquit Jérusalem où il installa l'arche d'alliance, et régna sur toutes les tribus d'Israël. David fut aussi l'instigateur de la mort d'Uri, époux de la belle Bethsabée dont il s'était épris alors qu'elle faisait sa toilette, et qu'il épousa lorsqu'elle fut veuve. Son fils Absalon, ambitieux et sans scrupule, se révolta contre lui mais il fut assassiné lors de sa fuite, retenu par ses cheveux qui s'étaient enroulés à la branche d'un arbre. Salomon succéda à David. Il agrandit le royaume et construisit le temple de Jérusalem. David, ancêtre de Jésus, est un modèle de liberté et de résistance à tous les pouvoirs contraignants. Sur lui se cristallisèrent les prophéties annonçant un messie. On lui attribue soixante-treize psaumes dont le plus répandu, le Psaume 23 : *Le Seigneur est mon berger, je ne manque de rien, sur les frais herbages il me fait coucher…*

## DÉBORA

*Abeille*. Nom d'une prophétesse, épouse de Lappidoth. Débora était juge d'Israël et siégeait dans la montagne d'Éphraïm, sous un arbre (Juges 4, 4-5). Elle incita le juge Baraq à faire la guerre à Sisera, le chef de l'armée du roi cananéen Yavin. Selon la tradition, Débora aurait rédigé (vers 1120 av. J.-C.) le cantique de Débora (Juges 5, 2-31), que l'on considère comme la plus ancienne poésie de la Bible.

# DÉCALOGUE

*Dekalogos* (en grec), c'est-à-dire dix paroles appelées les Dix Commandements. Lois inscrites sur deux tables de pierre par Moïse, selon les paroles qu'il reçut de l'Éternel au sommet du mont Sinaï (Exode 34,28; Deutéronome 10,4). Ces commandements représentaient les clauses de l'alliance conclue entre Dieu et le peuple d'Israël dont ils furent la base religieuse, politique et sociale. Dans le XX$^e$ chapitre de l'Exode et le V$^e$ du Deutéronome, le Décalogue est mentionné ainsi:

Introduction: *C'est moi le Seigneur, ton Dieu!*

*1. Tu n'auras pas d'autres dieux face à moi.*

*2. Tu ne te feras pas d'idole ni rien qui ait la forme de ce qui se trouve au ciel.*

*3. Tu ne prononceras pas le nom du Seigneur ton Dieu en vain.*

*4. Que du jour du sabbat on fasse un mémorial en le tenant pour sacré.*

*5. Honore ton père et ta mère. / 6. Tu ne commettras pas de meurtre.*

*7. Tu ne commettras pas d'adultère. / 8. Tu ne commettras pas de rapt.*

*9. Tu ne commettras pas de faux témoignages contre ton prochain.*

*10. Tu n'auras pas de visées sur la maison de ton prochain, ni sur sa femme, ni sur rien qui appartienne à ton prochain.*

Le Décalogue cultuel se trouve quant à lui dans le livre de l'Exode (chapitre 34) et édicte ainsi les Dix Commandements:

*1. Garde-toi de conclure une alliance avec les habitants du pays où tu vas monter. Démolissez leurs autels, brisez les poteaux sacrés.*

*2. Tu ne te prosterneras pas devant un autre dieu car le Seigneur est un Dieu jaloux. / 3. Tu ne te feras pas de dieux en forme de statue.*

*4. Tu observeras la fête des pains sans levain que tu mangeras pendant sept jours. / 5. On ne viendra pas me voir en ayant les mains vides.*

*6. Tu travailleras six jours mais le septième jour, tu chômeras.*

*7. Tu célébreras une fête des Semaines pour les prémices de la moisson du froment et la fête de la récolte à la fin de l'année.*

*8. Trois fois par an tous tes hommes viendront voir la face du Seigneur, Dieu d'Israël.*

*9. Tu n'égorgeras pas pour moi de sacrifice sanglant en l'accompagnant de pain fermenté. La victime sacrifiée pour la fête de Pâque ne passera pas la nuit jusqu'au matin* (elle devra être mangée avant).

*10. Tu ne feras pas cuire un chevreau dans le lait de sa mère.*

## DÉCAPITATION

Acte visant à tuer en ôtant la tête, siège de la volonté et de l'esprit de celui que l'on combat. Nombreux sont les personnages décapités dans l'Ancien Testament (Goliath, Absalon, l'Égyptien, Alexandre Balas, Shèva, Ishbosheth et le roi Saül) ; dans le Nouveau Testament, quelques apôtres et martyrs.

## DEDÂN

Peuple du nord-ouest de l'Arabie qui descendait de Yoqshân, fils d'Abraham et de Qetoura (Genèse 25, 3). La ville principale se nommait Dedân et était un centre caravanier important (Ésaïe 21, 13).

## DELAYAHOU

Fils du prophète Shernaya, Delayahou était officier à la cour du roi Yoyaqim de Juda. Avec Elnatân et Guemaryahou, il voulut empêcher Yoyaqîm de brûler le rouleau que Baruch avait écrit sous la dictée du prophète Jérémie (Jérémie 36, 25-30). Sur l'ordre du Seigneur, Jérémie réécrivit sur un autre rouleau ce qui avait été brûlé sur le rouleau primitif.

## DÉLUGE

Cataclysme, commun à de nombreuses civilisations, marquant la fin des temps mythiques et le début de la période historique. Cet événement dramatique, peut-être un raz-de-marée gigantesque, se retrouve en Mésopotamie dans *L'Épopée de Gilgamesh* (3000 avant notre ère) comme dans la Bible, où Noé est chargé de sauver le genre humain et les espèces animales (Genèse 6 à 9). En ce temps-là, Dieu fait s'abattre le Déluge sur la terre pour punir les hommes qui lui ont désobéi. Parmi les humains, seuls Noé, sa femme, ses trois fils Sem, Cham et Japhet, et leurs épouses survivent. Lorsque tout est détruit, Dieu conclut avec Noé et sa descendance une alliance qui garantit l'ordre de la Création dont l'arc-en-ciel sera le signe. Le Déluge est un symbole de mort et de renaissance, la préfiguration du baptême, la première initiation de l'humanité.

## DÉMAS

L'un des collaborateurs de l'apôtre Paul à Rome (Colossiens 4, 14) qui fut peut-être celui qui quitta Paul par amour pour le monde présent et partit à Thessalonique (2 Timothée 4, 10).

## DÉMÉTRIUS

*Celui qui appartient à Déméter* (nom grec). Orfèvre d'Éphèse qui vendait aux pèlerins des miniatures en argent du temple d'Artémis. Lorsque l'apôtre Paul vint prêcher, les ventes diminuèrent et Démétrius suscita un soulèvement qui obligea Paul à quitter la ville (Actes des Apôtres 19, 23).

## DÉMÉTRIUS I<sup>ER</sup> SÔTER

*Sauveur*. Roi séleucide, fils de Séleucus IV, qui régna entre 162 et 150 av. J.-C., après avoir échappé aux prisons romaines. Démétrius fit assassiner le roi Antiochus V Eupator, prit le pouvoir et nomma d'autorité Alkime grand prêtre de Jérusalem. Il soutint des batailles contre les Macchabées et mourut en 150 av. J.-C. alors qu'il combattait Alexandre Balas, usurpateur qui se prétendait fils d'Antiochus IV Épiphane (1 Macchabées 7, ; 2 Macchabées 14).

## DÉMÉTRIUS II NICATOR

Fils de Démétrius I<sup>er</sup>, roi séleucide qui régna entre 145 et 140 av. J.-C., resta prisonnier onze ans et revint sur le trône entre 129 et 125 av. J.-C. Incapable de vaincre ses adversaires, il tenta de s'allier avec les Macchabées en validant Jonathan comme grand prêtre de Jérusalem. Il fut assassiné par Alexandre Sabinas, fils de l'usurpateur Alexandre Balas.

## DÉMON

Du grec *daimôn*, génie, divinité. Puissance terrestre ou céleste, entité que l'on rencontre dans toutes les mythologies. Par sa force, le démon est souvent considéré comme dangereux, mais il est positif lorsqu'on le maîtrise ou l'apprivoise. Pour la Bible, les démons sont les agents du mal, des maladies et souffrances ; c'est pourquoi chasser les démons équivaut à guérir et apaiser le malheur des hommes par l'action divine, sans faire appel à la magie. Seule la prière et le pouvoir du Seigneur peuvent triompher de ces entités négatives au service de Satan, qui finiront chez leur maître, dans le feu éternel (Matthieu 25, 41), où ils souffriront des tourments jour et nuit selon l'Apocalypse (chapitre 20, 10).

## DENYS L'ARÉOPAGITE

Membre de l'Aréopage athénien, institut pour la science et l'éducation, Denys se convertit après avoir entendu un sermon de Paul (Actes des Apôtres 17, 34) et devint le premier évêque d'Athènes. Il ne faut pas confondre Denys l'Aréopagite avec le Pseudo-Denys (peut-être le Syrien Paul le Fouleur), auteur au Vᵉ siècle apr. J.-C. de textes qui influencèrent la pensée chrétienne.

## DESCENTE DU CHRIST AUX ENFERS

Selon la première épître de Pierre (chapitre 3, 19-20), le Christ est descendu dans le royaume des morts : *C'est alors qu'il est allé prêcher même aux esprits en prison, aux rebelles d'autrefois, quand se prolongeait la patience de Dieu au jour où Noé construisait l'arche. Ces esprits en prison* sont-ils les âmes des morts séjournant dans l'Autre Monde, et attendant la délivrance et la rédemption ?

## DÉSERT

Le désert illustre la marche des Hébreux avec Moïse (Exode), le jeûne du Seigneur (quarante jours) et la solitude des ermites. Dans l'Ancien et le Nouveau Testament, le désert manifeste l'aridité, l'isolement, le danger et la mort, selon la conception sethienne de l'Égypte. À l'inverse, le désert permet pour ces mêmes raisons un dialogue privilégié avec Dieu, avec l'univers. Le désert est le symbole du travail intérieur qui enrichit celui qui le pratique.

## DEUIL

Le deuil pouvait, dans l'Ancien Testament, avoir de nombreuses causes, ruines, pénitences, épidémies et catastrophes. Il pouvait se porter individuellement ou collectivement. Pour marquer le deuil, on portait des vêtements que l'on déchirait à grands cris et l'on dormait dans un sac et dans la cendre. Parfois, on se rasait la tête, et l'on ne se parfumait pas. On pouvait aussi s'infliger des blessures ; les femmes se frappaient la poitrine et des pleureuses se lamentaient. Seul le grand prêtre gardait la dignité de sa fonction en ne défaisant pas ses cheveux et en gardant ses vêtements intacts *de peur de mourir et d'attirer la colère* [de Dieu] *contre toute la communauté* (Lévitique 10, 6).

La durée du deuil, généralement sept jours, semble avoir été diversement suivie selon les personnes et les circonstances. Joseph porta le deuil de son père Jacob pendant sept jours (Genèse 50, 10) mais les Israéliens portèrent le deuil pendant trente jours après la mort d'Aaron et de Moïse (Nombres 20 ; Deutéronome 34). Daniel pratiqua un deuil de trois semaines après avoir reçu la vision des malheurs et épreuves que son peuple allait vivre (Daniel 10, 3).

## DEUTÉROCANONIQUES (LIVRES)

*Appartenant au deuxième canon* (en grec). Livres, appelés aussi Pseudépigraphes, de l'Ancien et du Nouveau Testament qui furent ajoutés aux livres canoniques. Dans cette catégorie, refusée par le judaïsme mais retransmise en grec par la *Septante*, se trouvent les livres de Tobit, Judith, Baruch, du Siracide, de la Sagesse, les deux livres des Macchabées ainsi que des suppléments grecs à Daniel et à Esther. À ceux-là s'ajoutent dans le Nouveau Testament les épîtres aux Hébreux, de Jacques, la seconde épître de Pierre, les deuxième et troisième épîtres de Jean, l'épître de Jude et l'Apocalypse.

## DEUTÉRO-ÉSAÏE

*Le deuxième Ésaïe*. Nom donné à un prophète inconnu ayant vécu (546-539 av. J.-C.) au temps de l'exil à Babylone, auquel on attribue la rédaction des chapitres 40 à 55 du livre d'Ésaïe. Ce rédacteur était certainement l'un des disciples du prophète Ésaïe et il chanta le Seigneur comme le seul Dieu permettant par son amour le retour d'exil d'Israël. Les paroles contenues dans les quatre cantiques du serviteur du Seigneur (Ésaïe 42, 1-7 ; 49, 1-9 ; 52, 13 ; 53, 12) étaient considérées comme l'annonce prophétique de Jésus-Christ, le Messie attendu par Israël.

## DEUTÉRONOME

Cinquième et dernier livre du Pentateuque de Moïse. Le Deutéronome est nommé *Debarîm*, paroles en hébreu ; le premier chapitre débute ainsi : *Voici les paroles que Moïse adressa à tout Israël*, bien que Moïse n'en soit pas le rédacteur. En résumé, le Deutéronome revient sur les commandements divins et le principe de l'alliance que Dieu a scellée avec son peuple. Livre de mémoire, le Deutéronome rappelle que Dieu a fait sortir le peuple d'Israël d'Égypte et l'a conduit à travers le désert jusqu'à la Terre promise où il l'a comblé de bienfaits. Contre l'amour qu'il donne sans compter à son peuple, Dieu ne veut en retour qu'un dévouement fidèle qui se manifeste par le respect de ses lois. Verset 4 du VIe chapitre : *Écoute, Israël ! Le Seigneur notre Dieu est le Seigneur Un. Tu aimeras le Seigneur ton Dieu de tout ton cœur, de tout ton être, de toute ta force.*

## DEVIR

*Situé en arrière* (hébreu). Nom de deux villes du territoire de Juda, dont l'une serait Khirbet er-Raboud (au sud d'Hébron) et l'autre proche de Togret de-Debr. Devir est aussi un roi d'Eglôn auquel Adoni-Sédeq (roi pré-israélite de Jérusalem) demanda de l'aide lors du siège de Gabaon (Josué 10, 3). Dans le Temple de Jérusalem, le nom *devir* était donné au saint des saints, lieu le plus sacré de l'édifice.

## DIABLE

*Celui qui divise.* Nom donné à l'Esprit du Mal, incarnation des forces du mal. Le diable est l'ennemi des chrétiens qu'il tente par ses ruses. Ce maître de la matière et de la force est en fait l'alter ego de l'homme.

## DIACRE

Du grec *diakonos*, serviteur, *celui qui sert aux repas* (féminin *diaconesse*). Leurs Actes (chap 6, 3-6) rapportent que les apôtres choisirent, pour les aider, sept hommes de bonne réputation, remplis de sagesse, et leur imposèrent les mains. Le premier diacre se nommait Étienne ; il fut lapidé et devint aussi le premier martyr chrétien. Dans son épître aux Philipiens (chapitre 1), Paul se désigne comme un diacre, c'est-à-dire un serviteur de Dieu et de toute la communauté chrétienne. Dans l'épître aux Romains (chapitre 16), il recommande à la communauté une sœur nommée Phoébé, au service de l'Église de Cenchrées.

## DIASPORA

*Dispersion* (grec). Dispersion des Juifs dans le monde, après la première captivité à Babylone, puis après la prise de Jérusalem (I$^{er}$ siècle), lorsque les Juifs quittent la Palestine et fondent des communautés dans les pays étrangers. Après la fin de l'exil, une colonie juive resta volontairement à Babylone tandis que d'autres communautés s'épanouissaient en Égypte (Alexandrie), en Syrie (Antioche), sur le pourtour de la Méditerranée et en Europe centrale, en Gaule, en Espagne et en Germanie. Le terme *diaspora* désigne l'ensemble de ces groupes (au nombre de cent cinquante au temps des voyages apostoliques). Toutes conservaient des liens avec le temple de Jérusalem auquel elles versaient chaque année un impôt et où quelques-uns de leurs membres se rendaient en pèlerinage. Ce furent ces colonies qui accueillirent les apôtres, acceptèrent le message évangélique puis le répandirent.

## DIDYME

*Jumeau*. Surnom de Thomas selon la traduction grecque.

## DIEU

L'Être suprême, infini et parfait, existant par lui-même, éternel, aux capacités universelles qui le rendent omniscient, omnipotent. Dieu est décrit à la fois comme infiniment bon mais aussi comme menaçant et vengeur, Dieu des armées ou de souveraine justice, placé à l'origine et au sommet de toutes choses. Dans l'Ancien Testament, Dieu est appelé l'Éternel, le Seigneur (*Adonaï*), en remplacement de son nom véritable. On ne connaît que les quatre lettres qui forment son nom *Yod Hé Vav Hé*, imprononçable pour les hommes. Pour les patriarches de la Bible, Dieu est l'Être suprême et parfait qui participe à la vie terrestre qu'il guide selon un plan qui échappe souvent à la conscience humaine. Afin de rendre intelligible cette présence, une alliance est scellée et des lois édictées (Décalogue), qui stipulent avant tout que *Dieu est le Dieu unique* et qu'il ne doit pas y avoir d'autre dieu face à lui (Genèse 31, 53). Contrairement à la plupart des cosmogonies, le Dieu de la Bible n'a pas de naissance, ne provient de rien de connu. *Il est celui qui est, il est le premier et aussi le dernier* (Ésaïe 48, 12). Et ce Dieu universel est aussi *le juge de toute terre* (Genèse 18, 25). Néanmoins, ce Dieu de toute-puissance laisse l'homme libre de choisir ce qu'il doit adorer, le chemin qu'il doit prendre car, annonce-t-il, *Voici je mets devant toi le bien et le mal, choisis le bien afin que tu vives…* (Deutéronome 30, 19). Le Nouveau Testament ne change rien à ces conceptions ; selon l'Évangile de Marc (chapitre 12, 29-31) : *Le Seigneur notre Dieu est l'unique Seigneur : tu aimeras le Seigneur ton Dieu de tout ton cœur, de toute ton âme, de toute ta pensée, de toute ta force.*

## DIMANCHE

*Dies Solis*, ou *jour du Soleil*, appelé *jour du Seigneur*, fêté et férié pour les chrétiens qui en firent le premier jour de la semaine, à l'instar du calendrier juif (le lendemain du sabbat, samedi) ; le dimanche est le jour de la résurrection du Christ. Les quatre dimanches de l'Avent sont les quatre dimanches qui précèdent le jour de la Nativité.

## DIMANCHE DES RAMEAUX

Le dimanche des Rameaux précède Pâques ; ce jour là, les habitants de Jérusalem placèrent des rameaux sous les pas de l'ânesse qui portait Jésus. Certains, pour l'accueillir, étendirent des vêtements sur la route, d'autres coupèrent des branches aux arbres et en jonchèrent la route (Matthieu 21, 8). Ce jour débute la Semaine sainte.

## DÎME

Dans l'Ancien Testament, il est prescrit que le dixième du butin et des produits agricoles revient à Dieu, et qu'il doit être apporté aux lévites en échange du travail qu'ils effectuent au service du culte (Nombres 18, 20-24). Cependant, tous les trois ans, chacun devait verser une dîme supplémentaire de tous les revenus afin de soulager les difficultés des orphelins, veuves, pauvres et émigrés, et en donner une part aux lévites qui n'avaient aucun patrimoine (Deutéronome 14 28-29).

## DINA

Fille unique du patriarche Jacob et de sa femme Léa. Elle fut aimée par Sichem, le fils d'Hamer, chef de la ville de Sichem, qui voulait l'épouser, mais les frères de la jeune fille, Siméon et Lévi, assassinèrent tous les hommes de la cité parce que leur sœur avait été souillée (Genèse 30, 34-49).

## DISCIPLE

Celui que le maître instruit et forme par un enseignement particulier (Luc 6, 40). Se vouloir disciple du Christ, c'est se mettre volontairement au service de Dieu ou d'un de ses serviteurs. Ce que firent les douze disciples que le Christ appela. Ils le suivirent, puis répandirent dans le monde l'enseignement qu'ils avaient reçu. Ces douze disciples, entourés de soixante-douze autres, formèrent à leur tour des disciples, à la manière des grands prophètes de l'Ancien Testament (Élisée, Ésaïe). Après la Pentecôte, tous les baptisés furent appelés disciples.

## DIVINATION

Dans l'Ancien Testament, les arts divinatoires, l'astrologie, le spiritisme et l'oniromancie étaient interdits ; ceux qui s'y consacraient étaient qualifiés de prostitués (Lévitiques 20, 6-8).

## DIVLAÏM

Père de Gomer, prostituée sacrée épouse du prophète Osée (Osée 1, 3).

## DIVÔN

Ville de Transjordanie située à l'est de la mer Morte, d'abord habitée par les Moabites, les Amorites, puis donnée par Moïse aux tribus de Ruben et Gad (Josué 13, 9-17). Reconquise par les Moabites, Divon devint capitale sous le roi Mésa (vers 850 av. J.-C.), et fut détruite en 582 av. J.-C. par Nabuchodonosor. Selon Néhémie (chapitre 11, 25) une autre ville du nom de Divon se trouvait dans le territoire de Juda.

## DIVORCE

Selon la loi de l'Ancien Testament, l'homme pouvait répudier son épouse (divorcer) lorsqu'il avait trouvé *en elle quelque chose qui lui fait honte* (Deutéronome 24, 1). Ce droit, seulement valable pour les hommes, officialisé par un acte de répudiation, était caduc en cas d'accusation mensongère ou si un viol avait eu lieu après le mariage. Dans le Nouveau Testament, la répudiation est formellement interdite car *l'homme ne peut séparer ce que Dieu a uni* (Marc 10, 9).

## DODÉCAPROPHÈTES

Terme grec désignant les livres des « douze petits prophètes » Abdias, Aggée, Amos, Habaquq, Joël, Jonas, Malachie, Michée, Nahoum, Osée, Sophonie, Zacharie.

## DOËG

Chef des bergers de Saül, cet Édomite révéla au roi que le grand prêtre de Nov, Ahimélek, avait aidé David dans sa fuite et lui avait remis l'épée de Goliath. Sur l'ordre de Saül, Doëg tua les 85 prêtres de Nov, car les serviteurs du roi refusèrent de porter la main sur les prêtres du Seigneur (1 Samuel 22, 9-10, 17-18).

## DOIGT

Dans l'Ancien et le Nouveau Testament, les doigts sont l'expression d'une activité, divine ou humaine. Les doigts peuvent bénir ou donner, recevoir, ou indiquer une direction, intimer un ordre. Souvent symbole de la puissance céleste, *le doigt de Dieu* chasse les démons et écrit les tables de pierre de la loi de Moïse (Exode 31, 18). C'est au cours d'un festin que le roi Belshassar vit *des doigts de main d'hommes qui écrivaient devant le candélabre sur le plâtre du mur du palais royal les mots Mené Tequél*, c'est-à-dire *Compté Pesé* (Daniel 5, 25). Dans le Nouveau Testament, tandis que la femme adultère est jugée par ceux qui veulent la lapider, *Jésus se met à tracer du doigt des traits sur le sol*, selon l'énigmatique récit de Jean (chapitre 8, 6).

## DÔK

Montagne située dans la plaine de Jéricho où Ptolémée, gendre du grand prêtre Siméon, avait construit une forteresse. Voulant régner sur Juda, Ptolémée fit venir Siméon et ses fils (Judas et Matthatias) à un festin, puis il les enivra et les fit assassiner (1 Macchabées 16, 11-24).

## DOR

*Habitation* (hébreu). Ville cananéenne située au sud du Carmel qui fut attribuée à Manassé après la victoire de Josué (Josué 17, 11). Salomon désigna le fils d'Avinadav comme gouverneur de toute la crête de Dor (1 Rois 4, 11). Finalement, Dor fut conquise par les Assyriens.

## DOTÂN

Cité commerçante située au nord de Samarie (l'actuelle Tell Dotân) près de laquelle les fils de Jacob vendirent leur frère Joseph pour vingt pièces d'argent à une caravane se rendant en Égypte (Genèse 37, 17). Le deuxième livre des Rois (chapitre 6, 13) ainsi que le livre de Judith (chapitre 3, 9) citent la ville de Dotân.

## DOUANIER

Parce que les douaniers et collecteurs d'impôts s'enrichissaient en conservant pour eux des sommes recueillies et abusaient de leurs charges, les termes *douanier* et *pécheur* avaient une signification identique. C'est pourquoi le Nouveau Testament les utilise en même temps (Matthieu 9 ; 10) ; Jésus associe, lui, collecteurs d'impôts et prostituées (Matthieu 21, 31). Cependant, quelques-uns sont cités comme des hommes intègres, tels Zachée (Luc, 19, 2) et Matthieu (Matthieu 10, 3) ou Lévi, à qui Jésus demande de le suivre (Marc 2, 14-17).

## DOUMA

Nom du fils d'Ismaël dont la tribu résidait près de l'oasis de Doumat el-Djandel, à 450 km à l'est d'Aqaba selon la Genèse (chapitre 25, 14). Le livre de Josué (chapitre 15, 52) situe une cité de ce nom dans la montagne de Juda.

## DOURA

Plaine située dans la province de Babel où se trouvait la statue d'or devant laquelle Shadrak, Méshak et Abed-Négo refusèrent de se prosterner malgré l'ordre de Nabuchodonosor (Daniel 3, 1).

## DOXOLOGIE

*Hymne de louanges* (grec). Terme désignant les formules de louange, à la gloire de Dieu, placées au terme d'une prière, d'un chant ou d'un psaume, telle que *Béni soit le Seigneur, le Dieu d'Israël, depuis toujours et pour toujours ! Amen et amen !* (Psaume 41, 14).

Le Nouveau Testament utilise cette doxologie à laquelle s'ajoutent les mots *Gloire, Jésus-Christ* et *Notre Père*, ainsi que la formule figurant à la fin du Notre Père : *car c'est à toi qu'appartiennent le règne, la puissance et la gloire pour les siècles des siècles. Amen.* Ce texte fut ajouté à la prière contenue dans l'Évangile de Matthieu (chapitre 6), faisant référence à la prière de reconnaissance de David (1 Chroniques 29, 10).

## DRAGON

Du grec *dracôn* (serpent géant). Animal fabuleux possédant un corps de lézard, des ailes d'aigle, des griffes de lion et une queue de serpent. Très répandu dans les mythologies antiques, le dragon est dans la Bible l'un des symboles du mal et des ténèbres, du chaos des origines, opposé à Dieu et aux êtres angéliques. Le christianisme mentionne ces êtres surnaturels qui effrayent les tièdes et aguerrissent les téméraires. Dans l'Apocalypse (chapitres 12 et 20), Jean annonce que le dragon régnant sur le monde sera finalement vaincu par l'avènement du royaume de Dieu. Cette certitude prophétique fait peut-être référence à Daniel jeté dans la fosse aux lions parce qu'il avait pu tuer le dragon qui protégeait Mardouk, le dieu que les Babyloniens adoraient (Daniel 14, 23-32).

## EAU

À la fois symbole de Vie universelle et de vie terrestre, lieu de purification et de mémoire, l'eau est présente sous ses différentes formes (pluie, rosée, source, mer, fleuve, puits, larmes) dans l'Ancien et le Nouveau Testament, comme dans toutes les religions du monde.

Elle est présente dans les quatre fleuves du jardin d'Éden et dans ceux de l'Apocalypse, dans l'inondation du Déluge et dans la mer Rouge qui s'ouvre au commandement de Moïse, dans le Jourdain lorsque le Christ est ondoyé. Elle jaillit d'un rocher frappé d'un coup de bâton par Moïse (Nombres 20, 7-11), elle est changée en vin par Jésus aux noces de Cana (Jean 2, 1-11). La Samaritaine va la chercher au puits, Jésus la donne à boire à chacun, puisqu'il se présente lui-même comme une *source inépuisable*. L'eau symbolise la Parole, l'Esprit saint et, pour les Évangiles, le Christ lui-même. Dans le catholicisme, l'eau bénite devient sacrée par le signe de la croix.

## ÉBAL

Montagne au nord de Sichem (actuel Djebel Islamiyyeh, 940 m) ; après l'Alliance les 12 tribus se répartirent : 6 sur le mont Garizim et 6 sur le mont Ébal. Les premières prononcèrent la bénédiction et les secondes la malédiction sur le peuple, afin que chacun sache les conséquences du respect ou du non-respect des Commandements du Seigneur (Deut 11).

## ÉBER

Petit-fils de Sem, fils de Shèla, père de Pèleg, considéré comme l'ancêtre des Hébreux, puis de Yoqtân, père des tribus arabes (Genèse 10, 21-30; 11, 14-17); Luc le place parmi les ancêtres du Christ (Luc 3, 35).

## ECBATANE

Ancienne capitale des Mèdes puis des rois perses (actuelle Hamadan en Iran) où l'on retrouva le rouleau du roi Cyrus autorisant la reconstruction du temple de Jérusalem (Judith 1). Vainqueur du roi mède Arphaxad, Nabuchodonosor détruisit la ville.

## ÉCHANSON

Fonctionnaire des cours royales qui était chargé des boissons. La Bible cite plusieurs échansons dont ceux qui veillaient aux breuvages du roi Salomon (1 Rois 10, 5).

## ÉCHELLE DE JACOB

Échelle apparue dans le rêve que fit, à Béthel, le patriarche Jacob alors qu'il fuyait la colère de son frère Ésaü (Genèse 28, 10). Il s'étendit sur le sol, prit une pierre pour oreiller puis rêva qu'une échelle montait jusqu'au ciel sur laquelle se déplaçaient des anges tandis que la voix de Dieu lui prédisait une importante descendance (Genèse 28). L'échelle de Jacob symbolise la progression de la conscience vers un état supérieur, la transcendance, le désir de surpasser sa destinée. Elle annonce la future incarnation du Verbe, le Christ, qui instaurera un pont spirituel entre le ciel et la terre (Genèse 11, 4).

## ÉÇION-GUÈVÈR

Ville portuaire, près d'Élat, au bord de la mer des Joncs (golfe d'Aqaba), dans laquelle le roi Salomon fit construire sa flotte (1 Rois 9, 26).

## ÉCLAIR

Dans la Bible, les éclairs manifestent la splendeur de Dieu et sa puissance (Exode 20, 18 ; Ézéchiel 1, 13 ; Apocalypse 4, 5). Selon l'Évangile de Luc (chapitre 17, 24) le Christ reviendra *comme l'éclair jaillissant brille d'un bout à l'autre de l'horizon.*

## ÉCRITURES (LES SAINTES)

Nom mystique de la Bible, *Parole de Dieu*. Dans l'art chrétien, les Saintes Écritures sont toujours représentées par un livre ouvert ou fermé car c'est par l'Écriture que s'est transmise la révélation de Jésus-Christ.

## ÉDEN

*Désert, steppes* (akkadien ou sumérien). Nom que donne le livre de la Genèse au jardin créé par Dieu pour la première génération humaine (Genèse 2, 8-15). Ce jardin fertile et lieu de délices est l'inverse d'un désert. C'est un verger, un parc, *paradeisos*, selon la version grecque de la Septante, d'où le mot français *paradis*. Espace de bonheur parfait, le verger merveilleux n'a jamais été localisé malgré de nombreuses tentatives. Éden est aussi le nom d'une ville sur l'Euphrate (Ézéchiel 27, 23) et d'une région d'Assyrie (2 Rois 19, 12).

## ÉDOM

*Le Rouge* ou *le Roux* (hébreu). Surnom donné à Ésaü qui arborait des cheveux roux ; affamé, il céda son droit d'aînesse contre des lentilles rouges (Genèse 25, 25-34). Depuis Ésaü, le nom d'Édom désigne sa descendance, apparentée à Israël et à son territoire (Genèse 36).

## ÉDOMITES

Peuple issu d'Édom (Ésaü) qui vivait sur la montagne de Séïr, une contrée allant de la mer Morte à la mer Rouge et avait comme villes Eciôn-Guèvèr et Élat. En partie soumis à Israël, les Édomites eurent pour rois Béla, Yovav, Houshâm, Hadad, Samla, Shaoul, Baal-Hanân et

Hadar (Genèse 36, 31-39). Moïse eut des difficultés avec les Édomites mais le roi Saül les vainquit et David consolida sa domination sur Édom qui possédait de riches ressources naturelles (fer) et tenait l'accès à la mer Rouge. À la mort de Salomon, lors de la partition de son royaume (926 av. J.-C.), Édom *se révolta contre le roi de Juda et se donna un roi* (2 Rois 8, 20-22). Les Édomites firent campagne avec Nabuchodonosor contre Jérusalem en 586 av. J.-C., puis s'installèrent au sud de la Judée, désormais nommée Idumée. Une guerre opposa les Macchabées et l'Idumée qui fut incorporée à Israël vers 125 av. J.-C. (2 Macchabées 10, 15).

## ÉDUCATION

L'éducation des enfants incombait généralement au père bien que les familles royales ou fortunées fissent venir des précepteurs (2 Rois 10, 1-5). Le peuple quant à lui était instruit au moment des cérémonies cultuelles (Exode 13, 8), ce qui signifie qu'à Dieu revenait le rôle d'enseignant primordial (Deutéronome 8, 5).

## ÉGLISE

Du latin *ecclesia*, assemblée, c'est-à-dire l'ensemble des chrétiens ou seulement quelques-uns d'entre eux réunis physiquement ou spirituellement. Selon le Nouveau Testament, l'Église est l'*Épouse du Seigneur et la mère des chrétiens*. D'assemblée, l'église est devenue la construction accueillant cette assemblée pour la célébration du culte. Elle est alors la maison de Dieu.

## ÉGLÔN

Roi de Moab qui, allié aux Ammonites et aux Amalécites, triompha d'Israël et obligea le pays à le servir pendant dix-huit ans. Églon fut finalement tué par le juge Éhoud de la tribu de Benjamin (Juges 3, 12-30). Églôn était également une ville amorite du sud de la Palestine, dont le roi s'allia avec quatre autres rois pour combattre Josué qui le tua (Josué 10) puis en massacra tous les habitants (Josué 10, 34-35).

## ÉGYPTE

L'Égypte est très présente dans la Bible. Abraham s'y réfugie au moment d'une grande famine (Genèse 12, 10-20). Devenus très nombreux en Égypte en raison de l'hospitalité que Joseph leur a accordée, les Hébreux sont réduits en esclavage et quittent le pays sous la conduite de Moïse, en quête d'une Terre promise située en Palestine. Longtemps après, Marie, Joseph et Jésus s'enfuient en Égypte pour échapper aux persécutions ordonnées par Hérode (Matthieu 2, 13-15).

## ÉHOUD

Juge de la tribu de Benjamin qui tua le roi Églôn et libéra le peuple d'Israël (Juges 3, 12-31).

## EIFA

Aîné des cinq fils de Madiân, lui-même fils d'Abraham et de Qetoura (Genèse 25, 4). Il est l'ancêtre de la tribu nomade d'Eifa.

## EIN-DOR

*Source de Dor.* Cité de Manassé établie au sud du mont Tabor, proche de Nazareth. Parce que le Seigneur ne répondait pas à ses questions concernant le combat qu'il menait contre les Philistins, le roi Saül se déguisa pour aller consulter une magicienne qui résidait dans la cité (1 Samuel 28). Par son intermédiaire, il put s'entretenir avec le défunt Samuel qui lui annonça sa défaite, sa mort et celle de ses fils.

## EIN-GUÈDI

*Source du chevreau* (hébreu). Oasis à la végétation luxuriante sur la rive ouest de la mer Morte dont le Cantique des Cantiques célèbre les vignes (chapitre 1, 14), et le Siracide (chapitre 24, 14) les palmiers majestueux. C'est là que David se cacha, fuyant le roi Saül (1 Samuel 24).

## EIN-ROGUEL

*Source du foulon* (actuelle Bir Ayyoub), située au sud-est de Jérusalem. C'est là que Jonathan et Ahimaaç se cachent lors de la révolte d'Absalon et informent David de ce que fait le rebelle (2 Samuel 17,17).

## EL

Nom donné aux divinités dans la plupart des cultures sémitiques ainsi que dans l'Ancien Testament où il désigne le Dieu unique et universel. C'est ainsi que le terme *El-Elîm* signifie Dieu des dieux et *Babel*, la Porte de Dieu. D'origine incertaine, signifiant peut-être puissance, El devint l'un des titres de YHWH dans les noms *Élohim, El Élyôn*, ainsi que dans de nombreux noms de personne attachée à Dieu, *Éléasa, Éléazar, Élie, Éliav*.

## ÉLA

Quatrième roi d'Israël qui régna de 883 à 882 av. J.-C., fils et successeur du roi Baésha. Éla fut tué par son officier Zimri qui accapara le trône et assassina toute la famille de l'ancien roi Baésha (1 Rois 16,8-14).

## ÉLAM

*Élymaïs* (grec). Région (actuel Khouzistan), située au nord-est du golfe Persique. Les Élamites s'opposèrent aux Babyloniens et aux Assyriens jusqu'en 639 av. J.-C., où Suse, capitale de l'Élam, fut conquise par Assourbanipal l'Assyrien. Après cela, l'Élam passa sous les dominations mède et perse. L'Ancien Testament cite les Élamites comme un peuple ennemi de Babylone (Ésaïe 21,2) puis de Juda, à qui Jérémie (chapitre 49,34-49) prédit la disparition de son roi et de ses ministres.

## ÉLAT

Ville édomite (actuelle Eilat) sur le golfe d'Aqaba qui fut un grand centre commercial maritime. Conquise par David (2 Samuel 8,13), elle fut pour le roi Salomon un précieux port d'attache pour sa flotte (1 Rois 9,26), avant d'être reconquise par le roi de Juda Akhaz (2 Rois 16,6).

## ELDAD

L'un des 70 Anciens rassemblés par Moïse autour de la tente de Révélation qui reçurent un peu de l'esprit qui était en Moïse. Dès qu'ils le reçurent, tous se mirent à prophétiser, même Eldad et Médad qui étaient restés au milieu du peuple (Nombres 11, 26-29).

## ÉLÉASA

*Dieu a fait.* Fils de Shafân, que le roi Sédécias envoya à Babylone avec Guemarya, fils de Hilqiya, auprès de Nabuchodonosor. Jérémie leur remit une missive destinée aux Juifs exilés à Babylone (Jérémie 29, 1-3).

## ÉLÉAZAR

*Dieu a aidé.* Nom du troisième fils d'Aaron, auquel il succéda dans la fonction de grand prêtre (Exode 6, 23). Les prêtres sadoqites le regardaient comme leur ancêtre. Éléazar est aussi le nom de l'un des premiers docteurs de la Loi, vieil homme pieux qui refusa de manger du porc par fidélité à l'Écriture et mourut martyr sous le roi Antiochus IV Épiphane (2 Macchabées 6, 18-31). On trouve le nom d'Éléazar dans la généalogie de Jésus (Matthieu 1, 15-16).

## ÉLECTION, ÉLU

Dans l'Ancien Testament, le peuple d'Israël est choisi par Dieu afin d'être un modèle pour les autres peuples, le plaçant ainsi au service du Seigneur et de l'humanité. *Je t'ai destiné à être la lumière des nations, afin que mon salut soit présent jusqu'à l'extrémité de la terre* dit le prophète Ésaïe (chapitre 49, 6). Cette conception disparut peu à peu pour ne plus concerner que le peuple d'Israël et son État régi par la stricte observance de la Loi. L'appartenance joue un très grand rôle dans l'Apocalypse ainsi que dans les règles des communautés chrétiennes dont les membres se désignent comme étant choisis ou élus par le Seigneur. En effet, *seuls ceux qui sont inscrits dans le livre de la vie de l'Agneau entreront dans la Jérusalem céleste* (Apocalypse 21, 27).

## ÉLÉMENTS

Les quatre éléments naturels sont le Feu, l'Eau, l'Air et la Terre. Ils sont la base physique de toute existence et symbolisent de même tout fonctionnement spirituel. On trouve leur représentation dans la plupart des paraboles et leur marque dans toute manifestation religieuse. C'est ainsi que le tétramorphe des évangélistes est illustré de quatre personnages symbolisant les quatre principes ou éléments du monde : taureau pour Matthieu, lion pour Marc, homme pour Luc et aigle pour Jean. Lorsque le Seigneur reviendra, au moment de la fin du monde, *les éléments embrasés se dissoudront, la Terre et ses œuvres seront mises en jugement* (2 Pierre 3, 10-12).

## ÉLÉPHANT

L'éléphant n'est cité que dans les livres des Macchabées qui rapportent que le roi Antiochus IV entra en Égypte avec ces animaux (1 Macchabées 1, 17), et que l'armée du général Lysias possédait 32 éléphants de combat pour 20 000 cavaliers (1 Macchabées 6, 30).

## ÉLÉPHANTINE

Ville égyptienne construite sur une île du Nil, face à l'actuelle Assouan, ainsi nommée car elle faisait commerce de l'ivoire. Pendant et après l'exil à Babylone vivait à Éléphantine une communauté juive importante qui avait érigé un temple de YHWH (appelé Yaho) et restait en relation constante avec Jérusalem. Lors d'émeutes anti juives la population égyptienne détruisit le temple de Yaho.

## ÉLHANÂN

Fils de Yaaré-Areguim de Bethléem, Élhanân était l'un des héros de David qui aurait abattu le géant Philistin Goliath de Gath (2 Samuel 21, 19) en contradiction avec le récit de 1 Samuel (chapitre 17) qui désigne comme vainqueur David, le fils de Jessé le Bethléemite. Pour le livre 1 des Chroniques (chapitre 20, 5), Élhanân aurait tué Lahmi, l'un des frères de Goliath de Gath.

## ÉLI

Prêtre de Silo, attaché au sanctuaire de l'arche d'alliance, il fut chargé de l'éducation du jeune Samuel et lui déchiffra l'appel que le jeune homme recevait du Seigneur pendant la nuit. Éli avait 98 ans lorsqu'on vint lui annoncer que ses deux fils Hofni et Pinhas, des vauriens selon le texte, avaient été tués dans un assaut des Philistins qui avaient de plus emporté l'arche d'alliance. De saisissement, Éli tomba et se tua sur le sol, après avoir été juge d'Israël, pendant quarante ans (1 Samuel 2 à 4). D'Éli émane la lignée sacerdotale des Élides.

## ÉLI, ÉLI, LEMA SABAQTHANI

*Mon Dieu, mon Dieu, pourquoi m'as-tu abandonné ?* Derniers mots de Jésus-Christ sur la croix, cités en hébreu et en araméen par les Évangiles de Matthieu (chapitre 27, 46) et Marc (chapitre 15, 34) selon les paroles du Psaume 22.

## ÉLIAV

*Dieu est père.* Nom du frère aîné de David (1 Samuel 16, 6) et du fils d'Hélôn, de la tribu de Zabulon, qui donna les noms des hommes de sa tribu au recensement réalisé après la sortie d'Égypte (Nombres 1, 9).

## ÉLIE

*Mon Dieu est YHWH.* Élias, dans la Septante et la Vulgate. L'un des grands prophètes hébreux (IXe siècle avant notre ère), né dans la cité de Tishbi en Galaad (1 Rois 17, 1) qui vécut sous le règne d'Akhab et de Jézabel et lutta pour l'établissement du culte du Dieu unique opposé à Baal. Nourri par des corbeaux alors qu'il se cachait près du torrent de Kerith (1 Rois 17), Élie se rendit sur l'ordre de Dieu chez une veuve de Sarepta qui lui donna de la nourriture lorsqu'il lui promit que ni huile ni farine ne lui manqueraient. Après cela, il ressuscita son fils qui venait de mourir. Vainqueur sur le Carmel des 450 prophètes de Baal et des 400 prophètes d'Ashéra (1 Rois 18), nourri par l'ange du Seigneur qui le ravitailla pendant quarante jours et l'accompagna dans le désert jusqu'à la montagne de Dieu (l'Horeb), Élie annonça la chute du roi Akhab (1 Rois 21, 17-29) mais, parce qu'Akhab avait fait pénitence, Dieu annonça à Élie que la chute de sa dynastie n'aurait lieu que sous son fils Yoram, son successeur, qui mourut transpercé d'une flèche lancée par Jéhu (2 Rois 9, 24).

Élie ne mourut pas mais fut enlevé par le Seigneur alors qu'il marchait accompagné d'Élisée, son successeur. Tous deux se rendaient à Jéricho lorsque Élie demanda à Élisée ce qu'il pouvait faire pour lui ; Élisée lui répondit *que vienne sur moi, je t'en prie, une double part de ton esprit.* Le prophète déclara que c'était une chose difficile mais que s'il le voyait pendant son enlèvement vers le ciel, alors il aurait ce qu'il avait demandé. Un char de feu tiré par des chevaux de feu arriva alors et emporta Élie dans un ciel de tempête. Élisée l'ayant vu partir reçut ce qu'il avait demandé (2 Rois 2). Le retour d'Élie sur la terre était attendu par de nombreux prophètes, tel Malachie, et Jésus fut considéré comme étant celui que l'on attendait (Matthieu 16, 14).

## ÉLIÉZER

*Dieu est secours* ou *Dieu secourt.* Nom d'un des familiers d'Abraham que le patriarche désignait comme son héritier avant que naisse Isaac (Genèse 15, 2). Éliézer fut aussi le nom du fils de Moïse et de Cippora (Exode 18, 4), et celui d'un homme de Dieu qui prophétisa contre le roi Josaphat de Juda (2 Chroniques 20, 37).

## ÉLIFAZ

Nom du fils d'Ésaü et d'Ada, ancêtre de plusieurs tribus édomites (Genèse 36, 4-16). Un autre Élifaz, de Témân, était le plus vieux des trois amis de Job (Job 2, 11) dont Job rejette les trois discours. Dieu trouve également injustifié le reproche d'Élifaz, pour qui le malheur de Job est la conséquence de ses péchés.

## ÉLIHOU

*Mon Dieu, c'est lui.* Fils de Barakéel le Bouzite qui, dans le livre de Job, prononce quatre discours dans lesquels il expose que la vie permet à l'homme de retrouver la pureté et la foi véritable (Job 32-37).

## ÉLIM

*Grands arbres* (hébreu). Oasis où se trouvaient douze sources d'eau et soixante-dix palmiers, où les Hébreux firent halte pendant leur marche dans le désert (Exode 15, 27).

## ÉLIMÉLEK

*Dieu est roi.* Beau-père de Ruth, épouse de son fils Malhôn, et parent de Booz (Ruth 1, 1-3 ; 2, 1) qui vécut dans la campagne de Moab. Booz, qui épousa Ruth après la mort d'Élimélek et de ses fils, recueillit son héritage (Ruth 4, 9-10).

## ÉLISABETH

*Dieu est la perfection.* Sœur de Nahshôn de la tribu de Juda, elle fut l'épouse d'Aaron dont elle eut quatre fils : Nadav, Avihou, Éléazar et Itamar (Exode 6, 23). Élisabeth est aussi le nom de l'épouse du prêtre Zacharie, de la descendance d'Aaron, qui enfanta Jean-Baptiste à un âge avancé (Luc 1, 7-24). Elle reçut sa cousine la Vierge Marie, par ces mots : *Tu es bénie plus que toutes les femmes !*

## ÉLISÉE

*Dieu a sauvé.* Prophète du royaume du Nord qui fut tout d'abord le compagnon d'Élie dont il avait reçu, sur sa demande, une double part d'esprit (2 Rois 2, 9-15). Les disciples d'Élisée furent appelés « fils de prophètes ». Élisée participa activement à la vie de son pays et fut de son vivant reconnu aussi bien par le roi de Juda, Josaphat, que par le roi Yoash d'Israël (2 Rois 13, 14). Il intervint dans les conflits avec les Moabites et les Araméens, oignit le roi Jéhu et le soutint contre la maison d'Akhab (2 Rois 9, 1-10). Les récits rapportés sur la vie d'Élisée reproduisent pour la plupart ceux consacrés à Élie.

## ÉLISHAMA

Chancelier de Yoyaqîm, roi de la tribu de Juda (Jérémie 36, 12-21).

## ELLASAR

Capitale du roi Aryok qui faisait la guerre aux villes de la Palestine méridionale (Genèse 14).

## ÉLOHISTE

Nom de l'une des deux sources du Pentateuque, provenant du nom divin Élohim, la seconde source étant appelée yahwiste. Rédigée à la fin du VIIIe siècle avant Jésus-Christ, la source élohiste concerne la période allant du départ d'Abraham (Genèse 15) à la mort de Moïse (Deutéronome 34, 1-4). L'élohiste insiste sur la suprématie de Dieu sur le peuple d'Israël (Nombres 23).

## ÉLÔN

*Chêne*. Fils de Zabulon, il fut juge de la tribu de Zabulon et exerça sa fonction durant dix ans dans la ville d'Élôn dont il tire peut-être son nom (Juges 12, 11).

## ÉLOUL

*Mois de la récolte*. Nom du sixième mois (août/septembre) dans le calendrier de Babylone, qui conserva sa place et son nom dans le calendrier hébraïque.

## ELQANA

*Dieu a créé*. Fils de Yeroham, d'Éphraïm. Père, par son épouse Anne, du prophète Samuel qu'elle mit au monde alors qu'elle était restée stérile sept ans, mais dont Dieu avait exaucé les prières. La seconde épouse d'Elqana se nommait Peninna (1 Samuel 1).

## ELQOSH

Ville natale du prophète Nahoum peut-être située dans le territoire de Juda, ou en Galilée (Nahoum 1, 1).

## ÉLYAQÎM

*Que Dieu mette debout* ou *Dieu élèvera*. Nom du fils d'Hilqiyahou, chef du palais du roi Ézékias de Juda. Avec Shevna le secrétaire et Yoah le chancelier, Elyaqîm participa à la négociation avec l'aide de camp du roi assyrien Sennakérib lorsque celui-ci menaça Jérusalem (2 Rois 18, 17-37). Elyaqîm fut aussi le nom du roi Yoyaqim de Juda.

## ÉLYMAÎS

Ville de Perse fameuse par ses richesses ; l'argent et l'or de son temple n'avaient pas été emportés par Alexandre. Elle fut attaquée par Antiochus IV qui, repoussé par les habitants, ne parvint pas, lui non plus, à s'approprier les trésors convoités (1 Macchabées 6, 1-4).

## EMMANUEL

*Dieu avec nous*. Nom donné à l'enfant annoncé par Dieu au roi Akhaz par l'intermédiaire du prophète Ésaïe : *Voici que la jeune femme* [l'épouse du roi Akhaz] *est enceinte et enfantera un fils et elle lui donnera le nom d'Emmanuel* (Ésaïe 7, 14). L'enfant en question était Ézékias, l'un des grands rois de la tribu de Juda.

## EMMAÜS

*Source chaude* (hébreu). Située à une vingtaine de kilomètres au nord-ouest de Jérusalem, Emmaüs était une cité de Palestine où Judas Macchabée défit l'armée commandée par Nikanor et Gorgias (1 Macchabées 3, 38 ; 4, 25). C'est en se rendant à Emmaüs que deux disciples rencontrèrent le Christ ressuscité le soir de la Pâque (Luc 24, 13).

## ENCENS

Du latin *incendere*, allumer. Résine extraite du boswalia, plante térébinthacée de l'Inde dont la combustion sur des braises dégage une fumée aromatique. Dans la Bible sont décrits les sacrifices qui se pratiquaient sur l'autel des encens et la place qu'occupait l'encens sur l'arche de l'alliance (Exode 30).

## ÉNÉE

Habitant à Lydda, paralysé huit ans jusqu'à ce que l'apôtre Pierre lui dise : *Énée, Jésus-Christ te guérit, lève-toi et fais toi-même ton lit* (Actes des Apôtres 9, 33-34).

## ENFER

Dans l'Ancien Testament, le *schéol* était le lieu préparé pour les méchants, aussi appelé la *géhenne*, et l'*Hadès*, situé en dessous de la terre habitée et d'où l'on ne remonte plus jamais (Job 7, 9). En enfer, hurlant de douleur dans les flammes, on subit des supplices éternels, persécuté par des démons. En enfer aussi les âmes attendent leur jugement, mais justes et méchants se côtoient sans pouvoir se rencontrer, tel le pauvre Lazare et le mauvais riche cité dans l'Évangile de Luc (chapitre 16, 19-31).

## ENLÈVEMENT

Événement rarissime où l'âme (et parfois le corps) est enlevée au ciel, discrètement ou à la vue de tous. Les enlèvements sont peu nombreux dans la Bible ; Hénoq et Élie ne meurent pas et ne sont pas ensevelis mais sont emportés au ciel (Genèse 5, 24 ; 2 Rois 2, 1-12). Durant leur vie à son service, le Seigneur les a déjà enlevés pour les transporter d'un lieu à un autre afin de recevoir des révélations, des enseignements et des missions particulières (Ézéchiel 3, 12).

Dans le Nouveau Testament, les Évangiles rapportent comment Jésus-Christ fut enlevé par le diable qui le tenta en lui montrant la royauté qu'il pouvait acquérir sur la terre (Matthieu 4, 1-11). L'ascension du Christ est l'exemple le plus achevé d'enlèvement que vivront après lui plusieurs apôtres. Paul s'interroge sur le phénomène qu'il a vécu dans sa première épître aux Corinthiens : *Était-ce dans mon corps ? je ne sais, était-ce hors de mon corps ? je ne sais, Dieu le sait* (2 Corinthiens 12) ; tandis que l'apôtre Jean rapporte le même phénomène de déplacement et de vision qui lui a permis d'écrire son Apocalypse (chapitre 4).

## ENNEMI

Selon l'Ancien Testament, tout individu, tout pays qui se déclare ennemi d'Israël ou du culte qu'observe Israël est l'ennemi de Dieu (Exode 23, 22). Cependant, Dieu est parfois l'ennemi d'Israël, lorsque le peuple désobéit ou trahit l'alliance (Lévitique 26, 14-38). C'est pourquoi les prophètes assuraient que Dieu se servait des Assyriens, Philistins et Babyloniens pour châtier Israël. Dans le Nouveau Testament, Jésus demande à ses disciples et à tous les chrétiens : *Aimez vos ennemis, faites du bien à ceux qui vous haïssent, bénissez ceux qui vous maudissent, priez pour ceux qui vous calomnient* (Luc 5, 27). Pour les Évangiles, seul le démon est le véritable ennemi de Dieu et de celui qui le sert.

## ÉNOSH

*Homme* (hébreu). Fils de Seth et petit-fils d'Adam (Genèse 4, 26). Patriarche antédiluvien qui aurait inauguré le culte de YHWH, selon la Genèse (chapitre 4, 26) qui rapporte qu'*on commença dès lors à invoquer le nom du Seigneur*. Énosh vécut 905 ans.

## ENTRAILLES

Terme qui revient souvent dans la Bible pour désigner le centre vital de l'homme, sa partie la plus profonde, le lieu où apparaît la vie (Genèse 15, 4). Les devins de l'Antiquité prédisaient l'avenir en examinant les entrailles des animaux (Ézéchiel 21, 26).

## ÉPAPHRAS

*Aimable* (grec). Abréviation d'Epaphroditos, Epaphras fut le *cher collaborateur* de l'apôtre Paul jusqu'à sa captivité, et peut-être le fondateur des communautés chrétiennes de Laodicée, Colosses et Hiérapolis.

## ÉPÉE

Arme symbolisant la puissance active et combattante, ainsi que la lumière de la connaissance triomphant de l'ignorance, l'épée est la manifestation de la parole, du verbe et de la puissance divine.

## ÉPÉNÈTE

*Loué* (grec). Chrétien de Rome que Paul fait saluer dans son épître aux Romains (chapitre 16, 5) ; il le considère comme le premier converti d'Asie Mineure.

## ÉPHÈSE

Riche colonie ionienne fondée au Xᵉ siècle avant Jésus-Christ sur la côte occidentale de l'Asie Mineure. Éphèse était une cité au commerce florissant qui connut son apogée sous le règne de l'empereur Auguste, notamment grâce à son temple d'Artémis où l'on pouvait admirer la statue de la déesse que l'on assurait être tombée du ciel (Actes des Apôtres 19). Le temple d'Artémis était l'une des Sept Merveilles du monde antique. L'apôtre Paul vint plusieurs fois à Éphèse, y vécut et y fonda une importante communauté chrétienne mais, parce que le culte chrétien détournait les pèlerins du temple d'Artémis, l'orfèvre Démétrius organisa une émeute qui obligea Paul à quitter la ville (Actes des Apôtres 19).

C'est à Éphèse que l'apôtre rédigea la première épître aux Corinthiens et l'épître aux Galates, puis qu'il désigna Timothée pour lui succéder. La tradition précise que c'est aussi à Éphèse que moururent (ou disparurent) l'apôtre Jean et la Vierge Marie.

## ÉPHÉSIENS (ÉPÎTRES AUX)

Appelée *Épître de la captivité* parce que l'apôtre Paul assure qu'il est *prisonnier de Jésus-Christ*, l'Épître aux Éphésiens fut peut-être écrite vers l'année 90 par un disciple de Paul qui prit l'épître aux Colossiens pour modèle. L'épître aux Éphésiens aborde les grands thèmes du christianisme naissant, notamment le salut de Dieu, l'unité de tous, juifs et non-juifs dans le Christ, la grandeur de celui-ci, le don de la grâce pour l'édification de l'Église, ainsi que le devoir de chaque chrétien envers son prochain. Il lance aussi un appel au combat spirituel pour aller de la mort à la vie, des ténèbres à la lumière.

## ÉPHOD

Pièce de vêtement placée entre la robe et la tunique qui, selon le livre de l'Exode (chapitre 28, 6-12) était *en or, pourpre violette et pourpre rouge, cramoisi éclatant et lin retors – travail d'artiste*. Fixé par des bretelles, l'éphod porte *deux béryls gravés aux douze noms des fils d'Israël… Aaron portera leurs noms devant le Seigneur, sur ses deux bretelles, en mémorial*. Éphod désigne aussi l'image interdite d'une divinité, tel l'éphod que Gédéon fit fabriquer et devant lequel tout Israël vint se prostituer (adorer) (Juges 8, 26-27). Lorsque le sanctuaire de Nov fut détruit, Abiatar apporta l'éphod qui s'y trouvait à David (1 Samuel 23, 6) et David, qui fuyait Saül, interrogea le Seigneur en posant des questions à l'éphod (1 Samuel 30, 7).

## ÉPHRAÏM

Deuxième fils de Joseph et d'Asenath, fille du prêtre d'On (Genèse 41, 50-52) que le patriarche Jacob adopta au moment de mourir. Quoique Manassé fût l'aîné des deux fils de Joseph, et que lui revînt le droit d'aînesse, Jacob plaça Éphraïm au-dessus de lui (Genèse 48). Chacun est l'ancêtre d'une des douze tribus d'Israël.

La tribu d'Éphraïm possédait le centre de la région montagneuse du pays de Canaan avec les villes de Sichem et de Béthel. Après la division du royaume, Éphraïm fut l'ennemi le plus puissant de Juda et la principale tribu du royaume du Nord, Israël, appelée Éphraïm (Ésaïe 7). La contrée fut ensuite intégrée à Juda par le roi Josias puis rattachée à la province de Samarie lors de la domination babylonienne.

Éphraïm est aussi le nom d'une localité où Jésus se réfugia avec ses disciples lorsqu'il apprit que le conseil des Anciens avait décidé de le faire périr (Jean 11, 54).

## ÉPHRATA

Famille à laquelle appartenait David (1 Samuel 17, 12) qui demeurait à Bethléem, que l'on appelle aussi Éphrata (Josué 15, 59). Éphrata est également le nom d'une localité où Rachel mourut, après la naissance difficile de Benjamin (Genèse 35, 16-19 ; 48, 7).

## ÉPI

Symbole de la croissance et de la fructification, l'épi est la manifestation de la fécondité, physique et spirituelle. Emblème de la Vierge Marie, l'épi annonce que la mort terrestre s'inscrit dans l'éternité des cycles de vie. L'abondance que représente l'épi est à l'image de ce que promet Jésus-Christ à plusieurs reprises dans ses enseignements : *Un grain qui meurt peut rapporter au centuple* (Luc 8, 8).

## ÉPINES

Buisson stérile ou couronne du Christ lors de sa crucifixion, les épines symbolisent les difficultés et les épreuves, les douleurs qui attendent ceux qui choisissent la voie de Dieu.

## ÉPONYME

Personnage, parfois ancêtre, qui donne son nom à une communauté.

## ÉQRÔN

Grande ville des Philistins située au nord-est d'Ashdod (Josué 13, 3) où fut exposé l'arche d'alliance que les Philistins avaient enlevée (1 Samuel 5, 10). En 150 av. J.-C., le roi Alexandre donna la ville d'Eqrôn (Akkarôn) à Jonathan Macchabée (I Macchabées 10, 89).

## ER

Fils aîné du patriarche Juda, il mourut en laissant une veuve nommée Tamar à qui Onan ne voulut point faire de descendance.
Er est aussi le nom du fils de Jésus, lui-même fils d'Éliézer et père d'Elmadam, dans la généalogie de Jésus-Christ donnée par l'Évangile de Luc (chapitre 3, 28).

## ÉRASTE

*Aimé.* Compagnon de Paul que l'apôtre envoya avec Timothée en Macédoine (Actes des Apôtres 19, 22).

## ÉSAÏE

Prophète à Jérusalem de 746 à 701 av. J.-C., sous le règne des rois Ozias, Yotam, Akhaz et Ézékias de Juda (Ésaïe 1). Ésaïe appartenait à l'aristocratie de Jérusalem, était marié à une prophétesse dont il eut deux fils, Shéar-Yashouv (*Un reste reviendra*) et Maher-Shalal-Hash-Baz (*Prompt-Butin*). Ésaïe reçut sa vocation de prophète à la suite d'une vision, l'année de la mort du roi Ozias de Juda en 736 av. J.-C. (Ésaïe 6). Ésaïe assista à la mise sous tutelle de Juda et à la conquête du royaume d'Israël par les Assyriens. Ses prophéties exaltent la puissance du Seigneur, plus importante que les préparatifs militaires et les alliances humaines. Elles annoncent aussi les malheurs qu'amène l'infidélité à l'alliance conclue avec Dieu. Le prophète dénonce l'idolâtrie, les injustices sociales et les abus de pouvoir, la corruption des chefs et les lois édictées contre les pauvres et les faibles. Le livre d'Ésaïe est attribué à différents auteurs (nommés Ésaïe I, II, et III) ayant vécu à différentes époques. Seuls les trente-neuf premiers chapitres furent écrits par le prophète lui-même, tandis que les quinze chapitres suivants (40 à 55) sont considérés comme l'œuvre d'un prophète du temps de l'exil à Babylone, dont on ne sait rien. Les dix derniers chapitres (56 à 66) datent quant à eux d'après le retour d'exil.

## ÉSAÜ

*Velu* (hébreu). Fils aîné d'Isaac et de Rébecca, surnommé *Édom* (rouge), considéré comme l'ancêtre des Édomites. Affamé, Ésaü échangea son droit d'aînesse à son frère cadet et jumeau Jacob (Genèse 25) et fut ensuite privé de la bénédiction paternelle par une ruse de Jacob (Genèse 27). Cependant, les deux frères se réconcilièrent (Genèse 33). Selon la Genèse, *Ésaü était un chasseur expérimenté qui courait la campagne*, tandis que *Jacob, le pasteur habitait sous les tentes*.

## ESCHATOLOGIE

*Fin* (du grec *eschaton*). Étude de la fin de l'homme et de la fin du monde, du sort de l'âme dans un autre monde, paradis, enfer et purgatoire. L'eschatologie comprend aussi le jugement dernier. Ces notions prirent naissance lors de l'exil à Babylone, où l'on en vint à considérer qu'un jour les épreuves seraient terminées, que les opprimés seraient libérés et que les oppresseurs seraient châtiés (prophètes Joël et Zacharie). Daniel, le premier, annonce qu'un *Fils de l'homme* régnera sur un royaume éternel (Daniel 7, 13) auquel participeront ceux qui auront fidèlement attendu et qui ressusciteront des morts (Daniel 12, 12). Les premiers chrétiens suivirent ces prophéties malgré les paroles du Christ : *Celui qui écoute ma parole et croit en Celui qui m'a envoyé, a vie éternelle ; il ne vient pas en jugement mais il est passé de la mort à la vie* (Jean 5, 24).

## ESCLAVE/SERVITEUR

L'un des premiers commandements des Évangiles exige que tout esclave soit libéré de sa condition, physique ou spirituelle. L'apôtre Paul précise que *le Maître est dans les cieux et qu'il ne fait aucune différence entre les hommes* (Éphésiens 6, 5-9).

En Palestine, un serviteur était la propriété de son maître qui avait sur lui droit de vie et de mort ; il pouvait le vendre et le châtier, mais sans le mutiler. Les serviteurs participaient aux cultes et fêtes religieuses, aux événements de la maison où ils se trouvaient et, comme leurs maîtres, se reposaient le jour du sabbat. Les hommes n'étaient pas circoncis. Les esclaves pouvaient être étrangers, tels les prisonniers de guerre, ou hébreux, mais ceux-ci avaient le droit de reprendre leur liberté après six ans de servitude ou d'opter pour l'esclavage perpétuel (Deutéronome 15, 12-17). Si un esclave choisissait de partir, il devait être couvert de cadeaux en remerciement des services rendus, et s'il restait, il devait recevoir une terre héréditaire afin de subvenir à ses besoins (Exode 21-22). Le judaïsme progressivement a interdit le droit de vie et de mort sur un individu.

## ESDRAS

Scribe expert dans la loi de Moïse selon le livre d'Esdras (chapitre 7, 6). Prêtre, descendant d'Aaron, à qui le roi perse Artaxerxès (en 458 ou 398 av. J.-C.) confia la charge de réorganiser la communauté juive libérée de l'exil à Jérusalem. Esdras rétablit la loi de Moïse, qu'il lut devant l'assemblée du peuple le premier jour du septième mois. Le livre d'Esdras décrit le retour des Juifs, la reconstruction du temple de Jérusalem (chapitres 1-6), et la réorganisation de la nouvelle communauté (chapitres 7-10). Esdras interdit les mariages mixtes qu'il fit dissoudre (chapitre 9 et 10).

## ESHBAAL

*Homme de Baal*. Fils de Saül, premier roi ayant régné sur Israël. Parfois nommé *Ishbosheth*. Eshbaal était le seul fils de Saül vivant au moment de la mort du roi, c'est pourquoi il fut oint à Mahanaïm par le général Avner, tandis que David était oint roi de Juda à Hébron (2 Samuel 2). Eshbaal ne régna que deux ans, sous la tutelle du général Avner, car il était faible de caractère. Avner mena contre le royaume de Juda une longue guerre qui affaiblit la maison de Saül et renforçait celle de David. Avner trahit Eshbaal en s'alliant avec David mais Joab tua Avner tandis que deux frères benjaminites, Rékav et Baanan, assassinèrent Eshbaal dans sa maison, le décapitèrent et apportèrent sa tête à David. David donna l'ordre d'exécuter les meurtriers et fit enterrer la tête d'Eshbaal dans la tombe d'Avner à Hébron (2 Samuel 4, 2-12)

## ESHKOL

*Grappe* (hébreu). Nom de la vallée située près d'Hébron d'où les hommes envoyés par Moïse rapportèrent une grappe de raisin qu'ils durent porter à deux tant elle était grosse et donnait la mesure de la fertilité du pays de Canaan (Nombres 13, 23-24). Eshkol fut aussi le nom de l'un des alliés d'Abraham (Genèse 14, 13).

## ESHTAOL

Lieu du Bas-Pays, situé dans le territoire de Juda, où les Danites s'établirent (Josué 15, 33). C'est à Mahané-Dan, près d'Eshtaol, que l'esprit du Seigneur commença à agiter Samson (Juges 13, 25).

## ESPÉRANCE

Chez Paul, l'espérance, avec la foi et l'amour, est un concept fondamental et essentiel dans la vie du chrétien (Romains 5, 5), le chemin obligé qui mène au salut.

## ESPRIT

Pour l'Ancien Testament, l'Esprit est le principe vital d'un être, un souffle qui vivifie, une énergie circulant comme la respiration pour l'homme et le vent pour la terre. Comme le vent, l'Esprit va où il veut, bon ou mauvais, selon que Dieu ou le Diable le dirige. Il prend alors le titre d'Esprit du malin, menteur ou impur. Cependant, l'Esprit n'est pas Dieu, non plus que l'âme de l'homme, car l'Esprit et l'âme ne sont jamais confondus. Le Nouveau Testament utilise aussi le terme Esprit dans le sens de l'activité et de la manifestation divine : ainsi l'Esprit de Dieu prend la forme d'une colombe au moment du baptême de Jésus (Luc 3, 22) ; ainsi les langues de feu, l'Esprit de Dieu, descendant sur les disciples au moment de la Pentecôte (Actes des Apôtres 2, 1-4).

## ESSÉNIENS

*Les pieux* (araméen). La secte des esséniens (150 av. J.-C. à 70 apr. J.-C.) était une communauté semblable à un ordre religieux ; on n'y était accepté qu'après un temps de probation de trois ans et une prestation de serment engageant l'impétrant à garder secrète et à protéger la doctrine de la secte. L'activité de cette communauté était répartie en prières, copie de manuscrits, travaux manuels, ablutions et repas, selon des rituels particulièrement rigoureux annonçant les premières règles bénédictines. Il y eut manifestement des relations étroites entre les esséniens et la communauté de Qumrân.

## ESTHER

Héroïne du livre d'Esther, rédigé au IIIᵉ ou au IIᵉ siècle avant Jésus-Christ. Selon ce livre, non historique et longtemps contesté, Esther était une jeune juive *belle à regarder* (Esther 2, 7) qui épousa le roi perse Xerxès. Ayant percé à jour les manœuvres du vizir Haman, qui voulait exterminer les Juifs de l'Empire perse, elle contrecarra ses plans avec son tuteur Mardochée. Haman fut tué ainsi que ses dix fils car les Juifs reçurent la permission de se venger de leurs ennemis. La fête de Purim fut alors instituée, au 14 et 15 du mois d'adar (5/6 mars), pour commémorer ce jour de victoire (Esther 9, 20-32).

## ÉTÂM

*Lieu des rapaces*. Endroit proche de la mer des Joncs, en bordure du désert où campèrent les Hébreux après leur sortie d'Égypte (Exode 13, 20). Étâm est également le nom d'un rocher dans la faille duquel Samson, poursuivi par les Philistins, se cacha (Juges 15, 8).

## ÉTÂN

*Constant.* Fils de Zérah (1 Chroniques 2, 6), descendant de Lévi et chargé du chant dans la Maison du Seigneur (1 Chroniques 6, 27-29), Étân l'Ezrahite fut un homme d'une rare sagesse (1 Rois 5, 11) ; il serait l'auteur du Psaume 89.

## ÉTAT

À l'origine, l'alliance du peuple d'Israël avec Dieu suffisait à l'organisation de la vie des tribus respectant le Décalogue et les lois de Moïse. Peu à peu, il s'avéra nécessaire, notamment en raison du fonctionnement des autres villes et royaumes environnants, de posséder une administration, une armée et un pouvoir fédérant l'ensemble d'Israël. Fut alors instauré un régime monarchique dont Saül fut le premier roi et le chef des armées. Chargé de faire respecter la Loi et l'alliance car il était désigné par le Seigneur et représentait Dieu, le souverain de Juda ou d'Israël était cependant pris à parti par les prophètes, véritables gardiens de la stricte observance.

## ÉTERNEL

Pour le christianisme, l'éternité n'appartient qu'à Dieu même si d'autres entités ont des existences différentes de celles des hommes. C'est le cas des anges réputés immortels, mais non éternels car ils ont été créés et subissent parfois des changements. Dieu dit au prophète Ésaïe qu'*avant moi ne fut formé aucun dieu et après moi il n'en existera pas* (Ésaïe 43, 10). Selon l'Évangile de Jean, *Dieu a tant aimé le monde qu'il a donné son Fils, son unique, pour que quiconque qui croit en Lui soit sauvé et ait la vie éternelle* (Jean 3, 15-16).

## ÉTHBAAL

Ancien prêtre d'Astarté, roi de Sidon, père de Jézabel qui épousa le roi Akkab (1 Rois 16, 31).

## ÉTIENNE

Chrétien de Corinthe, il fut le premier diacre désigné par les apôtres et le premier martyr chrétien, lapidé à mort vers l'année 36 après avoir été accusé faussement de blasphème devant le Grand Conseil (Actes des Apôtres 6, 8-15). Témoin de la scène, un jeune homme gardait les vêtements des exécuteurs. Il se nommait Saul (le futur Paul) et n'avait pas encore reçu la lumière sur le chemin de Damas (Actes des Apôtres 7, 57).

## ÉTOILE

Les étoiles, créées par Dieu (Genèse 1, 16), sont souvent citées dans la Bible, autant comme symbole de la lumière céleste éclairant les ténèbres que comme messagères de Dieu et reflets de sa splendeur. Longtemps leur culte persista malgré l'alliance : le roi Manassé se prosterna devant toute l'armée des cieux et éleva des autels pour leur culte (2 Rois 21, 3). Dans l'Apocalypse, les étoiles annonceront le jugement dernier et le retour du Seigneur, comme elles l'avaient fait en se voilant lors de la destruction de Babel. C'est une étoile, celle de Bethléem (ou *Étoile des Mages*) que les astrologues orientaux (mages) aperçurent et qui les guida jusqu'à Bethléem sur le berceau de Jésus (Matthieu 2). Le Christ est l'étoile brillante du matin (Apocalypse 22, 16), *qui se lève dans vos cœurs* (2 Pierre 1, 19).

## EUCHARISTIE

Du grec *eukharistia* signifiant *action de grâces, remerciement*. Sacrement principal du christianisme commémorant le repas de la Cène institué par le Christ, qui symbolise son sacrifice. Les espèces de l'Eucharistie, le pain (corps du Christ) et le vin (sang du Christ), sont partagées par les fidèles selon l'instruction du Seigneur demandant *faites cela en mémoire de moi* (Luc 22, 19-20).

## EUNICE

*Victorieuse*. Mère de Timothée, disciple et compagnon de l'apôtre Paul (2 Timothée 1, 5) qu'elle avait éduqué dans le respect des saintes Écritures.

## EUPHRATE

Le plus long fleuve du Proche-Orient (2 700 km) appelé pour cela le *grand fleuve* par l'Ancien Testament. Symbole de fertilité, l'Euphrate était la limite occidentale de la Mésopotamie, appelée *Pays entre les deux fleuves* car située entre l'Euphrate et le Tigre, sur sa frontière orientale. La Genèse (chapitre 2, 14) cite l'Euphrate parmi les quatre fleuves du paradis et en fait la future limite d'Israël, ce que concrétisera le roi David.

## EUPOLÈME

Personnage que Judas Macchabée envoya à Rome avec Jason pour *construire amitié et alliance et faire ôter leur joug, car ils* (les Romains) *voyaient que le royaume des Grecs réduisait Israël en servitude* (1 Macchabées 8, 17-18).

## EUTYQUE

*Chanceux*. Jeune homme de Troas qui s'endormit alors que, assis sur le bord d'une fenêtre, il écoutait l'apôtre Paul qui n'en finissait pas de parler. Il chuta du troisième étage et mourut sur le coup mais l'apôtre le ramena aussitôt à la vie (Actes des Apôtres 20, 9-12).

## ÉVANGÉLISTE

*Celui qui annonce une bonne nouvelle* (grec). Le nom d'évangéliste fut donné tout d'abord à ceux qui répandaient le message et l'enseignement du Christ, puis on les appela apôtres, le terme d'évangéliste étant réservé aux rédacteurs des Évangiles, Matthieu, Marc, Luc et Jean. Au IVᵉ siècle, saint Jérôme, docteur de l'Église, associa les quatre êtres vivants de l'Apocalypse (chapitre 4, 6-8) aux évangélistes : à Matthieu fut associé l'homme, car son Évangile débute par la généalogie de Jésus-Christ, à Marc fut associé le lion, car il a placé la prédication de Jean-Baptiste dans le désert en tête de son Évangile, à Luc fut associé le taureau car il illustre le sacrifice de Zacharie, et à Jean fut associé l'aigle en raison de sa grande élévation spirituelle.

## ÉVANGILES

Du grec *evangélion*, *la bonne nouvelle*. Les quatre Évangiles, dits synoptiques, furent rédigés au milieu du Iᵉʳ siècle (entre 65 et 95). Ils contiennent une partie de la vie du Christ, son enseignement et sa doctrine, relatés par Matthieu, Marc, Luc et Jean. Le IVᵉ Évangile débute par un prologue qui sert de base à l'ésotérisme chrétien, dont la première phrase est : *Au commencement était le Verbe, et le Verbe était tourné vers Dieu et le Verbe était Dieu. Tout fut par lui, et rien de ce qui fut ne fut sans lui* (Jean 1, 1-3) (verbe a ici le sens de parole).

## ÈVE

*Celle qui donne la vie*, *Hawwa* (hébreu). Souvent représentée près de l'arbre de la Connaissance en compagnie du serpent tentateur et d'Adam acceptant le fruit qu'elle lui tend, Ève est la mère des hommes à la manière des grandes déesses de toutes les civilisations antiques. Selon l'Ancien Testament, Ève a été retirée par Dieu du flanc de l'homme endormi (Genèse 2, 22-24).

## ÉVED-MÉLEK

*Serviteur du dieu Mélek* (hébreu). Chambellan nubien du roi Sédécias de Juda, qui intervint auprès de lui pour sauver le prophète Jérémie que l'on avait jeté dans une citerne (Jérémie 38, 7-13). Dieu récompensa Éved-Mélek en lui assurant qu'il aurait la vie sauve lorsque Jérusalem serait détruite (Jérémie 39, 15-18).

## ÉVÈN-ÉZÈR

*Pierre du secours* (hébreu). Lieu proche d'Afeq (actuellement Khirbet Difein) où l'armée israélite campa avant sa défaite contre les Philistins qui s'emparèrent de l'arche d'Alliance (1 Samuel 4).

## EWIL-MÉRODAK

Fils et successeur de Nabuchodonosor à Babylone (562-560 av. J.-C.). Ewil-Mérodak gracia le roi Yoyakin de Juda après trente-sept ans de captivité.

## EXÉGÈSE

*Explication*. Étude religieuse, symbolique ou historique, puis interprétation des textes bibliques.

## EXIL

Dans l'Ancien Testament, le mot *exil* désigne les années passées par le peuple juif à Babylone lors de la grande déportation qui débuta après la prise de Jérusalem par Nabuchodonosor et la destruction du Temple (586 av. J.-C.) jusqu'à l'édit de Cyrus (538 av. J.-C.) qui autorisait le retour des Juifs dans leur pays et la reconstruction du Temple. Les prophètes voyaient dans cet événement la conséquence des infidélités d'Israël envers les lois de Moïse et du non-respect du serment de l'alliance. Après l'exil, une stricte observance fut instituée et, sitôt le Temple reconstruit, la circoncision et le respect du jour du sabbat furent obligatoires, ce qui différenciait nettement la religion d'Israël des autres religions.

## EXODE

*Sortie* (du grec *exodos*). Nom du deuxième livre du Pentateuque dont la rédaction est attribuée à Moïse. Le livre de l'Exode, dont seules les deux premières sections concernent l'exode des Hébreux, se compose de trois grandes sections : l'une décrit la vie en Égypte, l'autre la sortie d'Égypte et la troisième les événements qui se déroulèrent sur le mont Sinaï.

## EXORCISME

*Conjuration* (grec). Terme utilisé pour chasser les démons et mauvais esprits par le seul Esprit de Dieu et la prière, et non par des moyens ou formules magiques. Jésus-Christ exorcisait parfois les démons qui le suppliaient de n'en rien faire. Cependant, répète le Christ à plusieurs reprises, la prière est le moyen le plus efficace contre les démons qui entrent dans un être.

## ÉZÉCHIEL

*Que Dieu fortifie* (hébreu). Troisième *grand prophète* de l'Ancien Testament, après Ésaïe et Jérémie, Ézéchiel fut déporté à Babylone (597 av. J.-C.) en compagnie du roi Yoyakin et de quelques-uns des membres importants de sa cour. Il était entré dans sa cinquième année d'exil lorsque la main du Seigneur fut sur lui et lui offrit sa première vision (Ézéchiel 1), qui annonçait la destruction de Jérusalem (elle eut lieu en 586 av. J.-C) ainsi que le retour de l'exil. Le livre d'Ézéchiel est le livre le plus visionnaire de tous les livres prophétiques de l'Ancien Testament ; on le met généralement en parallèle avec l'Apocalypse du Nouveau Testament.

## ÉZÉKIAS

*Ma force est Dieu*. Roi de Juda (725-697 av. J.-C.), successeur de son père le roi Akhaz, Ézékias figure dans la généalogie de Jésus-Christ (Matthieu 1, 9-10). Pendant son règne, il lutta contre les Assyriens puis, conseillé par le prophète Ésaïe, il supprima tous les cultes assyriens de Juda. Ézékias restaura le culte du Seigneur, purifia le Temple de ce qui avait éloigné le peuple des lois données à Moïse, dans un esprit religieux, nationaliste et anti-assyrien (2 Chroniques 30, 6). Allant aussi loin que possible, afin d'enlever toute idolâtrie, Ézékias détruisit certains insignes du culte, tel le serpent métallique fabriqué par Moïse que les Israélites vénéraient. On le soupçonna même d'avoir détruit l'arche d'alliance idolâtrée plus que toute autre chose ; on ne la mentionne plus après lui.

Ézékias prépara la défense de Jérusalem contre un assaut des Assyriens. Dans ce but, il fit édifier de nouvelles murailles et des fortifications, et surtout il fit procéder au percement d'un tunnel reliant la source de Guihôn, en dehors de Jérusalem, à la piscine de Siloé, afin d'assurer le ravitaillement de la ville en eau en cas de siège (2 Chroniques 32).

## FACE

Dans l'Ancien Testament, la face, ou visage, est ce qui identifie un être, dévoile sa personnalité ou donne une signification à ses actes. Comme dans les autres religions anciennes, on ne peut voir la face de Dieu car, dit le Seigneur à Moïse, *tu ne peux pas voir ma face, car l'homme ne saurait me voir et vivre…* (Exode 33, 20-23), bien que Jacob, après une nuit de combat avec un ange, ait déclaré : *J'ai vu Dieu face à face* (Genèse, 32, 31). *Se voiler la face* signifie pour un homme se reconnaître en état de faute.

## FAIM

La faim, physique ou spirituelle, est souvent ce qui amène un être à tout renier, ou au contraire à s'abandonner totalement à la garde de Dieu (I Rois 17, 6 ; Matthieu 6, 32). Lorsqu'elle est spirituelle, cette faim peut devenir une quête et la recherche du salut.

## FAMILLE

*Bargit* (hébreu). Famille, dans la Bible, signifie aussi bien clan, race, tribu que maison ou encore communauté. Dans l'Ancien Testament, le père est le chef désigné de la famille, celui à qui incombe sa survie, sa fidélité religieuse à l'alliance, ses relations avec l'extérieur, mariage, guerre, traités de paix ou de commerce. Dans cette organisation, la deuxième personne est l'épouse, d'autant plus respectée qu'elle met au monde des fils susceptibles de succéder efficacement au chef de famille. Le Nouveau Testament associe à cette idée de famille celle de famille universelle dont Dieu est le Père ; tous les chrétiens doivent donc se considérer comme frères, mais ils doivent se détacher de leur famille lorsqu'elle refuse le message du Seigneur.

## FAUCON

Animal désigné comme impur par le Deutéronome (chapitre 14, 13) apprécié cependant pour son vol et son œil perçant (Job 28, 7).

## FÉLIX ANTONIUS

Ancien esclave, favori de l'empereur Claude, il fut procurateur de Samarie, de Galilée et de Judée, et garda l'apôtre Paul en prison pendant deux ans à Césarée (Actes des Apôtres 23, 23 à 27).

## FEMMES

Dans l'Ancien Testament, la femme est subordonnée à l'homme selon l'ordre donné par Dieu dans la Genèse (chapitre 3, 16) : *Ton homme te dominera*. Devenue propriété de son époux, elle ne pouvait hériter que lorsqu'il n'y avait pas de fils. Dans sa vie de couple, ses droits juridiques et son activité, religieuse, sociale ou culturelle étaient très réduits ; son rôle essentiel était la mise au monde de fils permettant d'assurer la pérennité de la famille. Malgré cela, les femmes étaient respectées, parfois idolâtrées, telles Sara, Rébecca, Léa, Rachel, les prêtresses et prophétesses Myriam et Hulda, Débora, Esther, Judith et Ruth.

La place des femmes fut importante dans le ministère de Jésus, notamment après la résurrection, quand ce furent trois femmes qui le reconnurent. Pour le christianisme, la place des femmes, hormis la prêtrise, est égale à celle des hommes, car il n'y a pas de différences entre les hommes et les femmes : *Vous êtes tous un dans l'union avec le Christ* (Galates 3, 28). Si elles assumaient d'importantes charges caritatives, elles n'étaient cependant jamais guides de communautés chrétiennes.

## FER

Sous le roi Saül, les Philistins détenaient le monopole du travail du fer ; les Hébreux allaient chez eux affûter socs, haches ou burins (1 Samuel 13).

## FÊTES

Dans l'Ancien Testament, avant l'exil, les fêtes avaient pour origine les fêtes cananéennes. Peu à peu, elles furent rattachées aux rituels du peuple d'Israël. Ces fêtes sont citées dans l'Exode (chapitre 23 et 34). La première était *Mazzot* (la fête des Pains sans levain) qui était célébrée au printemps et au début de la récolte de l'orge ; elle était suivie sept semaines plus tard de la *fête de la Semaine* célébrée en été, après la récolte du froment. La plus importante des fêtes était la *fête des Tabernacles*, en automne, célébrée après les vendanges et la récolte des olives. Chaque samedi était célébré le *sabbat*. Après l'exil s'ajoutèrent la *fête de Purim* commémorant la délivrance, et la fête de la consécration du Temple, ou *fête d'Hanukka* (fête des Lumières), qui commémorait la purification du Temple en 165 av. J.-C. (1 Macchabées 4). Le judaïsme célèbre trois grandes fêtes en plus du sabbat ; la principale est la Pâque (*Pesach*), qui commémore la sortie d'Égypte des Hébreux, la fête des moissons et des révélations du mont Sinaï (*Shabuoth*) et la fête des Tabernacles, (*Sukkoth*, dite des Cabanes). Le *Rosh hashanah* et le jour de l'Expiation (*Yom Kippour*) sont situés au début de l'année religieuse. Les premières fêtes du christianisme furent le dimanche (qui remplaçait le sabbat), Pâques et la Pentecôte. Noël, l'Ascension et la Fête-Dieu s'ajoutèrent par la suite.

## FEU

Le feu est associé à la purification et aux châtiments infernaux ; il est tout autant l'attribut des anges que celui des diables, de ce qui tue et de ce qui glorifie. Le feu, symbolisé par le cœur, le foyer et l'autel, manifeste lui-même la foi et l'amour, l'Esprit saint et l'illumination. C'est le feu divin qui enflamme les buissons et les sacrifices dans l'Ancien Testament ; dans le Nouveau Testament, des langues de feu se posent sur la tête des disciples au moment de la Pentecôte. C'est une initiation supérieure dispensée par Dieu, un symbole de force spirituelle.

## FIANÇAILLES

Dans l'Ancien Testament, la célébration des fiançailles était plus importante que le mariage lui-même qui ne faisait que confirmer la première cérémonie. Les fiançailles s'achevaient par l'entrée solennelle de la fiancée au domicile conjugal. Dans le christianisme, l'Église attend Jésus-Christ comme une fiancée attend son époux, pour une hiérogamie (union) qui sera célébrée au moment du retour du Messie (Apocalypse 19, 7 et 21, 9).

## FIDÉLITÉ

Dans l'Ancien Testament, le mot hébreu que l'on traduit par fidélité signifie aussi bien, miséricorde, justice, certitude et fiabilité. À Dieu on peut se fier, car sa grâce est *inébranlable*. *Dieu est fidèle* (Deutéronome 32, 4) et il le manifeste en tout temps et en toutes circonstances, comme l'exprime le Psaume 31 (6) : *Dans ta main, je remets mon souffle. Tu m'as racheté, Seigneur, toi le Dieu vrai.* Le Nouveau Testament magnifie cette fidélité divine en affirmant que les chrétiens peuvent s'y abandonner (1 Corinthiens 1, 9) car malgré les incartades humaines, la fidélité de Dieu est immuable (Romains 3, 3).

## FIGUIER

Par la multitude de grains que contient un seul de ses fruits, eux-mêmes nombreux, le figuier, dans les cultures méditerranéennes, symbolise fécondité et abondance, même dans l'adversité, puisqu'il pousse facilement dans les lieux arides. L'Ancien et Nouveau Testament utilisent souvent l'image de la fructification du figuier dans les paraboles invitant chacun à produire de bons fruits, c'est-à-dire des bonnes œuvres. Le figuier symbolise ainsi la religion et la nourriture qu'elle offre à ceux qui la recherchent dans le désert du monde.

## FILS DE L'HOMME

Nom que la tradition juive, depuis l'exil, utilise pour désigner le messie à venir (Daniel 7, 13). Homme extraordinaire instaurant un royaume puissant et invincible, le Fils de l'homme venu des nuages ne peut être un homme ordinaire, selon le prophète qui l'annonce. Jésus-Christ, en se présentant comme tel, provoque les foudres du grand prêtre de Jérusalem qui l'accuse de blasphémer (Marc 14, 62-64). Jésus-Christ, en employant cette expression, se désigne comme le représentant de l'ensemble de l'humanité créée à l'image de Dieu.

## FLAGELLATION

Supplice qui consistait à donner un certain nombre de coups de lanières à un condamné, selon la gravité de sa faute. La flagellation, d'origine romaine, est citée pour la première fois sous le règne d'Antiochus IV Épiphane, en 160 av. J.-C. (2 Macchabées 7). L'apôtre Paul fut plusieurs fois flagellé (2 Corinthiens 11, 24-25). Les Romains utilisaient la flagellation pour les interrogatoires et comme punition (Matthieu 27, 26), mais ce supplice ne pouvait être infligé à un citoyen romain.

## FLEURON

Diadème fait d'or fin que l'on fixait sur la face antérieure du turban, sur lequel était inscrit *Consacré au Seigneur* (Exode 28, 38).

## FLEURS

Parmi les nombreuses fleurs de la Palestine, la Bible ne mentionne que la rose et le lis. Les fleurs du printemps illustrent fugacité et fragilité. Dans le Psaume 10, l'homme est comme la fleur des champs : *Que le vent passe, elle n'est plus, et la place où elle était l'a oubliée.*

## FLEUVE

Sources de vie, les fleuves mentionnés dans l'Ancien Testament sont généralement les quatre fleuves nés dans le jardin d'Éden, le Pishôn, le Guihôn, le Tigre et l'Euphrate (Genèse 2). Quelques autres grands cours d'eau sont cités, tels le Nil d'Égypte et le Jourdain dans lequel Jean baptise Jésus.

## FOI

Pour le Nouveau Testament, la foi consiste à tenir pour certains des faits invérifiables. La foi est la conviction engendrée par la confiance. L'apôtre Paul a ramené tout le christianisme au concept de la foi : *la foi est une manière de posséder déjà ce que l'on espère, un moyen de connaître des réalités que l'on ne voit pas* (Hébreux 11). Dans les Évangiles, la foi est la première et la seule condition au pardon des péchés et à l'obtention du salut.

## FOLIE

Pour l'Ancien et le Nouveau Testament, toute désobéissance aux commandements de Dieu, tout écart à la fidélité à l'alliance ou au message du Christ est folie. Cependant, selon l'apôtre Paul, ce qui paraît sage aux yeux des hommes est folie au yeux de Dieu : *Car la sagesse de ce monde est folie devant Dieu* (1 Corinthiens 3, 19). Selon la tradition, la sagesse se déguise, ce qui explique qu'un fou soit souvent un symbole voilé de la sagesse ou une image pour désigner ceux qui ont charge de la transmettre (prophètes, prêtres, disciples).

## FORCE

Dans l'Ancien Testament, la véritable force est de se placer entre les mains de Dieu, d'être fidèle à ses commandements, d'avoir confiance en lui (Psaume 31, 16 ; Deutéronome 4, 14). Pour le chrétien, Jésus-Christ est la force toujours présente et secourable.

## FOURMI

Image du travail, de l'obéissance et de l'intelligence de la nature, la fourmi fait partie, avec les sauterelles, les damans et les lézards, des petits êtres qualifiés de sages parmi les sages par le livre des Proverbes (chapitre 30, 24-25).

## FOURNAISE

Selon le livre de Daniel (chapitre 3), trois jeunes gens fidèles à leur Dieu, Shadrak, Méshak et Abed-Négo, refusèrent d'adorer une statue d'or que leur présentait le roi Nabuchodonosor. Celui-ci les fit jeter dans une fournaise enflammée mais l'Ange du Seigneur descendit dans la fournaise avec Azarya et ses compagnons, et il rejeta la flamme du feu hors de la fournaise ; il rendit le milieu de la fournaise frais comme un vent du matin : le feu ne les toucha pas et il ne leur causa ni tort ni dommage. Devant ce miracle, et après avoir entendu les jeunes gens chanter un cantique de louange et de gloire à Dieu, Nabuchodonosor les libéra de la fournaise et loua lui-même le Seigneur. Après cela, il veilla à la prospérité de Shadrak, Méshak et Abed-Négo dans la province de Babylone.

## FRÈRE

Nom que se donnent les chrétiens car tous les enfants de Dieu sont *frères en la foi*, et doivent se considérer comme membre d'une famille universelle, selon l'apôtre Paul.

## FRONT

Un grand nombre de personnages bibliques portent une marque, un signe sur le front. Au moment de la destruction de Jérusalem, Dieu fait marquer par un chérubin le front de tous les hommes qui gémissent et soupirent devant les actes d'abomination commis (Ézéchiel 9, 4). L'Apocalypse reprend cette image en annonçant que les serviteurs de Dieu seront marqués d'un sceau posé sur leur front (chapitre 7, 3), tandis que les hommes ne portant pas le sceau de Dieu seront exposés au mal (chapitre 9, 4). Les 140 000 élus qui suivent l'agneau seront reconnaissables car ils porteront le nom de l'agneau et celui de son père sur le front (chapitre 14, 1). A l'inverse, la femme de l'Apocalypse, assise sur une bête, porte sur le front l'inscription : *Babylone la grande, mère des prostitués et des abominations de la terre* (chapitre 17, 5).

## FRUIT

La fructification est le devoir qu'exigent les Évangiles car elle montre la valeur du travail réalisé : *Tout arbre qui ne produit pas de bon fruit va être coupé et jeté au feu* (Matthieu 3,6) ; on juge l'arbre à ses fruits qui symbolisent les résultats heureux et l'abondance, quoique certains d'entre eux puissent être parfois amers ou empoisonnés, selon l'arbre qui les porte.

## FUITE EN ÉGYPTE

Scène significative des Évangiles représentée dans l'art chrétien : Marie assise sur un âne, tenant son enfant sur les genoux tandis qu'à pied, Joseph guide l'équipage. La sainte Famille, avertie par un ange du Seigneur, s'enfuit en Égypte, loin de la folie d'Hérode qui a décidé d'exterminer les nouveaux-nés (Matthieu 2, 13 à 15)

## GABAON

*Colline.* Grande ville cananéenne située au nord de Jérusalem et attribuée à la tribu de Benjamin. Devenue une cité sacerdotale après la conquête, sa population fut contrainte d'être au service de ses vainqueurs et ses habitants furent affectés au rôle de fendeurs de bois et puiseurs d'eau pour la communauté et pour l'autel du Seigneur (Josué 9, 27). Ayant conclu un traité avec les Gabaonites, Josué les défendit contre cinq rois amorites qui le pourchassaient. Les rois furent tués et leurs armées défaites (Josué 10, 10). Malgré l'accord établi entre les Israélites et les Gabaonites, le roi Saül (1024-1004 av. J.-C.) voulut les exterminer mais les Gabaonites survécurent et ils demandèrent au roi David qu'on leur livre sept descendants de Saül. David fit ce qu'ils exigeaient et les Gabaonites les exécutèrent à Guivéa (2 Samuel 21, 1-14). Principal centre cultuel d'Israël, Gabaon accueillait la tente du Seigneur et l'autel de l'holocauste (1 Rois 3, 4). C'est sur cet autel qu'après avoir offert un sacrifice Salomon demanda la sagesse à Dieu qui la lui accorda (1 Rois 3, 5).

## GABBATHA

*Élévation, colline* (hébreu). Lieu où s'élevait le tribunal de Ponce Pilate et où le Christ fut condamné à la crucifixion (Jean 19, 13).

## GABRIEL

Ange messager chargé de révéler le sens des visions, Gabriel, dans l'Ancien Testament, donne à Daniel la signification de sa vision du bélier et du bouc et lui annonce la prophétie des septénaires (Daniel 8 et 9). Dans le Nouveau Testament, Gabriel annonce la naissance de Jean-Baptiste, puis l'avènement de Jésus. Dans l'art chrétien, Gabriel est souvent représenté auprès de Marie dans les scènes de l'Annonciation. Il tient parfois un lys à la main.

## GAD

*Bonheur, chance* (hébreu). Septième fils de Jacob et de Zilpa, sa servante, Gad est l'ancêtre des Gadites, l'une des tribus d'Israël (Genèse 30, 9). À la tribu de Gad, Moïse attribua un territoire situé à l'est du Jourdain (Nombres 32 : Josué 13, 24).
Gad est aussi le nom d'un prophète qui conseilla le jeune David lorsque le roi Saül le pourchassait (1 Samuel 22, 5). Par la suite, au service du roi David, il annonça que Dieu lui donnait le choix entre sept années de famine, trois mois de dévastation par des ennemis ou trois jours de peste pour le punir d'avoir fait un recensement de la population (2 Samuel 24, 11).

## GADARA

Localité située au sud-est du lac de Gennésareth, où Jésus guérit deux possédés et laissa leurs démons s'enfuir, sur leur demande, dans un troupeau de cochons qui se jetèrent aussitôt dans le lac, ce qui provoqua la colère des bergers et des habitants de Gadara (Matthieu 8, 28-34).

## GAIUS

Compagnon macédonien de l'apôtre Paul, que la foule captura au moment de la révolte des orfèvres à Éphèse (Actes des Apôtres 19, 29).

## GALATES (ÉPÎTRE AUX)

Lettre rédigée, peut-être à Éphèse (entre 53 et 55), par l'apôtre Paul aux chrétiens de Galatie (Asie Mineure) où vivait un peuple de guerriers celtes. Dans cette lettre, l'apôtre s'en prend aux faux messagers qui apportent le trouble parmi la communauté chrétienne. Ces "hérétiques" sont des chrétiens juifs ayant associé l'enseignement du Christ à celui du judaïsme ; surtout, ils contestent l'autorité spirituelle de l'apôtre. Paul leur rétorque qu'il ne tient pas sa connaissance d'un homme, mais de la révélation apportée par Jésus-Christ (Galates 1).

## GALILÉE

*Cercle, district* (hébreu). Contrée située au nord de la Palestine, dont le territoire fut réparti entre les tribus d'Asher, Issakar, Nephtali et Zabulon, mais où les Cananéens demeurèrent (Juges 1, 30-33). C'est en Galilée que Jésus-Christ passa la plus grande partie de son ministère, notamment dans les villes de Bethsaïda, Cana, Capharnaüm, Chorazin et Nazareth. Le grand prêtre et prince juif Jean Ier Hyrcan reconquit la Galilée en 107 av. J.-C., puis la région fut cédée au roi Hérode le Grand qui y réprima les révoltes contre les Romains.

## GAMALIEL

*Dieu a fait le bien*. Gamaliel l'Ancien, pharisien, petit-fils de Hillel, docteur de la Loi et membre du Conseil supérieur de Jérusalem, officia du vivant du Christ. Les Actes des Apôtres le considèrent comme un docteur de la Loi estimé par tout le peuple ; l'apôtre Paul déclara publiquement que Gamaliel l'avait enseigné dans sa jeunesse.
Lors de l'accusation des apôtres devant le Sanhédrin, Gamaliel se prononça devant le Conseil supérieur en faveur de leur libération (Actes des Apôtres 5, 34).

## GARIZIM

Montagne de Samarie, proche de la ville de Sichem où se rendirent après la conclusion de l'alliance les douze tribus, dont six s'installèrent sur le mont Garizim et six sur le mont Ébal. Les premières prononcèrent la bénédiction et les secondes la malédiction sur le peuple, afin que chacun sache les conséquences des respect et non-respect des Commandements donnés par le Seigneur (Deutéronome 11, 26-29). Yotam, le plus jeune fils du juge Gédéon, monta au sommet du mont Garizim où il raconta la parabole du roi des arbres, dans laquelle il comparait Abimelek à un buisson d'épines (Juges 9, 7-21). Sanctuaire respecté des Samaritains, on édifia sur son faîte un temple consacré à Zeus Hospitalier qui fut détruit en 129 av. J.-C. par Jean Ier Hyrcan (2 Macchabées 6).

## GATH

*Pressoir.* Ville natale du géant Goliath (1 Samuel 4) et l'une des cinq villes royales des Philistins (Josué 13, 3) dans laquelle ils ramenèrent l'arche de l'alliance dont ils s'étaient emparés. Fuyant Saül, David se cacha près de Gath dont le roi, Akish, lui donna la ville de Ciqlag (1 Samuel 27, 3). Plus tard, David conquit Gath et sa région, (1 Chroniques 18, 1), puis le roi Roboam (926-910 av. J.-C.) aménagea et fortifia la ville. Les Philistins l'occupèrent à nouveau jusqu'à ce que le roi Ozias de Juda (787-736 av. J.-C.) en détruise les remparts (2 Chroniques 26, 6).

## GATH-HÉFÈR

*Pressoir du puits.* Ville de Galilée où naquit le prophète Jonas (2 Rois 14, 25), située sur le territoire de Zabulon (Josué 19, 13).

## GAUCHE

Dans une église traditionnelle, l'édifice est orienté vers l'orient (l'est) ; ce qui se trouve du côté gauche appartient à l'Ancien Testament, à l'enseignement et au baptême, tandis que ce qui se trouve sur le côté droit concerne le Nouveau Testament, Jésus, les apôtres et les personnages marquant de l'Église et du christianisme.

## GAZELLE

Animal jugé pur (Deutéronome 14, 5), la gazelle partage avec la biche la grâce, la douceur et la légèreté (2 Samuel 2, 18). Dans le Cantique des Cantiques, *les seins de la femme aimée sont comme deux faons, jumeaux d'une gazelle, qui paissent parmi les lis* (chapitre 4, 5).

## GÉANT

Force primaire colossale, le géant symbolise les forces brutes qu'il faut maîtriser, harmoniser, ou vaincre. Pour David et les Hébreux, le géant philistin Goliath incarne l'ensemble des ennemis à combattre. Le géant symbolise souvent les générations disparues (Genèse 6), c'est pourquoi il est considéré comme un demi-dieu, engendré par l'accouplement des dieux et des terriennes. Pour les Hébreux, les Anaqites et les Refaïtes étaient des races de géants.

## GÉDÉON

*L'homme à la main écrasée.* Fils de Yoash, Gédéon fut le premier des grands juges d'Israël (vers 1100 av. J.-C.). Il naquit dans le territoire de Manassé, au nord de Sichem (Juges 6-8). Alors qu'Israël était sous la domination des Madianites depuis sept ans, un ange de Dieu appela Gédéon pour qu'il délivre son peuple. Gédéon érigea un autel là où l'ange lui était apparu, puis détruisit l'autel de Baal et offrit un sacrifice sur celui qu'il venait de construire. Suivant les ordres du Seigneur, Gédéon partit combattre les Madianites avec seulement trois cents hommes car il fallait montrer qu'il était vainqueur grâce à l'intervention divine (Juges 7, 1-8). La victoire sur les Madianites fut totale et Gédéon fut honoré par tout le peuple. Malgré cela, il refusa de devenir roi car il estimait que seul Dieu était souverain d'Israël (Juges 8, 22-23). Gédéon eut soixante-dix fils et mourut à un âge avancé. On l'enterra dans le tombeau de son père Yoash à Ofra. Sur le plan spirituel, la victoire de Gédéon et de ses trois cents soldats sur les armées des Madianites montre la valeur de la confiance en Dieu, la foi, et la force de ce Dieu, car Gédéon libéra Israël et lui permit de vivre quarante ans de paix. Après sa mort, le peuple d'Israël adora de nouveau les idoles et prit Baal-Bérith pour divinité (Juges 8, 30-35).

## GÉHENNE

*Gê'hinnôm, val d'Hinnôm* (en hébreu). Vallée située au sud de Jérusalem, aboutissant dans la vallée du Cédron (Josué 15, 8 ; 18, 16) ; son nom est devenu peu à peu l'un des noms servant à désigner l'enfer (la géhenne). À l'origine, dans le ravin d'Hinnôm, on sacrifiait des enfants au dieu ammonite Molek ; le roi de Juda Akhaz (736-725 av. J.-C.) offrit aussi des sacrifices et de l'encens dans cette vallée où il brûla ses fils (2 Chroniques 28, 3). Ézékias son fils combattit et interdit les sacrifices de la vallée mais Manassé, fils d'Ezékias, rebâtit tout ce qu'Ezékias avait détruit. Il fit passer par le feu ses fils dans la vallée d'Hinnôm. Il pratiqua incantations, magie et sorcellerie ; il établit des nécromanciens et des devins (2 Chroniques 33, 6 ; 2 Rois 21, 6). À son tour, le roi Josias ordonna la destruction de tous les sanctuaires dans le royaume de Juda (2 Chroniques 34, 1-7). Le souvenir de ces sacrifices finit par faire de la vallée d'Hinnôm un lieu maudit synonyme d'enfer, notamment avec Jérémie qui prédit qu'elle serait un jour nommée *vallée de la Tuerie* (Jérémie 7, 32).

## GÉMATRIE

La gématrie consiste à remplacer des lettres ou des mots par des chiffres selon un codage particulier et symbolique. C'est ainsi que dans l'Apocalypse (chapitre 13, 18), le nombre 666 est dit être celui de la Bête, puis le texte précise : *C'est le moment d'avoir du discernement : car c'est un chiffre d'homme.* Le nombre mystérieux se référait peut-être à l'empereur Néron, ou à la ville de Rome...

## GÉNÉALOGIE

Les grandes généalogies de l'Ancien Testament se trouvent dans les livres historiques, notamment dans la Genèse (chapitre 10) où l'on peut lire la généalogie de l'humanité depuis ses origines bibliques, ainsi que dans les livres des Chroniques, de Néhémie et d'Esdras.

## GÉNÉALOGIE DE JÉSUS

Les Évangiles appellent généalogie de Jésus (Matthieu 1 ; Luc 3), la lignée qu,i de Joseph, remonte au temps d'Abraham : ils font de David l'ancêtre du Messie. De nombreuses différences existent entre les généalogies selon que l'auteur opte pour une filiation dynastique ou une filiation naturelle. Ces généalogies ne sont pas des actes historiques mais l'illustration symbolique du lien qui unit David et Jésus.

## GENÈSE

En grec, *création*. Le premier livre de la Bible et le premier du Penta-teuque (*Thora*), qu'aurait rédigé Moïse lui-même. La Genèse (*Bereshit*) est divisée en trois parties. Dans la I^re sont décrits les premiers jours de la Création, la formation du premier couple humain, Adam et Ève, leur expulsion (la chute) du jardin d'Éden, la rivalité de Caïn et Abel, puis le Déluge, la Descendance de Noé et enfin l'édification de la tour de Babel. Dans la II^e partie est décrite l'histoire des patriarches d'Abra-ham à Jacob et sa descendance. La III^e partie raconte l'histoire des fils de Jacob, de Joseph et ses frères, jusqu'à la mort de Joseph.

## GENNÉSARETH

Long de 21 km et large de 13 km, le lac de Gennésareth est alimenté par les eaux du Jourdain et réputé pour la profusion de ses poissons. Cette particularité, en plus de la plaine fertile qui entoure le lac, faisait qu'une population dense vivait dans cette contrée au temps de Jésus-Christ. Dans l'Ancien Testament, le lac de Gennésareth est nommé *mer de Kinnéreth* (Nombres 34, 11 ; Josué 12, 3) avec la plaine qui l'entoure.

## GENOU

Fléchir le genou signifie respect et dépendance devant un vainqueur ou un roi, un être respecté (ange, prophète) ou Dieu pendant la priè-re. *Avoir les genoux qui ploient* signifie avoir peur (Job 4, 4).

## GENTILS

*Goyîm* (hébreu), *ethnè* (en grec), c'est-à-dire peuples. Les gentils sont tous les peuples qui n'appartiennent pas à celui de l'alliance et qui pratiquent d'autres cultes, ou n'observent ni la Loi ni ses commande-ments. Le Christ annonce le salut à tous les hommes, au *Peuple et aux nations*, aux *gentils* dont Paul sera l'apôtre (Actes des Apôtres 26, 23). Les chrétiens de la gentilité et les judéo-chrétiens composaient l'Église primitive mais Jésus-Christ ordonna à ses onze disciples d'aller dans *toutes les nations*, faire de tous les hommes *ses disciples en les bapti-sant* (Matthieu 28, 19). L'apôtre Paul écrit : *L'évangélisation des incirconcis m'avait été confiée comme à Pierre celle des circoncis* (Galates 2, 7).

## GETHSÉMANI

*Pressoir à huile* (araméen). Jardin au pied du mont des Oliviers où Jésus attendit et fut arrêté ; il y avait maintes fois réuni ses disciples (Matthieu 26 ; Marc 14 ; Jean 18).
La grotte de Gethsémani a peut-être abrité les disciples lorsque Jésus, seul, attendit ceux qui devaient l'arrêter (Luc 22, 41).

## GLOIRE

Dans la Bible, la gloire est ce qui rend célèbre et rayonne, qu'il s'agisse d'une divinité, d'un être humain ou d'une chose. Généralement, la gloire est celle de Dieu dont la puissance est redoutée jusqu'au bout de la terre. Semblable aux rayons solaires, la gloire est la lumineuse manifestation de Dieu. C'est pourquoi les *enfants de Dieu* reçoivent cette gloire qu'ils perçoivent dans la révélation de Jésus-Christ qui a lui-même manifesté sur terre la gloire de Dieu (Jean 1, 14).

## GLOSSOLALIE

*Glôssais lalein* (grec). Le fait de s'exprimer soudainement, dans un état second, dans une langue étrangère. La glossolalie concerne surtout la Pentecôte, lorsque le Saint-Esprit descendit en langues de feu sur les apôtres et qu'ils se mirent à parler dans des langues inconnues, ce qui permit aux étrangers séjournant à Jérusalem de comprendre leurs paroles (Actes des Apôtres 2).

## GNOSTICISME

*Connaissance* (grec *gnôsis*). Mouvement qui s'est développé avec le christianisme. Pour le gnosticisme, la connaissance provient de l'illumination intérieure, qui amène l'âme, parcelle divine, à se libérer et retourner auprès de Dieu, origine de toute existence. Parmi les gnostiques, on trouve Basilide, Valentin, Clément d'Alexandrie et Origène.

## GOG ET MAGOG

Grand prince de Mèshek, de Magog, des peuples d'Asie Mineure, Gog mènera dans la fin des temps, selon le prophète Ézéchiel, un combat contre Israël que Dieu punira par un total anéantissement. Gog et ses milliers de soldats seront alors enterrés dans la vallée de la Multitude de Gog, à l'est de la mer Morte (Ézéchiel 38-39). Pour l'Apocalypse (chapitre 20, 8), Gog et Magog illustrent les peuples de la terre qui, à la fin des temps, s'élèveront contre l'Église.

## GOLGOTHA

*Crâne* (araméen *Goulgoutâ*). *Le lieu du crâne* (Matthieu 27, 33) est l'endroit où Jésus-Christ fut crucifié et que l'on appelle aussi *calvaire* (latin *calvaria*, crâne) car, selon une légende, on y aurait découvert le crâne d'Adam, qui y aurait été inhumé.

## GOLIATH

Géant philistin de Gath, qui avait une taille de trois mètres et menaçait les populations sous le roi Saül. S'avançant seul avec une simple fronde, le jeune berger David le tua d'une pierre et, lui prenant son épée, lui trancha la tête (1 Samuel).
Selon une autre version (2 Samuel 21, 20-21), c'est un compagnon de David, Elhanân, qui tua Goliath ; ou encore, il n'aurait tué que Lahmi, le frère de Goliath (1 Chroniques 20, 5). Le récit légendaire du combat de David et Goliath, du faible – inspiré par le ou les dieux – qui triomphe du géant, est présent sous d'autres formes dans diverses cultures (égyptienne, grecque, nordique et celte).

## GOMER

Prostituée sacrée que le prophète Osée épousa sur l'ordre de Dieu afin d'avoir d'elle des *enfants de prostitution* (Osée 1, 2 et 3). Gomer mit trois enfants au monde, dont les noms reflètent les reproches que Dieu adressait à son peuple : le premier fils fut nommé Izréel car, *encore un peu de temps et je ferai rendre compte à la maison de Jéhu du sang d'Izréel et je mettrai fin à la royauté d'Israël* ; le deuxième

Lo-Rouhama *Non-aimé, car je ne continuerai plus à manifester de l'amour à la maison d'Israël* ; le troisième Lo-Ammi, *Celui qui n'est pas mon peuple, car vous n'êtes pas mon peuple.* Ce mariage du prophète et de la prostituée symbolise l'amour de Dieu pour le peuple d'Israël certes infidèle, mais qui revient vers Dieu, après la purification.

## GOMORRHE

Cité au sud de la mer Morte qui, avec Adma, Bèla, Cevoïm et Sodome, faisait partie des villes qui luttèrent contre le roi Amraphel de Shinéar (Genèse 14, 2-3). Par la suite, Dieu anéantit Gomorrhe (et Sodome) sous le soufre et le feu pour les punir de leurs péchés (Genèse 19, 24).

## GORGIAS

Général du roi Antiochus IV Épiphane qui fut chargé par Lysias d'écraser la révolte des Macchabées en Judée (1 Macchabées 3, 38-40). Malgré sa puissante armée, il fut battu par Judas Macchabée en Idumée et à Emmaüs (1 Macchabées 4 ; 12).

## GOSHÈN

Région d'Égypte où Joseph installa son père Jacob et ses frères (Genèse 46 et 47). Ceux-ci furent autorisés par le roi à pratiquer l'élevage dans le meilleur endroit. Goshèn est aussi une contrée du pays de Canaan conquise par les Israélites (Josué 10, 41) et une localité du territoire de Juda (Josué 15, 51).

## GRÂCE

Du latin *gratia*, faveur. Dans le Nouveau Testament, notamment selon l'apôtre Paul, la grâce est un don que Dieu dispense aux hommes qui ont la foi.

## GRAIN

Élément symbolique de la multiplication et des cycles de vie (le grain enfoui dans le sol réapparaissant sous forme d'épi) ; il symbolise aussi le Christ, mort et ressuscité.

## GRAND PRÊTRE

Premier prêtre et chef suprême du temple de Jérusalem qui n'avait, à l'origine, aucune autorité politique. Ce titre et cette fonction ne furent attribués qu'après le retour de l'exil à Babylone. Seul un membre de la tribu de Lévi et descendant d'Aaron pouvait être grand prêtre. En plus de ses fonctions cultuelles, le grand prêtre, nommé à vie, présidait le conseil des Anciens et était le médiateur de la bénédiction (Nombres 6, 22-27). Le grand prêtre ne pouvait épouser qu'une jeune fille vierge de sa tribu ; les veuves, femmes répudiées, déshonorées ou prostituées lui étaient interdites (Lévitique 21, 13-15). La fonction de grand prêtre disparut après la destruction du Temple en 70.

Selon l'épître aux Hébreux, le Christ est le grand prêtre de la Nouvelle Alliance (chapitre 4, 14-10) désigné par Dieu *pour l'éternité* dans un temple *qui n'est pas de ce monde*, contrairement aux précédents grands prêtres qui étaient, eux, choisis parmi les hommes (Hébreux 5, 6).

## GRÈCE

Dans l'Ancien Testament, la Grèce est désignée par le nom de *Yavân*, c'est-à-dire la Ionie, îles et littoral de l'Asie Mineure où se trouvaient de nombreux comptoirs et colonies grecques (Genèse 10, 2-4 ; Ésaïe 66, 19). Après la conquête d'Alexandre le Grand, et pour les prophètes, *Yavân* désigna tous les pays de culture hellénistique. Lorsque, dans les Actes des Apôtres, le nom Grèce est utilisé, il s'agit en fait de la province que les Romains nommaient *Achaïe* (Actes des Apôtres 20, 2).

## GRENADE

Fruit, comme la figue, abondant en Palestine. La grenade fut rapportée par les espions envoyés par Moïse en pays de Canaan (Nombres 13, 23) et les Hébreux traversant le désert reprochèrent à Moïse et Aaron l'absence de grenades (Nombres 20, 5). Comme la figue, ou l'épi de blé, la grenade, par la grande quantité de ses grains, symbolise la multitude. Des grenades étaient sculptées au sommet des colonnes du temple de Salomon (1 Rois 7, 18). Des grenades violet, rouge et cramoisi ornaient la robe de l'éphod (Exode 28, 33-34).

## GRENOUILLE

Animal impur selon le Lévitique (chapitre 11, 10), la grenouille devient fléau lorsque Aaron et Moïse, et les magiciens égyptiens, en font tomber des multitudes sur le pays d'Égypte (Exode 7, 26). La grenouille symbolise aussi les métamorphoses et les cycles de vie.

## GUÉDALIAS

*Le Seigneur est grand*. Nom du gouverneur de Juda (587-586 av. J.-C.) nommé après la destruction de Jérusalem et la déportation à Babylone sous Nabuchodonosor II (2 Rois 25, 22). Proche parent du prophète Jérémie, Guédalias se soumit à Babylone et fut assassiné après deux mois de pouvoir par un officier de la famille royale juive nommé Yishmaël (Jérémie 40). Celui-ci se réfugia chez les Ammonites tandis que le peuple s'installait en Égypte avec le prophète Jérémie (Jérémie 43, 6). On commémore la mort du gouverneur par le jeûne dit de Guédalias, placé au troisième jour du mois de tishri.

## GUÉDALYAHOU

Notable de Juda qui exigea avec ses pairs que le roi Sédécias fasse exécuter le prophète Jérémie qui avait empêché le peuple de résister aux troupes du roi de Babylone. Avec quelques complices, Guédalyahou jeta Jérémie dans la citerne de Malkihya (Jérémie 38, 1-6).

## GUÉHAZI

Serviteur du prophète Élisée qui demanda de l'argent pour une guérison pratiquée gratuitement par son maître sur un lépreux. À son tour, il fut atteint de la maladie ainsi que toute sa famille (2 Rois 5, 27).

## GUERNARYAHOU

Haut magistrat de Juda qui pendant le règne du roi Yoyaqim (608-598 av. J.-C.) tenta en vain, avec les chanceliers Elnatân et Delayahou, d'empêcher le roi de détruire par le feu le rouleau des prophéties de Jérémie (Jérémie 36, 25).

## GUÉRAR

Ville située en territoire philistin, capitale du roi Abimélek où Abraham et Isaac s'arrêtèrent. L'un et l'autre firent passer leur femme, Sara et Rébecca, pour leur sœur auprès de deux rois nommés Abimélek (l'un étant peut-être le fils de l'autre). Pour Sara, Dieu apparut dans un songe au roi pour lui révéler la vérité et Abimélek restitua l'épouse d'Abraham à qui il donna des terres puis avec qui il fit alliance (Genèse 20, 15). Plus tard, lorsque Isaac, poussé par la famine, vint aussi à Guérar avec sa femme Rébecca, le roi Abimélek s'éprit d'elle, mais découvrant l'amour que les époux se portaient, il les laissa repartir vers Béer-Shéva.

## GUÉRISON

Dans l'Ancien Testament, tout vient de Dieu et si les démons ont le pouvoir de faire le mal, c'est que Dieu leur accorde ce pouvoir. Selon Job (chapitre 2, 7), Satan nuit aux hommes sur l'ordre de Dieu, ce qui suggère que chaque souffrance, chaque maladie est une punition divine. Il en est de même pour la guérison, signe de la miséricorde divine. Dans le Nouveau Testament, Jésus déclare : *Les aveugles retrouvent la vue, les boiteux marchent droit, les lépreux sont purifiés et les sourds entendent, les morts ressuscitent, la bonne nouvelle est annoncée aux pauvres* (Luc 7, 22).

## GUERRE

Dans l'Ancien Testament, toute guerre était à la fois militaire et religieuse et son résultat était décidé par Dieu. La guerre contre les Amalécites était ainsi *la guerre entre le Seigneur et Amaleq* (Exode 17, 16). C'est pourquoi le chef des armées ne menait pas la guerre pour son roi mais dirigeait *les guerres du Seigneur*. Religieuse, la guerre exigeait que les soldats se purifient et pratiquent des rites précis car *Le Seigneur combattait pour Israël* (Josué 10, 14). On consultait Dieu avant les combats pour savoir qui devait participer, et on lui demandait de répartir les butins après la victoire (Juges 20, 18).

## GUERSHÔM

*Voyageur du désert.* Premier fils de Moïse et de Cippora (Exode 2, 22), né dans le désert à Madiân. Guershôm est cité avec Éliézer son frère parmi les lévites (1 Chroniques 23, 15).

## GUERSHÔN

Nom de l'un des trois fils nés des fils de Lévi (Genèse 46, 11) et lui-même père des Lévites Livni et Shiméi (Exode 6, 16-17). Guershôn est l'ancêtre de la race des lévites ou guershônites qui furent nommés après lui et qui instaurèrent le service subalterne dans la tente de la Rencontre (Nombres 4, 21-28).

## GUESHOUR

Petit État araméen situé à l'est du Jourdain, qui résista à la conquête israélite (Josué 13, 13). Maaka, troisième épouse du roi David, était la fille du roi Talmaï de Gueshour. C'est pourquoi Absalon, fils de David et de Maaka, se réfugia à Gueshour pendant trois ans après avoir tué son frère Amnon accusé d'avoir violé Tamar, sa demi-sœur (2 Samuel 13, 37).

## GUÈVA

*Mont, montagne.* Ville (l'actuelle Djeba) située au nord de Jérusalem dans le territoire de la tribu de Benjamin (Josué 18, 24) et attribuée aux lévites. Jonathan y mena une grande bataille contre les Philistins (1 Samuel 14, 5), puis la ville devint un poste frontière sous le règne du roi Asa de Juda (909-868 av. J.-C.). Depuis ce temps on utilise l'expression *De Guèva jusqu'à Béer-Shéva* pour signifier l'ensemble du royaume de Juda, du nord au sud (2 Rois 23, 8).

## GUÈZÈR

Cité dont l'origine remonte à l'âge du bronze ; Guèzèr fut égyptienne, cananéenne puis occupée par les Israélites lorsque Josué vainquit le roi Horâm de Guèzèr (Josué 10, 33) et réduisit ses habitants en esclavage. Ensuite, la ville appartint aux Philistins, aux Égyptiens puis revint à

Israël quand le pharaon d'Égypte l'offrit en cadeau à sa fille qui épousait le roi Salomon. Ce dernier rebâtit Guèzèr qui avait été détruite (1 Rois 9,16-17). En 734 av. J.-C., le roi Tiglath Piléser d'Assyrie conquit la ville qui tomba dans l'oubli jusqu'à sa conquête en 142 av. J.-C. par Simon Macchabée qui la fortifia et s'y installa (1 Macchabées 13,53).

## GUIHÔN

*Bouillonnement*. La seule source permanente de Jérusalem qui naît dans une grotte du mont Ofel (vallée du Cédron) que les chrétiens appellent *Source de Marie*. Jadis, l'eau de Guihôn bouillonnait quelques minutes puis restait paisible pendant des heures. Le premier canal amenant l'eau dans la ville fut aménagé par les Jébusites, premiers occupants du lieu : l'eau était tirée d'un puits avec des seaux. C'est sans doute par ce puits que Joab, général de David, entra dans la ville jusqu'alors imprenable, dont David s'empara vers 1000 av. J.-C. (2 Samuel 5). C'est auprès de cette source que Salomon fut oint roi (1 Rois 1,33). Trois siècles plus tard, prévoyant le siège de Jérusalem par l'armée assyrienne, le roi Ézékias fit creuser un tunnel de 540 mètres de long afin d'approvisionner la ville en eau (2 Chroniques 32,2-4).

L'eau de la source de Guihôn se déversait dans la piscine de Siloé au cœur de la ville. Dans le bouillonnement de l'eau de la piscine se produisirent de nombreux miracles, c'est pourquoi on y pratiquait le cérémonial de Tashlih, au cours duquel les péchés étaient symboliquement jetés dans l'eau. Jésus guérit un aveugle en lui enduisant les yeux de boue et en lui ordonnant d'aller se laver dans la piscine (Jean 9). Guihôn est également le deuxième des quatre fleuves nés dans le jardin d'Éden ; il coule autour du pays de Koush (Genèse 2,13).

## GUILBOA

*Pays de collines*. Massif montagneux situé au nord de la montagne d'Éphraïm. Sur le mont Guilboa le roi Saül, encerclé par les Philistins, préféra se jeter sur la pointe de son épée plutôt que d'être tué ou fait prisonnier (1 Samuel 31).

## GUILGAL

*Cercle de pierres*. Haut lieu et sanctuaire situé au nord-est de Jéricho sur le territoire de la tribu de Benjamin. Guilgal fut le premier endroit où les Israélites campèrent après avoir traversé le désert. À cet emplacement, Dieu demanda à Josué de dresser douze pierres prises dans le Jourdain afin qu'elles rappellent que les douze tribus d'Israël avaient traversé le Jourdain à pied sec avec l'arche d'alliance (Josué 4). C'est aussi en ce lieu que furent pratiquées les premières circoncisions sur tous les Israélites nés après la sortie d'Égypte (Josué 5, 8-9) et célébrée la première Pâque. Après cela, le premier roi d'Israël, Saül, fut confirmé dans sa fonction et proclamé roi par les douze tribus (1 Samuel 11, 14-15).

## GUIVÉA

Colline de la montagne d'Éphraïm où fut enseveli Éléazar, troisième fils du prêtre Aaron. La colline de Guivéa appartenait à Pinhas, le fils d'Éléazar (Josué 24, 33).

## GUIVÉA DE SAÜL

Ville natale du roi Saül située à 6 km au nord de Jérusalem, sur le territoire de la tribu de Benjamin. Cité de corruption, selon le prophète Osée (Osée 10, 9), Saül la fit fortifier et reconstruire puis l'utilisa comme résidence. À la mort de Saül, la ville fut pillée et la demeure royale transférée à Hébron puis à Jérusalem. Guivéa fut finalement détruite par les Babyloniens en 587 av. J.-C. (2 Samuel 21, 6).

## HABAQUQ

Huitième des douze « petits prophètes » et auteur présumé du livre qui porte son nom. On ne sait rien de sa vie si ce n'est qu'il vécut sans doute sous le règne de Yoyaqim de Juda (608-598 av. J.-C.). Selon le livre de Daniel (grec), Habaquq fut transporté par le Seigneur auprès de Daniel afin qu'il lui donne de la nourriture alors qu'il était dans la fosse aux lions (Daniel 14, 33 à 39). Dans son livre (chapitre 2, 4), Habaquq affirme : *Un juste vit par sa fidélité.*

## HABOR

Affluent de l'Euphrate, dans la contrée de Gozân (actuellement el-Khabour au nord-est de la Syrie). En 722 av. J.-C., après la conquête de la Samarie, les Assyriens installèrent les Israélites à Halakh, sur la rive de l'Habor (2 Rois 17, 6).

## HAÇAR-ADDAR ET HAÇAR-EINÂN

Deux villes situées l'une au sud et l'autre au nord de Canaan, près des frontières (Nombres 34, 4 ; 9).

## HAÇÉROTH

L'une des étapes de la traversée du désert au nord du Sinaï (Nombres 11, 35). C'est à Haçéroth qu'Aaron et sa sœur Myriam se révoltèrent contre Moïse, parce qu'il avait épousé une Nubienne. Dieu infligea à Myriam une lèpre qui l'exclut du camp pour sept jours, et le peuple dut attendre sept jours avant de reprendre sa marche (Nombres 12).

## HAÇOR

*Enclos.* Nom d'une grande ville royale totalement détruite et incendiée par Josué lors de la conquête. Le territoire fut attribué à la tribu de Nephtali (Josué 11, 10). Haçor est aussi le nom collectif donné aux tribus d'Arabie (Jérémie 49, 28).

## HADAD

Divinité sémitique de la tempête et de l'orage parfois assimilée à Baal. Hadad est le nom du huitième roi d'Édom, époux de Mehétavéel, que poursuit le roi David ; il se réfugie en Égypte où il épouse la fille de Pharaon. Hadad est aussi un fils d'Ismaël, fils d'Araham, ancêtre de la tribu des Ismaélites (Genèse 25, 15 ; 1 Chroniques 1, 30).

## HADÈS

Dieu grec, frère de Zeus et de Poséidon, qui régnait dans le monde souterrain et veillait à la destinée des âmes dans l'autre monde. Dans la Bible, le nom de Hadès sert à désigner le séjour des morts, et parfois l'enfer.

## HAGAR

(*Agar* dans le Nouveau Testament) Hagar est une servante égyptienne de Sara, l'épouse d'Abraham. Trop âgée pour enfanter, Sara donne Hagar à Abraham et Hagar est enceinte de lui. Cependant, Sara est si dure avec elle que Hagar s'enfuit dans le désert où l'ange du Seigneur lui annonce qu'elle donnera naissance à un fils nommé Ismaël, c'est-à-dire *Dieu entend*, car *le Seigneur a entendu ta détresse* (Genèse 16, 11). Hagar est l'ancêtre des Ismaélites (Genèse 25, 12). Pour l'apôtre Paul, Hagar a un fils né selon la chair, alors que celui de Sara est conçu suite à la promesse de Dieu, ce qui illustre l'Ancienne Alliance et la Nouvelle, la Loi de Moïse et la révélation de Jésus-Christ.

## HAGGUITH

*Née un jour de fête*. Nom de l'une des épouses du roi David, mère d'Adonias, né à Hébron (2 Samuel 3, 4).

## HAINE

La haine, dans l'Ancien Testament, désigne ce qui va contre l'amour de Dieu et l'obéissance à ses commandements. Elle est parfois considérée comme une attitude nécessaire en cas de lutte contre le mal ou le crime. Le refus de la Révélation est associé à la haine par l'apôtre Jean (1 Jean 3, 13). Cependant, Jésus-Christ déclare : *Aimez vos ennemis et priez pour ceux qui vous persécutent* (Matthieu 5, 44), ce qui interdit tout sentiment de haine.

## HAMAN

*Né de la lune*. Fils d'Hammedata, premier grand dignitaire de la cour du roi perse Artaxerxès I^er (Assuérus), qui prépara l'extermination des Juifs de l'empire parce que Mardochée, tuteur juif d'Esther, avait refusé de s'agenouiller devant lui (Esther 3, 5). Esther intercéda auprès d'Artaxerxès et fit annuler l'ordre de Haman, lequel fut pendu au gibet qu'il avait fait construire pour Mardochée (Esther 7).

## HAMATH

Ville de Syrie sur l'Oronte (actuelle Hama), au nord de Damas ; son souverain noua des relations cordiales avec le roi David et le félicita de sa victoire sur Hadadèzèr de Çova (2 Samuel 8, 9-10). Salomon fit installer des entrepôts à Hamath (2 Chroniques 8, 4) puis la cité fut détruite par les Assyriens. Les habitants de la ville furent installés en Samarie (2 Rois 17, 24), tandis que les Israélites étaient déportés à Hamath (Ésaïe 11, 11).

## HAMOR

*Âne*. Prince hivvite, père de Sichem. Jacob acheta à ses fils un terrain nommé aussi Sichem où il érigea un autel qui devint sa propriété héréditaire. Cependant, malgré les liens d'amitiés qui les unissaient, le jeune Sichem viola Dina, fille de Jacob (Genèse 34, 2). Un accord intervint avec Jacob et ses fils et l'on conclut une paix qui exigeait que Sichem épouse Dina et que tous les Sichémites soient circoncis. Ce qui fut fait, mais les fils de Jacob, Siméon et Lévi, attaquèrent la ville et massacrèrent tous ses habitants, y compris Hamor et Sichem, en profitant de la faiblesse des Sichémites, qui se remettaient de leur récente circoncision (Genèse 34).

## HAMOUTAL

Fille de Yirmeyahou, de Livna (40 km à l'ouest de Jérusalem), épouse du roi de Juda Josias et mère des rois Yoakhaz et Sédécias de Juda (2 Rois 23, 31 ; 24, 18 ; Jérémie 52).

## HANAMÉEL

*Dieu est miséricordieux.* Cousin germain de Jérémie à qui le prophète acheta un champ à Anatoth, dans le territoire de Benjamin (Jérémie 32, 15). Hanaméel est aussi le nom de l'ancienne tour du rempart nord de Jérusalem, entre la porte des Poissons et la porte des Brebis (Néhémie 3).

## HANANI

Nom de plusieurs personnages, dont un prophète qui vécut sous le règne d'Asa de Juda, et fut père du prophète Jéhu (1 Rois 16, 1). Hanani reprocha au roi Asa d'avoir conclu une alliance avec Ben-Hadad, le roi d'Aram, et Asa le fit jeter en prison (2 Chroniques 16, 7-10).
Hanani était aussi le nom du frère de Néhémie, dignitaire de la cour de Perse et gouverneur, qui décrivit à Néhémie le malheur des Juifs réinstallés dans Jérusalem en ruines (Néhémie 1). Par la suite, Hanani fut nommé commandant de Jérusalem alors que Hananya était chef de la citadelle (Néhémie 7, 2).

## HANANYA

*Dieu est miséricordieux.* Nom de plusieurs personnages de l'Ancien Testament, dont un faux prophète qui vécut sous le règne de Sédécias de Juda ; il trompait le peuple en annonçant qu'avant deux années Dieu briserait le joug du roi Nabuchodonosor. Jérémie répondit à cette fausse prédiction qu'Hananya mourrait dans l'année et, en effet, il mourut peu après (Jérémie 28).

Hananya est aussi le nom de l'un des trois amis du prophète Daniel ; il reçut à la cour royale de Babylone le nom de Shadrak (Daniel 1, 6-7) puis fut nommé gouverneur de la province de Babylone sur la recommandation de Daniel (Daniel 2, 49). Hananya refusa d'obéir à Nabuchodonosor qui exigeait qu'il honore les dieux babyloniens ; il fut jeté, avec ses deux amis, dans une fournaise ardente (Daniel 3, 12).

## HANANYAHOU

Père de Sédécias, fonctionnaire au temps dee Jérémie (Jérémie 36, 12).

## HANCHE

Les hanches, ceinture et reins, symbolisent la création et la procréation, la puissance intime d'un être, son pouvoir (Genèse 11). Dans l'Ancien Testament, les hanches signifient aussi *départ* (Exode 12, 11 ; 1 Rois 18, 46). Lors de son combat contre Dieu qu'il ne reconnaît pas, Jacob a la hanche déboîtée (Genèse 32, 26).

## HANOUKKA

Fête de la dédicace du Temple.

## HANOUN

À la mort du roi ammonite Nahash, ami de David, son fils et successeur Hanoun arrêta les ambassadeurs de David et les humilia *en leur rasant la moitié de la barbe, en coupant leurs vêtements par le milieu jusqu'aux fesses.* David expédia le général Joab qui conquit Rabba, la ville royale, et asservit sa population aux travaux de moulage des briques, fonction des Hébreux lorsqu'ils étaient esclaves en Égypte (2 Samuel 10 et 12).

## HARBONA

Courtisan du roi perse Artaxerxès qui annonça à son maître la construction du gibet destiné à Mardochée (Esther 1, 10).

## HAREM

Appartements ou demeure réservés aux femmes et épouses du souverain. Le harem était un privilège royal qui témoignait de la richesse et de la puissance du souverain. Cependant, le Deutéronome (chapitre 17, 17), conseille au roi de ne pas prendre trop de femmes afin de ne pas dévoyer son cœur. Le roi David eut de nombreuses épouses et concubines, mais ce fut surtout son fils Salomon qui dépassa la mesure : son harem compta sept cents épouses de rang princier et trois cents concubines (1 Rois 11, 3). Le roi Roboam de Juda n'eut, lui, que dix-huit épouses et soixante concubines (2 Chroniques 11, 21). Parmi les femmes du roi que personne ne pouvait approcher, se trouvaient les filles de souverains étrangers avec lesquels il entretenait des relations amicales ou diplomatiques (1 Rois 3, 1 ; 11, 1).

## HARMAGUEDON

Nom symbolique employé dans l'Apocalypse (chapitre 16, 16), certainement de l'hébreu « montagne de Megguiddo ou des batailles ». Harmaguedon signifierait ainsi *montagne de Meguiddo* ou *Carmel*. C'est à Harmaguedon que se déroulera le combat final entre Dieu et les puissances terrestres lorsque viendra la fin du monde.

## HAROD

*Source du Tremblement* située à l'est de la plaine d'Izréel, au pied du mont Guilboa où, selon l'ordre du Seigneur, le juge Gédéon fit boire ses dix mille guerriers avant une bataille contre les Madianites. Il ne garda avec lui que les trois cents qui lappaient l'eau comme les chiens en portant leur main à la bouche (Juges 7, 11).

## HARPE

Comme la lyre, la harpe symbolise l'harmonie du Ciel et de la Terre : David s'accompagne d'une harpe pour chanter ses psaumes. La harpe est le symbole de la mesure et de la sagesse ; elle unit, dans une même vibration, le cœur de l'homme et l'oreille de Dieu.

## HARRÂN

Ville du nord de la Mésopotamie où Térah, père du patriarche Abraham, fit halte lorsqu'il allait de la Chaldée (Our) vers le pays de Canaan (Genèse 11, 31-32). Lorsque Abraham repartit, quelques membres de sa famille restèrent à Harrân. Plus tard Jacob, fuyant devant Ésaü, se cacha à Harrân chez Laban, son oncle (Genèse 27, 41).

## HATAK

Nom du chambellan que le roi Artaxerxès mit à la disposition d'Esther (Esther 4, 5-6 ; 9-10).

## HAWILA

Pays où se trouvent l'or et l'onyx, entouré par le fleuve Pishôn (Genèse 2, 11-12). Ce territoire s'étendait peut-être de la Palestine jusqu'à l'Arabie (Genèse 10, 7 ; 29). Hawila est également cité comme étant le pays des Ismaélites et des Amalécites (Genèse 25, 17-18 ; 1 Samuel 15, 7).

## HAZAËL

*Dieu a vu.* Roi araméen de Damas (845-800 av. J.-C.). Hazaël était fonctionnaire du roi Ben-Hadad lequel, malade, l'envoya consulter Élisée sur l'issue de sa maladie. Le prophète répondit d'abord que le roi vivrait, puis qu'il mourrait (2 Rois 8). Ensuite il apprit à Hazaël qu'il deviendrait roi et combattrait victorieusement les fils d'Israël. Revenu auprès du roi d'Aram, Hazaël lui annonça que sa maladie n'était pas mortelle, puis il l'étrangla avec une couverture, ce qui confirmait la révélation d'Élisée. Hazaël devint aussitôt roi d'Aram.
En 845 av. J.-C., les rois Akhazias de Juda et Yoram d'Israël combatti-

rent Hazaël et furent vaincus à Ramoth-de-Galaad ; Hazaël conquit tout le pays (2 Rois 10, 32-33) et anéantit l'armée d'Israël qui, sous le roi Yoakhaz, ne comptait plus que cinquante combattants de char, dix chars et dix mille fantassins, *car le roi d'Aram avait fait périr les autres* (2 Rois 13). Hazaël conquit aussi la ville de Gath et se disposa à monter contre Jérusalem. Joas livra à Hazaël toutes les richesses et l'or du Temple et du palais royal (2 Rois 12, 18-19) mais, révoltés, ses serviteurs le tuèrent. Hazaël fut finalement victorieux de tout Israël et de Juda, qui se livraient aux cultes des idoles, car *la colère du Seigneur s'enflamma*. Après la mort d'Hazaël, Dieu se tourna à nouveau vers son peuple et Ben-Hadad, fils d'Hazaël, fut battu trois fois (2 Rois 13).

## HÉBREU

L'hébreu ancien fut d'abord la langue d'Israël, utilisée pour la rédaction de l'Ancien Testament. Langue cananéenne, comme le phénicien dont il reprend les vingt-deux lettres, l'hébreu cessa d'être la langue usuelle au retour de l'exil babylonien (538 av. J.-C.). L'écriture et la langue araméennes furent adoptées et l'hébreu devint une langue sacrée destinée au culte et aux savants.

## HÉBREUX

*Venus d'au-delà de.* Nom donné au peuple sémitique, il signifie *membres d'une ethnie étrangère* ou *errants*. Abraham, Joseph et ses frères sont qualifiés d'Hébreux par la Genèse, où Joseph évoque sa patrie comme étant le pays des Hébreux (chapitre 40, 15). S'adressant à Pharaon, Moïse nomme le Seigneur, *Dieu des Hébreux* (Exode 3, 18). Pendant le règne du roi Saül, les Philistins craignent l'arrivée de l'arche car, disent-ils, *un dieu est arrivé dans le camp des Hébreux* (I Samuel 4, 6-9).

## HÉBREUX (ÉPÎTRE AUX)

Datée des années 85 à 96, l'épître aux Hébreux est une exhortation rédigée par un auteur inconnu qui s'adresse aux chrétiens risquant de perdre la foi. Cette lettre ne fut incorporée dans le canon de l'Église romaine qu'aux IVᵉ et Vᵉ siècles, sous l'influence de l'Église orientale.

## HÉBRON

Cité vraisemblablement édifiée par les Hyksos au XVII$^e$ siècle av. J.-C. Hébron est situé à 30 km au sud-ouest de Jérusalem. D'abord nommée *Qiryath-n Arba* par les Anaqites qui y vivaient avant les Israélites, la ville portait le nom d'un ancêtre de ce peuple dont le héros était *Arban l'homme le plus grand parmi les Anaqites* (Josué 15, 13). Hébron fut ensuite la ville des Amorites avant que Josué, alors que régnait le roi Hoham, s'en empare et passe au fil de l'épée toutes les personnes qui s'y trouvaient (Josué 10, 36-37). La cité fut ensuite attribuée à la tribu de Caleb. David reçut l'onction royale à Hébron où il vécut sept ans et six mois, jusqu'à ce qu'il soit fait roi de l'ensemble d'Israël. Après cela il transféra sa capitale à Jérusalem et Hébron perdit de son importance. En 597 av. J.-C., Hébron était sous le contrôle des Édomites mais Judas Macchabée la reprit à Antiochus IV Épiphane en 164 av. J.-C. En l'an 68, Hébron fut détruite par les Romains. Dans la grotte de Makpéla, proche d'Hébron, ont été ensevelis Abraham et Sara, Isaac et Rébecca, Jacob et Léa.

## HÈÇRÔN

Fils de Pèrèç et petit-fils de Juda (Genèse 46, 12), ancêtre des Héçronites et père de Ashehour, Keloubai, Râm et Yerahméel (1 Chroniques 2), cité dans la généalogie de Jésus dans l'Évangile de Matthieu (chapitre 1, 3). Hèçrôn est aussi le nom d'un des fils de Ruben, qui se dit aussi ancêtre des Héçronites.

## HÉLAM

Cité de Transjordanie près de laquelle le roi David vainquit les guerriers du roi araméen Hadadèzèr de Çova (2 Samuel 10, 17).

## HELDAÏ

Nom d'une famille juive qui, avec les familles Toviya et Yedaya, apporta l'or et l'argent nécessaires à la fabrication de la couronne de Josué devenu grand prêtre (Zacharie 6).

## HÉLI

Dans la généalogie de Jésus (Luc 3, 23), Héli est le fils de Matthat et le père de Joseph, alors que pour Matthieu, le père de Joseph se nomme Jacob (Matthieu 1, 16).

## HÉLIODORE

Ministre du roi Séleucus IV Philopator (187-175 av. J.-C.), il s'enrichit en imposant lourdement la ville de Jérusalem. Cette rapacité donna naissance à une légende selon laquelle Héliodore fut piétiné par un cheval et fouetté par deux jeunes gens alors qu'il essayait d'accaparer les trésors du Temple. Sauvé in extremis par un sacrifice d'expiation, Héliodore rédigea un livre, *Œuvres du Dieu très grand* ; En 175 av. J.-C., il assassina Séleucus IV et devint le tuteur de son fils aîné, Antiochus IV, avant d'être démis de ses fonctions par Antiochus et le roi Attale de Pergame.

## HELLÉNISTES

Communauté judéo-chrétienne *de mœurs et de langue grecque*, distincte des Hébreux, autre communauté judéo-chrétienne de culture araméenne. Les hellénistes lisaient la Bible en grec (la *Septante*) et les Hébreux en hébreu. À Jérusalem s'était développée une importante communauté d'hellénistes (Actes des Apôtres 6) que dirigeait un collège de sept personnes dont Étienne était le chef. Il s'était constitué afin que les veuves des hellénistes soient elles aussi prises en charge car les Hébreux les omettaient dans leur service quotidien. Les reproches d'Étienne contre l'attitude du Temple et la Loi juive furent tels qu'il fut condamné par le conseil des Anciens, puis lapidé (Actes des Apôtres 7, 54-58), tandis que la communauté helléniste était persécutée. Expulsés de Jérusalem, ils s'établirent en Samarie, à Chypre, à Antioche et en Phénicie.

## HÉMÂN

Fils de Mahol (ou de Zérah), l'un des sages que Salomon dépassa en sagesse, ainsi que ses frères Kalkoï, Darda et Étân Pezrahite (I Rois 5, 11). Les Psaumes 88 et 89 sont présentés comme des instructions de

Hémân l'Ezrahite et Étân l'Ezrahite. Un second Hémân, fils de Yoël et petit-fils du prophète Samuel, était un lévite surnommé *le Chantre* (1 Chroniques 6, 18) car il était responsable des cymbales et dirigeait les musiciens sous le règne de David (1 Chroniques 15), accompagné de ses frères Asaf et Étân. Hémân était aussi le voyant du roi et le père de trois filles et quatorze fils qui remplirent ces fonctions dans le Temple.

## HENNÉ

Colorant, extrait de la plante appelée henné, que l'on utilisait surtout pour teindre les cheveux et les ongles. Le Cantiques des Cantiques (chapitre 1, 14) cite l'oasis d'Ein-Guèdi (*source du Chevreau*) pour ses buissons de henné.

## HÉNOK

Fils de Caïn, ou de Yèred selon le livre de la Genèse (chapitres 4 et 5) dont une ville fondée par Caïn porte le nom. Hénok fut le père de Mathusalem et vécut jusqu'à 365 ans, ce qui est sans doute un âge symbolique rappelant un cycle solaire. Hénok ne mourut pas : *Ayant suivi les voies de Dieu, il disparut car Dieu l'avait enlevé* (Genèse 5, 24). *Par la foi, Hénoch fut enlevé afin d'échapper à la mort et on ne le retrouva pas, parce que Dieu l'avait enlevé* (Hébreux 11, 5) : L'Évangile de Luc (chapitre 3, 37) place Hénok dans la généalogie de Jésus.

## HEPTATEUQUE

*Sept livres* (grec). Nom donné dans l'Église ancienne aux sept premiers livres de l'Ancien Testament, soit : Genèse, Exode, Lévitique, Nombres, Deutéronome, Josué et Juges.

## HÉRÉSIE

Dans le Nouveau Testament, les hérésies ne proviennent pas du monde extérieur, des païens ou ennemis de la foi, mais des chrétiens dont les doctrines s'éloignent du message annoncé par Jésus-Christ et les apôtres. Ils sont appelés faux prophètes (Matthieu 7, 15), faux messies (Marc 13, 22), séducteurs (2 Jean 7), sectateurs (Timothée 3, 10) ou encore antéchrists (1 Jean 2, 18) *qui se sont laissé prendre et dominer à nouveau par les souillures du monde* (2 Pierre 2, 20). L'hérésie n'empêche pas les miracles puisque certains chassent les démons au nom du Seigneur et accomplissent des miracles et, suprême ruse, *viennent à vous vêtus en brebis mais sont au-dedans des loups rapaces* (Matthieu 7, 22).

## HÉRITAGE

Biens laissés ou transmis par le père qui revenaient selon la Loi aux fils premiers-nés (Deutéronome 21, 15-17) ou aux filles s'il n'y avait pas de descendants mâles dans le clan (Nombres 27). Dieu considéré comme père donne à son peuple le pays de Canaan ; la tribu sacerdotale de Lévi reçut Dieu comme un héritage spirituel (Psaume 16). Symboliquement, le livre des Proverbes affirme que *la gloire est l'héritage des sages, alors que les insensés portent la honte* (chapitre 3, 35).

Pour le christianisme, Jésus-Christ, en tant que Fils de Dieu, est *l'héritier de tout* (Hébreux 1), ce qui fait ainsi des chrétiens *les héritiers de Dieu, cohéritiers du Christ, puisque, ayant part à ses souffrances, nous aurons part aussi à sa gloire*, selon Paul, dans l'épître aux Romains (chapitre 8, 17).

## HERMON

Massif montagneux (2 814 m) situé au nord de la Palestine, à l'est du Jourdain. Selon le premier livre des Chroniques (chapitre 5, 23), Hermon est la limite nord-est de la Terre sainte.

## HÉRODE I[ER] LE GRAND

Roi de l'État juif de 40 à 4 av. J.-C. Fils cadet d'Antipater d'Idumée et de Kypros, fille d'un chef (cheik) arabe, Hérode n'était pas juif mais César qui voulait installer un gouvernement qui lui serait favorable le nomma stratège de Galilée. Hérode avait alors 25 ans. Dès son accession aux responsabilités, il extermina *une bande de brigands* menée par Ézéchias, peut-être formée de partisans de l'ancien roi juif Aristobule II et de ses fils. En 41 av. J.-C., Hérode et son frère Phasaël furent nommés tétrarques par le général romain Marc Antoine, ce qui provoqua des réactions violentes des Juifs, qui portèrent sur le trône l'Hasmonéen Antigone. Phasaël mourut en prison tandis qu'Hérode réfugié à Rome fut désigné en 40 av. J.-C. par le sénat romain comme roi des juifs, sur la recommandation de Marc Antoine et d'Octave (futur Auguste). Sans royaume à son arrivée à Jérusalem, Hérode guerroya pendant trois ans avant de la prendre en 37 av. J.-C. et de faire exécuter le roi Antigone.

Son règne fut marqué par la romanisation et l'hellénisation, et l'établissement de la *Pax romana*, qui amena la prospérité et l'expansion économique pendant trente ans. La religion juive ne fut pas inquiétée mais l'hellénisation provoqua la révolte, aussitôt réprimée, des religieux. La vie d'Hérode était un scandale permanent au regard de la Loi tant à cause de ses dix mariages que de ses meurtres, dont celui de son propre fils aîné Antipater. On l'accusa aussi d'être à l'origine du massacre des Innocents à Bethléem.

Malgré cela, Jérusalem bénéficia grandement de ce règne : la ville fut embellie, fortifiée, modernisée, le grand Temple reconstruit, plus beau qu'il ne l'avait jamais été. Le mur des Lamentations actuel en est l'ultime vestige. Hérode fit construire la forteresse Antonia et les trois tours de la citadelle, un grand théâtre et un cirque, ainsi qu'un réseau d'adduction d'eau. On lui doit aussi la fortification du rocher de Massada, la forteresse de l'Hérodion, le port de Césarée, l'édifice élevé sur l'emplacement de la caverne des patriarches de Makpéla, près d'Hébron et enfin le palais de Jéricho.

## HÉRODE AGRIPPA I<sup>ER</sup> (JULIUS AGRIPPA I<sup>ER</sup>)

Petit-fils d'Hérode le Grand, fils d'Aristobule et de Bérénice, que l'empereur Caligula installa comme roi et tétrarque de Judée en l'année 37. Hérode Agrippa (10 av. J.-C. à 44) récupéra les territoires de son oncle Hérode Philippe, puis la Galilée et la Pérée de son oncle Hérode Antipas dont il avait provoqué l'exil. En 41, l'empereur Claude ajouta les terres d'Hérode Archélaüs à son domaine de sorte que pour la dernière fois, et jusqu'à sa mort en 44, le royaume d'Hérode le Grand fut reconstitué. Pour le Nouveau Testament, le roi Hérode Agrippa I<sup>er</sup> est *Hérode*, celui qui persécute la communauté chrétienne de Jérusalem, celui qui fait mourir l'apôtre Jacques et emprisonner Pierre (Actes des Apôtres 12, 2). Selon les Actes des Apôtres (chapitre 12, 22-23), il mourut frappé par l'ange du Seigneur à qui il ne rendait pas gloire.

## HÉRODE AGRIPPA II (JULIUS MARCUS AGRIPPA II)

Fils du roi Hérode Agrippa I^er (27 à 100), il fut tétraque juif de Gaulanitide et de Chalsis ; le Nouveau Testament l'appelle *roi Agrippa*. En 50, Hérode Agrippa II reçut de l'empereur Claude le royaume de Chalcidie, et la tutelle sur le temple de Jérusalem avec le pouvoir de nommer le grand prêtre. En 54, il reprit les territoires de son père Hérode Agrippa I^er et ceux d'Hérode Philippe puis installa sa capitale à Césarée de Philippe. Il reçut ensuite de l'empereur Néron la Galilée et la Pérée puis l'empereur Vespasien lui adjoignit des territoires dans le Nord. Hérode Agrippa II combattit avec les Romains lors de la première guerre juive, puis participa comme expert en questions juives au procès de Paul à Césarée (Actes des Apôtres 25).

## HÉRODE ANTIPAS

(20 av. J.-C. à 39). Fils d'Hérode le Grand, qui devint tétrarque de Galilée et de Pérée à la mort de son père. Jésus-Christ vécut sous son règne. Hérode Antipas fit bâtir une ville sur la rive du lac de Gennésareth et lui donna le nom de Tibériade en l'honneur de l'empereur Tibère. Elle devint la capitale de sa tétrarchie. Hérode Antipas répudia son épouse, fille d'Arétas IV, et épousa sa nièce et belle-sœur, l'ambitieuse Hérodiade. À sa fille Salomé qui dansait pour lui, Hérode Antipas promit publiquement qu'il accorderait tout ce qu'elle souhaiterait et Salomé, poussée par sa mère, dont Jean-Baptiste avait dénoncé l'inconduite, exigea sa tête. L'Évangile de Matthieu (chapitre 14, 9-10) rapporte que *le roi en fut attristé ; mais à cause de son serment et des convives, il commanda de la lui donner et envoya décapiter Jean dans sa prison. Plus tard, entendant parler de Jésus, il crut que c'était Jean-Baptiste ressuscité des morts* (Matthieu 14, 1-2).

Après son arrestation, Jésus fut livré à Pilate, puis déféré devant Hérode Antipas qui se réjouit car depuis longtemps il désirait le voir et espérait qu'il accomplirait quelque miracle devant lui (Luc 23, 8) mais Jésus ne répondit pas et Hérode Antipas le fit alors rudoyer par ses soldats et le renvoya à Pilate. Privé de ses fonctions par Rome qui l'accusait de collusion avec les Parthes, Hérode Antipas fut exilé à *Lugdunum* (Lyon) ou à Saint-Bertrand de Comminges avec Hérodiade.

## HÉRODE ARCHÉLAÜS

Fils du roi Hérode le Grand et de la Samaritaine Malthakè, Hérode Archélaüs fut éthnarque de Judée, Idumée et Samarie à partir de 4 av. J.-C., alors que la Sainte Famille revenait d'Égypte. Destitué par l'empereur Auguste pour sa brutalité, Hérode Archélaüs fut, comme Hérode Antipas, exilé en Gaule (à Vienne) en l'an 6.

## HÉRODE PHILIPPE (PHILIPPE)

Fils d'Hérode le Grand et époux de Salomé, fille d'Hérodiade. Hérode Philippe (mort en 34) fut tétrarque de Gaulanitide, Trachonitide et Batanée à partir de 4 av. J.-C. (Luc 3, 1). Il fit construire une capitale sur le versant sud du mont Hermon, qu'il nomma Césarée en l'honneur de l'empereur Auguste. Elle devint ensuite Césarée de Philippe, d'après son nom et afin de la distinguer de Césarée Maritime (Matthieu 16, 13).

## HÉRODIADE

Fille d'Aristobule, assassiné par Hérode, Hérodiade épousa d'abord Hérode sans Terre, dont elle eut sa fille Salomé, puis devint l'épouse du roi Hérode Antipas. Elle est à l'origine de la décapitation de Jean-Baptiste.

## HÉRODION

Nom d'un chrétien romain à qui l'apôtre Paul envoie son salut dans l'épître aux Romains (chapitre 16, 11). Hérodion est aussi le nom d'un luxueux palais-forteresse et mausolée du roi Hérode le Grand. Situé au sud de Jérusalem, l'Hérodion héroïque commémorait la victoire d'Hérode sur le roi Antigone en 37 av. J.-C. Selon l'historien Flavius Josèphe, le palais d'Hérode était d'une splendeur incomparable.

## HESHBÔN

Ville de Transjordanie, à 25 km à l'est de l'embouchure du Jourdain, qui fut la capitale du roi amorite Sihôn. Prise par les Israélites qui s'y établirent (Nombres 21), Heshbôn et son territoire furent attribués à la tribu de Ruben (Josué 13, 17) qui reconstruisit la ville (Nombres 32, 37). Elle fut plus tard la capitale des Moabites.

## HESLI

Ancêtre de Jésus, fils de Naoum, cité dans la généalogie de jésus dans l'Évangile de Luc (chapitre 3, 25).

## HEUREUX

Terme attribué à celui qui est juste car il vit et agit en accord avec Dieu, ce qui lui procure la paix intérieure. Pour le Nouveau Testament, un être heureux est celui qui perçoit le message du Christ et accomplit ce qui est juste.

## HEXAÉMÉRON

*Œuvre des six jours*. Terme grec désignant la Création (Genèse 1).

## HEXATEUQUE

*Six livres* (en grec). Terme désignant les six premiers livres de l'Ancien Testament : Genèse, Exode, Lévitique, Nombres, Deutéronome et Josué.

## HIBOU

Oiseau impur, comme la chouette, la mouette, l'épervier, le cormoran, le chat-huant selon le Lévitique (chapitre 11, 16-17) et le Deutéronome (chapitre 14, 15-17). Dans Ésaïe (chapitre 34, 11), le hibou est le symbole de la dévastation d'Édom ; dans Sophonie (chapitre 2, 14), il est le symbole de la ruine de Ninive. Pour le Psaume 102, le hibou hante les ruines.

## HIEL

Constructeur de Béthel, il rebâtit Jéricho sous le règne du roi Akhab (871-852 av. J.-C.). Au moment des fondations, son fils aîné Aviram mourut puis, lors de la pose des portes, son fils cadet Segouv mourut à son tour (1 Rois 16, 34). Ces deux morts furent considérées comme une malédiction (Josué 6, 26).

## HIÉRODULES

*Esclaves sacrés* (grec). Individus des deux sexes appartenant au personnel cultuel de temples non israélites qui se donnaient aux prêtres et aux visiteurs du Temple. La loi moisaïque interdisait la prostitution sacrée et punissait de mort les hiérodules et ceux qui les fréquentaient : *Si la fille d'un prêtre se déshonore en se prostituant, c'est son père qu'elle déshonore, elle sera brûlée* (Lévitique 21, 9).

Au Temple, les femmes hiérodules avaient leurs appartements dans lesquels elles tissaient des voiles pour Ashéra, déesse de la fertilité (2 Rois 23, 7). Prostitution sacrée et idolâtrie sont presque synonymes dans l'Ancien Testament (le Nouveau Testament associe aussi l'idolâtrie et la débauche, notamment dans l'Apocalypse [chapitre 17, 15-16], au sujet de Babylone). Presque tous les rois furent accusés par les prophètes d'idolâtrie et de débauche, aussi bien Roboam de Juda que le roi Asa et son fils Josaphat. Bien que le roi Josias ait donné l'ordre de détruire les appartements des hiérodules dans le Temple (2 Rois 23, 7), sous le règne d'Antiochus IV les débauches et orgies le remplirent à nouveau (2 Macchabées 6, 4).

## HILLEL

*Il a loué*. Nom du père du juge Avdôn (Juges 12, 13).

## HILQIYA

*Dieu est mon lot*. Nom du grand prêtre, sous le règne du roi Josias de Juda, qui en 623 av. J.-C. découvrit dans le temple de Jérusalem le livre de la Loi contenant des parties du Deutéronome, qui furent utilisées comme bases de la réforme du culte yahwiste.

Nom de plusieurs personnages, notamment le père du prophète Jérémie (Jérémie 1), le père d'Elyaqîm, fonctionnaire du roi Ézékias de Juda (Ésaïe 22, 20), et un prêtre qui revint de la captivité babylonienne avec Zorobabel (Nehémie 12, 7, 21).

## HIRAM

*Mon frère est exalté* (d'Ahiram). Nom du roi de Tyr (970-936 av. J.-C.) qui selon l'Ancien Testament était l'ami et fournisseur des rois David et Salomon (1 Rois 5, 15). Hiram Ier de Tyr fournit du bois de cèdre, des charpentiers et des tailleurs de pierre pour la construction du palais de David (2 Samuel 5, 11) puis les mêmes matériaux et techniciens au moment de la construction du temple de Salomon à Jérusalem. En échange de l'or qu'il fournissait aussi, Salomon lui donna vingt villages de Galilée qui ne lui plurent pas et que l'on appela le *pays de Kavoul*, c'est-à-dire le pays du bois mort (1 Rois 9, 12-13). Par la suite, Hiram accompagna Salomon dans ses expéditions maritimes (1 Rois 9 et 10). Hiram est aussi le nom d'un fondeur de bronze envoyé au roi Salomon par le roi Hiram Ier (1 Rois 7, 13) nommé également Hiram-Abi (2 Chroniques 2, 12). Cet Hiram coula les deux colonnes de bronze situées devant l'entrée du Temple ainsi que le grand bassin, *la mer*, destiné aux ablutions rituelles (1 Rois 7, 23-26) et tous les ustensiles et ornementations qui étaient en bronze.

## HITTITES

Peuple indo-européen fondateur d'un empire en Anatolie (Turquie) au IIe millénaire avant Jésus-Christ. Le second empire hittite (1440 av. J.-C.) devint une puissance qui affronta l'Égypte. En 1285 av. J.-C., eut lieu la grande bataille de Qadesh où, d'abord débordés et près de céder, les Égyptiens menés par Ramsès II réussirent à chasser les Hittites loin de leurs frontières. En 1270 av. J.-C., Ramsès II et le roi hittite Hattousili III signèrent un pacte et s'accordèrent sur des territoires séparés par le fleuve Oronte. Après cela, les *peuples venus de la mer* influencèrent les cultures de la Palestine, de la Syrie puis de l'Égypte, supplantant partout la civilisation et la puissance hittite. Les Hittites cités dans l'Ancien Testament appartiennent à de petits États issus de l'empire disparu, installés en Syrie et en Palestine (Genèse 23).

## HIVVITES

Peuple parfois confondu avec les Amorites (Ésaïe 17, 9) qui habitait dans la montagne au nord du pays de Canaan et au Liban (Nombres 13, 29 ; Juges

3,3). Sichem, fondateur de la ville Sichem, était un Hivvite, de même que l'épouse d'Ésaü (Genèse 34 et 36).

## HOBAB

Fils du Madianite Réouël, qualifié parfois, comme Jethro, de beau-père de Moïse (Nombres 10,29). Après la traversée du désert, Hobab et sa famille, les Qénistes, s'installèrent dans le territoire de Juda, au sud d'Arad (Juges 1,16).

## HOFNI

*Jeune grenouille, têtard.* L'un des deux fils du juge prêtre Éli; Hofni était prêtre du temple de Silo avec Pinhas son frère. Comme tous deux volaient le temple, Dieu fit annoncer par le jeune Samuel la dé-chéance de la descendance d'Éli (1 Samuel 1 et 2).

## HOFRA

Nom hébreu du pharaon Apriès (588-568 av. J.-C.) qui combattit l'em-pire néobabylonien et essaya de rétablir le pouvoir égyptien sur la Pa-lestine en soutenant le royaume de Juda (Jérémie 37, 5-11). Malgré ses ar-mées, Hofra ne parvint pas à empêcher Nabuchodonosor II de prendre Jérusalem en 587 av. J.-C. et fut assassiné l'année suivante par des mutins alors qu'il luttait en vain contre le roi Battos de Cyrène.

## HOLOCAUSTE

Sacrifice d'animaux, notamment de chèvres, moutons et bovins, obli-gatoirement mâles, sains et âgés d'au moins sept jours. Dans l'Ancien Testament, l'holocauste était le sacrifice le plus important. Il était of-fert deux fois dans la journée, le matin et le soir. Au cours des fêtes, de nombreux holocaustes avaient lieu (Nombres 28 ; 29). Les animaux sacri-fiés étaient tués selon le rite juif, c'est-à-dire qu'on leur tranchait la ca-rotide. Après que le corps des animaux avait été découpé, des pro-cessions de prêtres portaient les morceaux sur l'autel.
Il fallait neuf prêtres pour les moutons et les chèvres, vingt-quatre pour les taurillons.

## HOLOPHERNE

Premier général de Nabuchodonosor, impitoyable conquérant qui soumettait les peuples et exigeait qu'ils n'adorent pas d'autre divinité que celle de Nabuchodonosor (Judith 3, 8). Assiégeant la forteresse de Béthulie, il rencontra une veuve juive nommée Judith qu'il invita à un banquet donné dans son camp (Judith 12, 10). Restée seule avec Holopherne pris de boisson et endormi, Judith lui trancha la tête avec un glaive (Judith 13, 1-10), sauvant ainsi Béthulie de l'assaut des Assyriens.

## HOMME

*Ish*. Crée à l'image de Dieu, l'homme selon la Bible n'est pas indépendant de la nature, que Dieu a créée pour lui (Genèse 2). Par l'obéissance à ses commandements, par sa fidélité, l'être humain conserve sa relation privilégiée avec Dieu mais il s'en éloigne lorsqu'il commet le péché et refuse ses lois. Dans ce cas, Dieu seul peut rétablir l'équilibre, ramener l'harmonie dans l'homme et permettre son salut.

## HOMOSEXUALITÉ

La loi de Moïse juge l'homosexualité comme une abomination méritant la mort (Lévitique 20, 13). C'est l'une des raisons invoquées pour justifier la destruction de la ville de Sodome. C'est là que des hommes exigèrent que Loth leur livre les deux anges qui s'étaient arrêtés chez lui (Genèse 19, 5), ce qui arriva aussi à un homme hébergé chez un vieillard de la ville de Guivéa (Juges 19, 22).
Au temps du Nouveau Testament, l'homosexualité est plus fréquente et bénéficie de plus d'indulgence. Selon Paul, l'homosexualité est le propre de ceux qui se sont éloignés de Dieu et restent prisonniers de leurs passions avilissantes (Romains 1, 26-29).

## HONTE

Dans l'Ancien Testament, la honte provient du péché de l'homme qui a honte de ce qu'il est et de sa nudité face à la pureté divine (Genèse 2, 25 ; Genèse 3). Cette conscience lui vient après qu'il ait mangé du fruit de l'arbre interdit. Dans le Nouveau Testament, les chrétiens ne doivent pas se parjurer, oublier face au monde le témoignage de leur foi en Jésus-Christ car, s'ils ont été forts dans leur fidélité, Dieu et son Fils n'auront pas honte d'eux lors du jugement dernier et ils les recevront dans leur royaume (Marc 8, 38).

## HOR-LA-MONTAGNE

Montagne proche de Qadesh, à la frontière d'Édom, où mourut le prêtre Aaron âgé de 123 ans (Nombres 33, 37-39). Sur cette montagne, Moïse conféra la fonction sacerdotale à Aaron et à son fils Éléazar, peu de temps avant la mort d'Aaron (Nombres 20, 22-28).

## HOREB

Montagne que le livre de l'Exode (chapitre 33, 6) identifie au Sinaï, d'où Dieu s'adressa à Moïse à plusieurs reprises (Deutéronome 4, 10-15).

## HORITES

Peuple non sémitique de l'Orient ancien, peut-être issu des Hourrites. Selon le livre de la Genèse (chapitre 14, 6) et le Deutéronome (chapitre 2, 12-22), les Horites vivaient au pays de Séïr avant que les Édomites ne les en chassent.

## HORMA

*Lieu voué à l'interdit.* Cité royale cananéenne (Josué 12, 14) proche de Béer-Shéva. À Horma, Dieu permit aux Israélites de vaincre les Cananéens (Nombres 21, 3) alors qu'eux et les Amalécites les avaient repoussés auparavant (Nombres 14, 45).

## HOSANNA

Forme grecque du mot hébreu signifiant *Viens donc en aide.* Formule de supplication destinée à Dieu ou à un roi. Cette expression, employée dans les cérémonies des fêtes juives, a été conservée dans le christianisme. *Hosanna* fut le cri qui acclama le Christ au moment de son entrée dans Jérusalem (Matthieu 21, 9-15).

## HOSPITALITÉ

L'hospitalité était chez les Israélites d'une importance capitale et concernait aussi bien les amis ou parents que l'étranger de passage. Le maître de maison accueillait l'arrivant et lui faisait porter de l'eau afin qu'il se lave les pieds (Genèse 18, 3-4) puis on mangeait et l'on buvait avec l'invité. Quand il revenait régulièrement, on lui aménageait une chambre personnelle (2 Rois 4, 10).

Dans le Nouveau Testament, l'hospitalité joue aussi un rôle essentiel. On notera que les premiers ordres chrétiens créés à Jérusalem se nommaient Hospitaliers (du Temple) et avaient pour mission de venir en aide aux pèlerins séjournant en Terre sainte.

## HOULDA

Prophétesse sous le roi Josias de Juda, elle annonça la destruction de Jérusalem à cause de l'idolâtrie de ses habitants. Elle prophétisa cependant au roi qu'il ne verrait pas ce désastre car il serait déjà réuni avec ses pères (2 Rois 22, 14-20).

## HOUR

Nom de plusieurs personnages bibliques dont celui de l'homme qui, avec Aaron, soutint les bras de Moïse priant pour la victoire lors de la bataille contre les Amalécites (Exode 17, 10-12). Hour est aussi le nom du grand-père de l'artiste Beçalel (Exode 31, 2) et celui d'un roi madianite tué par les Israélites (Nombres 31, 8).

## HOUSHAÏ

Espion arkite envoyé par David auprès d'Absalon révolté contre lui. Houshaï partit pour Jérusalem, rencontra Absalon et se mit à son service afin de connaître ses projets puis, ayant eu connaissance de ses plans, il repartit en informer David (2 Samuel 16 ; 17). Houshaï eut pour fils Baana, l'un des lieutenants de Salomon (1 Rois 4, 16).

## HUILE

L'huile accompagne les onctions, les sacre des rois et celui des élus, *oints du Seigneur*. Dans l'Ancien Testament, l'huile extraite d'olives pilées, la plus pure, était réservée aux rituels sacrés (Exode 27, 20). Une parabole évangélique montre que seules les vierges sages possèdent l'huile dans leur lampe, ce qui associe ainsi la lumière de la connaissance à la sagesse.

## HUMILITÉ

Attitude de celui qui obéit aux commandements de Dieu. Seule l'humilité permet d'accéder à la compréhension de la Torah, dépositaire, pour le judaïsme, de la loi divine et de l'alliance. Pour le Nouveau Testament, la subordination de Jésus-Christ à la volonté de son père céleste, Dieu, est la base de son message aux hommes.

## HYMÉNÉE

Chrétien d'Éphèse dont la foi fit naufrage et qui fut livré à Satan par l'apôtre Paul, avec un certain Alexandre, afin qu'il ne blasphème plus. Hyménée est sans doute le faux docteur qui annonçait que la résurrection des morts avait déjà eu lieu (2 Timothée 2, 17-18).

## HYMNE

Mot grec qui à l'origine désignait un poème chanté en l'honneur des dieux, Zeus, Déméter et Apollon et des autres divinités de l'Olympe. Dans l'Ancien Testament, la plupart des hymnes, chants solennels de louange se trouvent dans les Psaumes qui étaient des invitations à la glorification de la bonté et de la grandeur de Dieu. Aux Psaumes s'ajoute l'hymne d'action de grâces d'Anne (1 Samuel 2, 1-10). Dans le Nouveau Testament, on range parmi les hymnes le *Magnificat*, le *Benedictus* et le *Nunc dimittis* (Éphésiens 5, 14).

## HYRCAN

Surnom donné à plusieurs personnages après l'arrivée en Palestine des Juifs rentrant d'exil dans la région d'Hyrcanie (rive sud-est de la mer Caspienne).

Le premier Hyrcan (2 Macchabées 3) avait une haute situation à Jérusalem et possédait une partie du trésor du Temple. Il était fils ou petit-fils du prophète Tobit. Il établit en Cisjordanie une tyrannie qui prit fin quand il se suicida vers 175 av. J.-C.

## HYSOPE

Arbuste de petite taille aux fleurs roses, blanches, bleues ou violettes, dont on extrait de l'huile éthérée utilisée comme médication (maux d'estomac et de poitrine). Ses branches servaient de goupillon lors des aspersions rituelles et ses cendres pour les rites de purification. C'est au bout d'une branche d'hysope que les soldats romains tendirent une éponge imbibée de vinaigre au Christ crucifié pour soulager sa soif (Jean 19,29).

## IANNAÏ
Fils de Melchi, ancêtre de Joseph, cité dans la généalogie de Jésus.

## IBÇAN DE BETHLÉEM
Juge d'Israël pendant sept ans, successeur de Jephté, père de trente fils, qu'il maria à des femmes étrangères, et de trente filles, qu'il maria à l'étranger (Juges 12, 8-10). Il fut à sa mort enseveli à Bethléem.

## IBIS
Oiseau sacré d'Égypte dont le nom signifiait brillant ou glorieux, qui manifestait le dieu Thot, maître des scribes et de l'écriture, du calcul, du calendrier et de l'astronomie. Pour l'Ancien Testament, l'ibis symbolisait la connaissance divine et la sagesse (Job 38, 36).

## IDDO
Chroniqueur prophète qui rédigea l'histoire du roi Roboam de Juda (926-910 av. J.-C.) et du roi Ablyani son successeur (910-908 av. J.-C.) selon le second livre des Chroniques (chapitres 12, 15 ; 13, 22). Iddo est certainement l'auteur de l'histoire de Salomon cité sous le nom de Yédo (2 Chroniques 9, 29). Iddo est aussi le nom d'un prêtre du temple de Jérusalem après le retour de l'exil, ancêtre du prophète Zacharie.

## IDOLE, IDOLÂTRIE

Du grec *eïdôlon*, image. Adoration des images ou d'une divinité représentée. Dans l'Ancien Testament et dans le christianisme, les cultes rendus aux dieux étrangers et aux idoles, ainsi que leur représentation étaient interdits suivant le commandement *Tu ne te feras pas d'idole, ni rien qui ait la forme de ce qui se trouve au ciel là-haut, sur terre ici-bas, ou dans les eaux* (Exode 20, 4). Malgré la rigueur de la Loi, le peuple adora longtemps les idoles et les poteaux sacrés plantés sur les hauts lieux. Par extension, dans le Nouveau Testament, le terme d'idolâtrie s'applique à tout ce qui prend une place prépondérante dans la vie d'un individu en lieu et place de Dieu.

## IDUMÉE

Nom grec de la partie d'Édom qui avait Hébron pour ville principale (à l'ouest de la mer Morte). En 163 av. J.-C., Judas Macchabée prit Hébron puis, vers 126 av. J.-C., le roi-prêtre Jean Hyrcan judaïsa de force les Iduméens en les faisant circoncire. Les Romains laissèrent l'Idumée sous l'autorité de Jérusalem. Lors de la première guerre juive, l'Idumée se rangea aux côtés des zélotes.

## I.H.S.

Initiales des mots latins : *Jesus Hominum Salvator*, Jésus, sauveur des hommes. Ces trois lettres (appelées monogramme) furent dès l'origine du christianisme le symbole du Christ, que l'on inscrivait sur ses représentations. Par la suite, on y associa les initiales d'*In Hoc Signo* (vinces), signifiant *Par ce signe tu vaincras*, devise (*labarum*) de l'empereur Constantin.

## IKAVOD

*Il n'y a plus de gloire*. Fils du prêtre prévaricateur Pinhas, petit-fils du grand prêtre Éli, il fut ainsi nommé par sa mère mourante car son père Pinhas venait d'être tué en combattant les Philistins qui, vainqueurs, avaient emporté l'arche d'alliance (1 Samuel 4, 19-22).

## IMAGES (CULTE ET INTERDICTION)

Le deuxième commandement du Décalogue interdit formellement la confection d'images ; il est donc interdit de représenter un être divin ou n'importe quelle autre entité, en peinture ou en sculpture. À l'origine la chrétienté interdit aussi les images ; pour illustrer les manifestations du mystère chrétien, on utilisa des symboles : la Croix, l'Agneau, le Poisson, l'étoile de la Nativité… Pour l'apôtre Paul, l'incarnation de Christ le rendait visible aux hommes (Philippiens 2, 7-9). Cette symbolique justifia la dévotion envers les icônes, confirmée par le second concile de Nicée (787). Au Moyen Âge, saint Bernard et les Cisterciens s'élevèrent contre l'abus des images sculptées et peintes dans l'art chrétien.

## IMMANENCE

Contrairement au Dieu de l'Ancien Testament, les dieux des religions anciennes étaient remarquables par leur immanence, c'est-à-dire leur faculté de participer à l'histoire de l'univers, à s'incarner en de multiples formes sur la terre et à participer à l'expérience humaine. Ainsi, chaque étoile, chaque être vivant des trois règnes était une part de la divinité, un fragment de son énergie et justifiait l'axiome affirmant que ce qui est en haut est semblable à ce qui est en bas. Sans connaissance spirituelle, tout être pouvait ainsi entrer en relation avec un dieu.

## IMMER

*Agneau*. Nom de plusieurs prêtres, dont le chef de la seizième classe de prêtres sous le règne du roi David (I Chroniques 24, 14), et de l'ancêtre de 1 052 *fils de la province* qui retournèrent à Jérusalem après l'exil (Esdras 2, 37).

## IMMORTALITÉ

L'Ancien Testament n'utilise pas le terme d'immortalité car seul Dieu est *vivant pour toujours* (Deutéronome 32, 40). De même, le Nouveau Testament précise que Dieu est le *seul qui possède l'immortalité* (1 Timothée 6, 16)

bien que l'apôtre Paul, après le Christ, souligne que l'homme deviendra incorruptible et immortel par la résurrection (I Corinthiens 15, 52-55).
L'apothéose de ce principe est fournie par l'Apocalypse et le jugement dernier.

## IMPOSITION DES MAINS

Geste de bénédiction et d'invocation fait la main droite fermée, avec deux doigts tendus ; par ce geste on confère la bénédiction, la force ou l'autorité spirituelle. On utilise parfois les deux mains. Jésus guérit les malades ou bénit les enfants par imposition des mains (Marc 10, 16). Généralement, la bénédiction se faisait en posant les mains sur la tête mais la main droite apportait plus de bienfaits que la main gauche. Cette différence avait une grande importance, notamment pour les passations de pouvoir, l'investiture des prêtres, tel Moïse bénissant Josué, son successeur (Nombres 27, 19-23), ou des rois, et la transmission des héritages, tel Abraham et ses fils Ésaü et Jacob, puis Jacob et ses fils. Pour le Nouveau Testament, l'imposition des mains transmet un héritage ou pouvoir purement spirituel, la grâce qui guérit aussi les malades. Don de Dieu, l'imposition des mains ne se négocie pas. Simon le Magicien voulut acquérir avec de l'argent cette grâce inaccessible ; Pierre lui rétorqua : *Périsse ton argent et toi avec pour avoir cru pouvoir acheter avec de l'argent le don gratuit de Dieu* (Actes des Apôtres 8, 18-20).

## IMPÔTS

Manifestation et reconnaissance d'une autorité, les impôts sont d'abord, dans l'Ancien Testament, l'acceptation de la suprématie divine. En second lieu, les impôts se justifient car ils sont nécessaires à la vie commune, à l'autorité qui l'organise, juges, prêtres et rois. Au commencement de l'Église, le paiement de l'impôt était volontaire mais, par la suite, il devint obligatoire.

## INCARNATION

Terme utilisé par le christianisme pour désigner la venue de Dieu sur la terre, sous forme humaine, en la personne de Jésus-Christ. *Et le Verbe s'est fait chair et il a habité parmi nous* (Jean 1, 14).

## INSPIRATION

Tous les textes de la Bible, prophétiques ou historiques, ont été rédigés selon la volonté et l'Esprit divin, qu'il s'agisse de ceux de Moïse ou de ceux des prophètes. Selon les auteurs, il s'est agi de vision, d'écriture spontanée ou même parfois de la main de Dieu elle-même, mais jamais d'une action dictée par la volonté humaine. En ce sens, les livres bibliques ne peuvent être qualifiés de littérature, même lorsqu'ils ont une forme poétique ou héroïque.

## INTÉRÊTS

La Loi interdisait aux Hébreux d'exiger des intérêts lorsqu'ils prêtaient à leurs frères de tribu et aux pauvres (Exode 22, 24), puis aux émigrés et aux hôtes (Lévitique 25, 35-36). Cette interdiction était levée dans le cas de prêts à des étrangers (Deutéronome 23, 21).

## INVOCATION

Prières adressées à une divinité ou un saint personnage pour se mettre sous sa protection ou en obtenir la caution spirituelle avant d'entreprendre une activité dangereuse, ou une cérémonie solennelle.

## IÔANAN

*Le Seigneur est clément.* Nom du fils de Résa et petit-fils de Zorobabel, cité dans l'arbre généalogique de Jésus (Luc 3, 27).

## IÔDA

Arrière-petit-fils de Zorobabel, cité dans l'arbre généalogique de Jésus (Luc 3, 27).

## IÔNAM

Fils d'Élyaqîm, cité dans l'arbre généalogique de Jésus (Luc 3, 27).

## IÔRIM

Père d'Éliézer, cité dans l'arbre généalogique de Jésus (Luc 3, 27).

## IOTA

*I grec*. Le plus petit caractère de l'alphabet, correspondant à la lettre hébraïque *yod*. À propos des promesses divines, Jésus-Christ déclare (Matthieu 5, 18) : *Car, en vérité, je vous le déclare, avant que ne passent le ciel et la terre, pas un i, pas un point sur l'i ne passera de la Loi que tout ne soit arrivé.*

## ISAAC

*Il rit*. Fils miraculeux d'Abraham et de Sarah, époux de Rébecca et père d'Ésaü et Jacob qui naquit de Sarah alors qu'elle était trop âgée pour enfanter (Genèse 21). Né à Guérar ou Béer-Shéva, Isaac fut circoncis huit jours après sa naissance, selon la promesse qu'Abraham avait fait à Dieu. La naissance d'Isaac provoqua l'éviction de la servante Hagar et de son fils Ismaël qu'elle avait eu d'Abraham, car Sara ne voulait pas qu'il hérite au même titre que son fils (Genèse 21).
Afin d'éprouver la foi et l'obéissance d'Abraham, Dieu exigea qu'il lui offre son fils en sacrifice. Abraham, malgré sa douleur, obéit. Au moment où le patriarche levait le couteau sur son fils pour l'immoler, l'ange du Seigneur arrêta sa main : *Maintenant, je sais que tu crains Dieu, toi qui n'as pas épargné ton fils unique pour moi* (Genèse 22, 12). Abraham prit un bélier retenu par les cornes dans un buisson et le sacrifia sur l'autel à la place d'Isaac. Il nomma ce lieu *Le Seigneur voit*. Le sacrifice d'Isaac préfigure, dans le christianisme, la passion puis la Résurrection du Christ.
Isaac avait 40 ans lorsqu'il épousa Rébecca, fille de Bétouel, l'Araméen. Ils n'eurent pas d'enfants pendant vingt ans puis Rébecca donna naissance aux jumeaux Ésaü et Jacob (Genèse 25) qui avant de naître se battaient déjà dans le ventre de leur mère. Pour échapper à

la famine, Isaac et Rébecca se retirèrent à Guérar, ville du roi Abimélek, qui les protégea aussi longtemps qu'ils y restèrent. Lorsqu'ils en repartirent, ils s'arrêtèrent à Béer-Shéva (Genèse 26, 23-34) où Dieu annonça à Isaac qu'il aurait une grande postérité. Isaac érigea un autel et s'établit à Béer-Shéva. Le roi Abimélek les visita et leur offrit sept agnelles en signe d'amitié et ils firent un serment de paix (d'où le nom de Béer-Shéva, *le puits du serment*). Isaac avait 180 ans lorsqu'il mourut à Mambré de Qiryath-Arba, c'est-à-dire Hébron (Genèse 35, 27-29) où il fut enseveli avec les siens dans la grotte de Makpéla.

## ISCARIOTH

*Homme de Kériot*. Surnom donné à Judas, celui des douze apôtres qui trahit Jésus.

## ISHBOSHETH

*Homme de honte*. Nom d'Eshbaal, fils de Saül et roi en concurrence avec David. Le nom d'Eshbaal a certainement été remplacé par Ishbosheth afin de ne pas prononcer le nom du dieu Baal.

## ISHTAR

Grande déesse assyro-babylonienne de l'amour, de la fécondité et des combats, personnifiée par l'étoile du matin et l'étoile du soir, à l'origine des cultes d'Aphrodite, Vénus, Inana, Astarté et Déméter. Avec Isis dont elle est peu éloignée, Ishtar est l'image des grandes déesses mères adorées dans toutes les religions antiques.

## ISMAËL

En hébreu *Dieu entend*. Ancêtre des Ismaélites arabes, fils d'Abraham et de sa servante Hagar. Selon la Genèse (chapitre 16), Abraham avait 86 ans et Sara son épouse était trop âgée pour enfanter. Sara donna sa servante Hagar à Abraham afin qu'elle conçoive à sa place. Hagar mit au monde un fils, Ismaël, mais Sara eut aussi un fils, qu'elle nomma Isaac. Elle exigea alors qu'Abraham chasse Hagar et Ismaël dans le désert où ils errèrent jusqu'à ce qu'un ange de Dieu les mène vers un puits où le Seigneur annonça à Hagar que son fils serait *un véritable âne sauvage, sa main contre tous, la main de tous contre lui, à la face de tous ses frères* (Genèse 16). Dieu promit encore que d'Ismaël naîtrait une grande nation dont les membres seraient des fils du vent, c'est-à-dire des peuples du désert, nomades et libres, ce que soutiennent les Bédouins qui se considèrent toujours comme les seuls descendants d'Ismaël. Ismaël mourut à l'âge de 137 ans. Il laissa douze fils, c'est-à-dire douze chefs pour autant de groupes (tribus) selon la Genèse (chapitre 25, 16).

## ISRAËL

Surnom de Jacob, signifiant en hébreu *Combattant de Dieu* ou *Fort contre Dieu*, devenu le nom de ses douze fils et des douze tribus qui en naquirent. Selon le récit de la Genèse (chapitre 32), le nom de Jacob fut changé en Israël après que le patriarche eut lutté une nuit contre Dieu. À ce moment-là, Dieu apparut à Jacob à Béthel et annonça : *On ne t'appellera plus Jacob, mais Israël, car tu as lutté avec Dieu et avec les hommes et tu l'as emporté.* Avec cette transformation de nom, Jacob devint l'ancêtre des Israélites tandis que ses douze fils, ancêtres des douze tribus, furent désignés collectivement sous le nom d'*Israël* (Genèse 34, 7 ; Exode 9, 7) puis *Enfants d'Israël*. Après le règne et la mort de Salomon, Israël désigna plus simplement le royaume juif du Nord tandis que celui du Sud était appelé Juda.

Après la conquête de la Palestine par Josué (environ 1220 av. J.-C.) s'instaura une ligue sacrée constituée de douze tribus qui adoptèrent le nom d'Israël. La matérialisation de cette alliance fut faite par Josué qui commanda à douze hommes, un par tribu, d'apporter chacun une pierre prise au Jourdain. Josué se retira pour laisser passer le peuple puis, après la traversée du fleuve, il fit dresser les pierres à Guilgal afin qu'elles rappellent aux douze tribus que le peuple entier avait traversé le Jourdain à pied sec en portant l'arche d'alliance (Josué 4).

En 1024 av. J.-C., Saül, de la tribu de Benjamin, fonda une monarchie et devint le premier roi d'Israël (1 Samuel 9). Après lui régnèrent David puis son fils Salomon (965-926 av. J.-C.) ; mais à sa mort, le royaume se divisa entre Israël, royaume du Nord, et Juda, royaume du Sud dont Jérusalem était la capitale.

Vassal du roi assyrien Tiglath-Piléser, Israël s'allia à l'Égypte mais le royaume fut définitivement conquis en 722 av. J.-C. par le roi assyrien Salmanasar, puis il disparut de l'histoire. Après la disparition du royaume du Nord, le nom d'Israël fut donné à Juda (Jérémie 10).

## ISSAKAR

*Salaire*. Fils de Jacob et de son épouse Léa, il fut l'ancêtre éponyme d'une des douze tribus d'Israël. Issakar eut quatre fils nommés Pouwa, Tola, Shimrôn et Yov (Genèse 46,13). Dans sa bénédiction, Jacob le dépeint comme *un âne osseux couché dans son enclos… bon pour la corvée d'esclave* (Genèse 49, 14-15). Ce qui reflète la situation de la tribu d'Issakar, installée dans une plaine riche, et celle d'Izréel, placée sous domination cananéenne.

## ITAMAR

Fils d'Aaron, qui fut nommé et consacré prêtre avec son père et ses autres frères (Exode 28, 1) ; il fut l'ancêtre d'une lignée de prêtres (1 Chroniques 24, 4) dont Éli, Ahimélek et Abiatar.

## ITTAÏ

Fils de Rivai de Guivéa, tribu de Benjamin, que le roi David choisit avec trente autres braves (2 Samuel 23, 29). Ittaï est aussi le nom du commandant des 600 Philistins qui restèrent fidèles à David au moment de la révolte d'Absalon (2 Samuel. 15, 18-22).

## IVOIRE

L'ivoire des défenses d'éléphants était une matière utilisée pour fabriquer des objets de luxe, tel le trône de Salomon (1 Rois 10, 18). Le Cantique des Cantiques compare le ventre et le cou de la bien-aimée et du bien-aimé à de l'ivoire (chapitre 5, 14 ; 7, 3).

## IVRESSE

Bien que l'abus de toute chose soit répréhensible, l'ivresse religieuse est souvent montrée comme l'état de béatitude absolu. Un personnage ivre est un être délivré de ses barrières mentales, proche de Dieu et du monde céleste. Dans l'Ancien Testament, l'ivresse la plus célèbre est celle de Noé qui se montra nu et fut recouvert par ses fils, sauf par Cham, père de Canaan, qui fut maudit avec sa descendance en raison de son irrespect (Genèse 9).

## IYYÔN

Plaine située au nord du cours supérieur du Jourdain, qui fut le théâtre de nombreuses batailles entre les rois de Juda et d'Israël puis entre Israël et les Assyriens. Elle fut finalement conquise par le roi assyrien Tiglath-Piléser III (745-727 av. J.-C.) (2 Rois 15, 29).

## IZRÉEL

Ville située dans le territoire de la tribu d'Issakar (Josué 19, 18), à l'est d'une vallée fertile nommée aussi Izréel. La région fut longtemps un lieu de batailles où les Israélites affrontèrent victorieusement les Mèdes (Gédéon) et les Égyptiens, dont le roi Néko battit Josias de Juda (2 Rois 23, 29). Izréel fut la capitale du roi Akhab d'Israël (1 Rois 18, 45) dont l'épouse Jézabel fut assassinée par Jéhu l'usurpateur (2 Rois 9).

## JACOB

*Que Dieu protège* et *Celui qui supplante*. Fils d'Isaac et Rébecca, jumeau d'Ésaü, troisième patriarche du peuple hébreu, après Abraham et Isaac, père des fondateurs des douze tribus. Avant de naître, Jacob et Ésaü se disputaient dans le ventre de leur mère et Dieu annonça à Rébecca : *Deux nations sont dans ton sein, deux peuples se détacheront de tes entrailles. L'un sera plus fort que l'autre, et le grand servira le petit* (Genèse 25, 23). Cadet de son frère Ésaü qui était *un chasseur expérimenté courant la campagne*, Jacob *était raisonnable et habitait sous les tentes* ; il acquit le droit d'aînesse d'Ésaü en l'échangeant contre un plat de lentilles. Alors qu'Ésaü revenait bredouille et affamé après de nombreux jours de chasse, *Jacob lui donna du pain et du brouet de lentilles. Il mangea et but, il se leva et partit. Ésaü méprisa son droit d'aînesse* (Genèse 25). Pour tromper la vigilance de son vieux père Isaac, dont les yeux s'éteignaient, et profitant de l'absence de son frère parti chasser, Jacob endossa les vêtements d'Ésaü, cacha ses bras et son cou sous des peaux de chevreaux afin de paraître aussi velu qu'Ésaü.

Isaac donna alors la bénédiction des aînés à Jacob qui dut fuir aussitôt la colère d'Ésaü. Après une longue journée de marche, il s'arrêta pour la nuit et *prit une des pierres de l'endroit, en fit son chevet et coucha en ce lieu* (Genèse 28, 11). Endormi, il aperçut en rêve une échelle sur laquelle passaient des anges. Dieu s'adressa à Jacob et lui promit une descendance aussi nombreuse que la poussière sur la terre. À son réveil, Jacob prit la pierre qui lui avait servi à reposer sa tête et la dressa comme une stèle sur laquelle il versa de l'huile pour la consacrer. Il appela ce lieu Béthel, *la maison de Dieu*.

Jacob travailla sept ans pour Laban et épousa sa fille Léa. Il travailla sept autres années et épousa Rachel. *Jacob aimait Rachel bien plus que Léa. Quand le Seigneur vit que Léa n'était pas aimée, il la rendit féconde, alors que Rachel restait stérile* (Genèse 29). Jacob eut aussi comme concubines Zilpa et Bilha, les servantes de ses épouses, qui lui donnèrent douze fils et une fille : Ruben (*Vois, un fils !*), Siméon (*Celui qui écoute*), Lévi (*Supplément*), Juda (*Remerciement*), Dan (*Juge*), Nephtali (*Combattant*), Gad (*Chance*), Asher (*Enfant du bonheur*), Issakar (*Salaire*), Zabulon (*Gîte*), Dina, Joseph (*Celui qui accroît*) et Benjamin (*Fils du succès*) (Genèse. 35).

Alors que Jacob se préparait à combattre Ésaü, un homme s'approcha et lutta contre lui jusqu'à l'aube ; voyant qu'il ne pourrait vaincre Jacob, l'inconnu le frappa de telle façon qu'il lui déboîta la hanche. Après cela, il le bénit et lui donna le nom d'Israël (Genèse. 32) : l'inconnu n'était autre que le Seigneur. Jacob se réconcilia avec Ésaü, édifia une maison à Sichem, puis s'installa à Béthel (Genèse 35, 1) avant de retourner à Mambré, près d'Hébron, où son épouse Rachel mourut en donnant naissance à Benjamin. Lorsque ses fils s'installèrent en Égypte, Jacob les rejoignit et y mourut dix-sept ans plus tard, âgé de 147 ans, après avoir béni ses enfants. Joseph le fit ensevelir dans la grotte de Makpéla où reposaient déjà Abraham et Sara, Isaac et Rébecca, et Léa.

## JACQUES (ÉPÎTRE DE)

Collection d'exhortations et de mises en garde attribuée à Jacques le Juste, le frère du Seigneur, rédigée à la fin du Iᵉʳ siècle, adressée *aux douze tribus vivant dans la dispersion*, c'est-à-dire l'ensemble de la jeune chrétienté comparable aux *douze tribus d'Israël*.

## JACQUES LE JUSTE (FRÈRE DE JÉSUS)

Peut-être un cousin de Jésus bien qu'appelé frère de Jésus (Matthieu 13, 55), Jacques le Juste serait l'auteur de l'épître de Jacques. Lors du concile de Jérusalem, Jacques le Juste rédigea le décret des Apôtres (Actes des Apôtres 15, 20-29) qui fut pour eux le texte de référence harmonisant les rapports entre judéo-chrétiens et chrétiens. Jacques s'opposa en de nombreux points à l'apôtre Paul. Il fut lapidé en 62.

## JACQUES LE MAJEUR

Disciple et apôtre du Christ. Le fils de Zébédée, apôtre de l'Ouest, reconnaissable dans la statuaire à son long bâton de pèlerin (bourdon) et à la coquille qu'il arbore. Les églises espagnoles le surnomment *matamore*, c'est-à-dire le guerrier luttant contre les Maures, et lui ajoutent une grande épée. Jacques le Majeur mourut décapité d'un coup de sabre sur l'ordre d'Hérode Agrippa. Ses restes reposent à Compostelle, le plus important centre de pèlerinage d'Europe après Rome.

## JACQUES LE MINEUR

Fils d'Alphée, disciple et apôtre du Christ, souvent confondu avec Jacques le Juste. Jacques le Mineur mourut lapidé et assommé par un coup de foulon (bâton de teinturier gros et court) à Jérusalem, dont il aurait été le premier évêque. Dans la statuaire religieuse, Jacques le Mineur est représenté tenant un foulon à la main.

## JAFFA

Port de la côte de la Palestine (actuelle Tel-Aviv-Jaffa) datant du V$^e$ millénaire avant notre ère. La fondation de Jaffa serait l'œuvre de Japhet, fils de Noé, quarante ans après la fin du Déluge. Les bois en provenance du Liban arrivaient à Jaffa, notamment ceux utilisés par Salomon pour la construction du temple de Jérusalem. De ce port, le prophète Jonas embarqua pour Tarsis sur un navire phénicien (Jonas 1). Après avoir fait partie des empires assyrien, phénicien, puis de celui d'Alexandre le Grand (332 av. J.-C.), Jaffa appartint à l'Égypte des Ptolémées ; les Israélites qui y demeuraient durent quitter la ville par la mer où leurs navires furent coulés. En représailles, Judas Macchabée fit incendier le port et ses navires, puis son frère Jonathan prit possession de la ville en 144 av. J.-C. (1 Macchabées 10, 76).

## JAÏROS

(Forme grecque de *Yaïr*). Chef de synagogue dont Jésus-Christ ressuscita la fille décédée (Matthieu 9, 18-26).

## JAKIN

*Il établira*. Nom de l'une des deux colonnes du temple de Salomon, l'autre étant nommée Boaz (*Dans la force*). Ces deux colonnes furent fondues en bronze par Hiram, fils de la veuve Nephtali.

## JANNÈS ET JAMBRÈS

Noms donnés dans la seconde épître à Timothée (chapitre 3, 8) aux magiciens égyptiens qui luttèrent avec leur magie contre Moïse et Aaron. Comme eux, ils purent changer des bâtons en dragons mais le dragon d'Aaron engloutit leurs bâtons (Exode 7, 11), changer l'eau du Nil en sang et à faire tomber des grenouilles sur l'Égypte, mais ils ne purent faire naître des moustiques avec de la poussière.

## JAPHET

Troisième fils de Noé (Genèse, 5, 32) qui, avec son frère Sem, recouvrit son père ivre lorsqu'il se montra nu. Japhet serait l'ancêtre des peuples de l'Asie Mineure et des îles méditerranéennes (Genèse 10, 2-5).

## JARDIN

Le jardin d'Éden est, dans l'Ancien Testament, le jardin idéal et primordial, le paradis. D'autres jardins sacrés et royaux comportaient un lac, miroir du ciel, et de nombreuses espèces végétales qui en faisaient une image de l'Éden ; pour les prophètes, Israël était lui-même le jardin voulu par Dieu. C'est dans le jardin de Gethsémani, sur le mont des Oliviers, que Jésus se retira pour une ultime méditation avant son arrestation (Jean 18, 1). Symbole du lieu ordonné et harmonieux, petit paradis et lieu de délices, le jardin est, pour les hommes, l'endroit du labeur intime, identifié au temple intérieur.

## JASON

Nom du fils d'Éléazar et père d'Antipater envoyé par Judas Macchabée à Rome pour signer un traité d'alliance entre Juifs et Romains (1 Macchabées 8, 17 ; 12, 16). Jason fut aussi un grand prêtre (174-172 av. J.-C.), frère du grand prêtre Onias III ; partisan du parti hellénistique, Jason évinça Onias et acheta la dignité de grand prêtre afin d'helléniser ses compatriotes. Il fut à son tour supplanté par son frère Ménélas et dut s'exiler en Ammanitide (2 Macchabées 4, 7-26). Jason est également un chrétien de Thessalonique traîné devant le préfet romain par les Juifs parce qu'il avait reçu Paul et Silas chez lui (Actes 17, 5-9).

## JASON DE CYRÈNE

Savant juif (probablement hellénistique) qui rédigea en grec une histoire des guerres des Macchabées sous les rois Antiochus IV et V. Le livre II des Macchabées (chapitre 2, 19-23) cite cet ouvrage dont il ne reste rien.

## JEAN

Forme grecque de l'hébreu *Iôanan*. Nom de plusieurs personnages dont le père de Mattathias et l'un de ses cinq fils, Jean Gaddi (1 Macchabées 2). Jean est aussi le nom du père de l'apôtre Pierre, parfois appelé Jonas.

## JEAN (ÉPÎTRES DE)

Elles sont trois épîtres du Nouveau Testament attribuées à l'apôtre Jean, et dont l'auteur se présente comme un responsable de communauté chrétienne. Ces épîtres montrent de nombreuses similitudes avec l'Évangile de Jean, bien qu'il semble qu'elles aient été écrites (au moins deux) par un disciple de l'Évangéliste. Le sujet essentiel en est la lutte contre l'hérésie, c'est-à-dire la doctrine gnostique qui se répand peu à peu dans l'Église au Ier siècle.

## JEAN (ÉVANGILE SELON SAINT)

Le quatrième Évangile canonique est attribué à l'apôtre Jean, nommé pour cela l'Évangéliste. La rédaction de Jean se distingue des trois autres Évangiles parce qu'il précise la personnalité du Christ en le mettant en scène. Jean montre aussi que les disciples n'ont réellement perçu la dimension de Jésus-Christ qu'après sa résurrection et la descente du Saint-Esprit (Jean 2, 12, 16, 14, 16, 20 et 21).

## JEAN HYRCAN I<sup>ER</sup>

*Yohanân* (en hébreu, *Ioannès* en grec). Grand prêtre et roi juif, successeur, en 134 av. J.-C., de son père Simon Macchabée (1 Macchabées 16, 21-24), il adjoignit la Samarie, l'Idumée et des territoires situés en Transjordanie à son royaume, qui devint ainsi plus vaste qu'il ne l'était au temps du roi Salomon. En 134, le roi Antiochus VII prit Jérusalem et obligea Jean Hyrcan à combattre avec son armée. Après la mort d'Antiochus, en 129, Jean Hyrcan I<sup>er</sup> affranchit complètement son royaume des Séleucides et s'allia aux Romains. Il mourut en 104 av. J.-C. et son fils Aristobule I<sup>er</sup> lui succéda.

## JEAN HYRCAN II

Grand prêtre qui succéda à son père Alexandre Jannée en 77 av. J.-C. Rival de son frère Aristobule, il livra Jérusalem en 63 av. J.-C. au général romain Pompée, qui le nomma grand prêtre. Pendant la guerre entre César et Pompée (en 48 av. J.-C.), Hyrcan s'allia à César qui, vainqueur, le maintint dans ses fonctions de grand prêtre, puis le nomma ethnarque avec une totale autorité sur les Juifs. Vers 40 av. J.-C., il fut renversé par son neveu Antigone soutenu par les Parthes, puis on lui coupa les oreilles afin qu'il ne puisse plus exercer la fonction de grand prêtre. En 31 av. J.-C., Hérode le Grand le fit exécuter après lui avoir rendu de grands honneurs.

## JEAN-BAPTISTE (SAINT)

Fils de Zacharie et d'Élisabeth, cousine de la Vierge Marie, tous deux déjà âgés, Jean-Baptiste est la *Voix qui crie dans le désert* (Jean. 1, 23). Il baptise d'eau tous ceux qui veulent obtenir le pardon de leurs péchés (Luc. 3, 2-3). Il met fin à sa mission après avoir baptisé Jésus. Jean-Baptiste annonce celui qui baptisera du feu spirituel. Dans la statuaire romane et la peinture religieuse, Jean-Baptiste est représenté portant un agneau et annonçant : *Ecce Agnus Dei, Voici l'Agneau de Dieu qui sauve le péché du monde* (Jean 1, 29). En 28 apr. J.-C., Hérode Antipas le fit décapiter pour satisfaire la danseuse Salomé, à qui l'on présenta la tête tranchée de Jean-Baptiste sur un plateau.

## JEAN L'ÉVANGÉLISTE (SAINT)

Disciple préféré du Christ, Jean assista à sa Transfiguration (Matthieu 17) et reposa sa tête sur sa poitrine pendant la Cène (Jean 13, 23). Au Golgotha, il reçut Marie lorsque le Seigneur disparut ; il fut l'un des premiers à découvrir sa tombe vide (Jean 20). Jean l'Évangéliste est auteur de l'Évangile portant son nom, de trois lettres et, bien que cela soit moins certain, de l'Apocalypse qu'il aurait écrit dans l'île de Patmos où il était exilé. Appelé *le disciple que le Seigneur aimait*, Jean est reconnaissable dans la statuaire religieuse à la coupe qu'il tient, sur laquelle veille un petit dragon (vouivre) ; la légende rapporte, en effet, qu'il but sans dommage un poison mortel. Également selon la légende, l'apôtre, âgé de 99 ans, quitta la terre dans un nuage de lumière, enlevé dans son église d'Éphèse. Jean l'Évangéliste est personnifié par un aigle et fêté au solstice d'hiver (tandis que saint Jean le Baptiste est fêté au solstice d'été). C'est dans l'Évangile de saint Jean qu'on peut lire le commandement chrétien le plus admirable : *Aimez-vous les uns les autres comme je vous ai aimés* (chapitre 13, 34).

## JEANNE

*Le Seigneur est clément.* Femme de l'intendant d'Hérode Antipas au temps de Jésus, elle aida les disciples et découvrit vide la tombe du Seigneur au matin de Pâques (Luc 8 ; 24).

## JÉBUS

Ancien nom de Jérusalem avant sa conquête par le roi David (Juges, 19, 10-11) ; les habitants sont appelés Jébusites dans l'Ancien Testament.

## JÉHU D'ISRAËL

Roi d'Israël (royaume du Nord) de 845 à 818 av. J.-C., d'abord général de l'armée du roi Yoram puis fondateur de la dynastie qui porte son nom ; il resta au pouvoir jusqu'en 747. Jéhu fut oint par un disciple d'Élisée alors que le roi Yoram était à Izréel. Le prophète lui fit savoir qu'il détruirait par ses mains la maison d'Akhab, tandis que les chiens mangeraient Jézabel, car tous avaient versé le sang de nombreux serviteurs du Seigneur (2 Rois 6-10). Jéhu fit ce que le Seigneur avait demandé et tua Yoram et toute sa famille ainsi que le roi Akhazias de Juda, puis il fit défenestrer Jézabel et la fit piétiner par ses chevaux (2 Rois 9, 30-37). Après cela, il fit décapiter les 70 fils d'Akhab ainsi que les 24 frères du roi Akhazias de Juda. Ayant terminé l'épuration, il procéda à l'extermination des prêtres de Baal et détruisit leur temple. Sa férocité lui fut cependant reprochée par les prophètes. Jéhu mourut après avoir régné 28 ans ; il fut enseveli à Samarie (2 Rois 10, 36).

## JÉHU LE PROPHÈTE

Fils d'Hanani, ce prophète s'opposa aux rois Baésha d'Israël (1 Rois 16, 1-4) et Josaphat de Juda, dont il aurait rédigé les Actes, insérés dans le livre des rois d'Israël (2 Chroniques 20, 34).

## JEPHTÉ

Juge d'Israël pendant six ans, né à Galaad, Jephté était le fils d'une prostituée et de Galaad, qui le chassa de son territoire. Il se réfugia à Tov où il devint un chef de bande redouté (Juges 11, 2-3). Les Israélites ayant besoin d'un chef pour combattre les Philistins, les Ammonites et les tribus de Juda qui les attaquaient, Benjamin nomma Jephté chef suprême de leurs troupes (Juges 10, 17-18). Jephté remporta de nombreuses victoires, notamment sur les Éphraïmites et les Ammonites. Quand il mourut, on l'ensevelit à Galaad (Juges 12, 7).

## JEPHTÉ (LE SACRIFICE DE)

Avant d'entreprendre une bataille qui s'avérait difficile, Jephté promit que s'il était victorieux, il sacrifierait par le feu la première personne qui passerait le seuil de sa maison à son retour. Alors qu'il revenait en vainqueur, sa fille unique sortit à sa rencontre, dansant et jouant du tambourin (Juges 11, 34). Elle accepta son destin en demandant seulement un délai de deux mois qui lui fut accordé et dont elle usa pour aller dans la montagne avec ses amies pour pleurer sa jeunesse. Après cela, elle revint chez son père qui exécuta son vœu et la tua. Naquit alors la coutume chez les filles d'Israël d'aller célébrer la fille de Jephté, la Galaadite, quatre jours par an (Juges 11, 39-40).

## JÉRÉMIE

Né vers 650 av. J.-C., Jérémie est le fils de Hilqiya, membre du clergé d'Anatoth, près de Jérusalem, sur le territoire de Benjamin. Prophète (627-587 av. J.-C.), son interprétation des événements historiques, notamment de la captivité à Babylone, le rendit impopulaire au point qu'il dut s'exiler en Égypte. Il y mourut en 580, lapidé par les Juifs exilés comme lui, qui refusaient ses accusations. En effet, il accusait Israël d'être responsable de sa chute parce qu'il adorait des divinités étrangères. Jérémie est l'auteur des *Lamentations* et d'un grand livre prophétique qui porte son nom, sans doute écrit sous la dictée par son secrétaire Baruch (605 av. J.-C.).

## JÉRÉMIE (LETTRE DE)

Écrit attribué à Jérémie se présentant comme une copie de la lettre qu'adressa le prophète aux Juifs déportés à Babylone.

## JÉRICHO

Ville de Palestine où se situe l'un des épisodes les plus spectaculaires de la conquête de la Terre promise. Josué, par le son de ses trompettes (cornes), fit s'écrouler les puissantes murailles de la ville (Josué 5, 13).

## JÉROBOAM Iᴱᴿ

Fils du fonctionnaire royal Nevath et de son épouse Ceroua, né à La Ceréda, entre Jaffa et Silo, dans le territoire de la tribu d'Éphraïm. Après avoir été surveillant de la corvée de la maison de Joseph, Jéroboam se rebella contre Salomon parce qu'il avait abandonné la Loi et l'alliance et se prosternait devant les divinités étrangères, marchant loin de Dieu. Salomon voulut le faire tuer et Jéroboam dut se réfugier en Égypte jusqu'à la mort de Salomon (1 Rois 11). Après la mort de Salomon (926 av. J.-C.), son fils Roboam lui succéda et fut reconnu roi de Juda ; mais à Sichem, on ne voulait pas d'une monarchie héréditaire : il y eut sécession et Jéroboam fut désigné roi des dix tribus du Nord (933-911). De nombreux combats ponctuèrent les deux règnes car Roboam refusait de reconnaître Jéroboam comme souverain. Afin de faire cesser les pèlerinages à Jérusalem, Jéroboam fit élever des veaux d'or dans les lieux de culte, ce qui amena la malédiction de Dieu sur sa famille. Jéroboam perdit son fils Aviya avant de mourir lui-même et d'être remplacé par son autre fils Nadab (907-906). Nadab ne régna que deux ans puis fut assassiné par Baésha, un officier, qui lui succéda et extermina toute sa maison (1 Rois 15, 29). Lequel Baésha fut exterminé avec sa maison pour avoir commis les mêmes fautes.

## JÉROBOAM II

Dernier roi (787-747 av J.-C.) du royaume du Nord, Israël. Fils du roi Joas, de la dynastie de Jéhu, il poursuivit le redressement de la puissance politique d'Israël entamé par son père, qui avait reconquis des portions de la Cisjordanie. Jéroboam II rétablit l'intégrité du territoire d'Israël, et son règne fut long et heureux. Son fils Zacharie lui succéda ; il suivit les traces de son père, mais fut tué six mois plus tard par Shallloum qui régna à sa place (2 Rois 15, 10).

## JÉRÔME

Sophronius Eusèbe (345-420). Père et docteur de l'Église latine, auteur d'une version de la Bible latine appelée *Vulgate* en raison de sa grande diffusion. La Vulgate fut (jusqu'au xxᵉ siècle) l'unique version autorisée de la Bible dans le catholicisme.

## JÉRUSALEM

*La Paix apparaîtra*. Ville appelée la *Sion des prophètes*, conquise par David vainqueur des Jébuséens vers l'an 1000 av. J.-C., qui en fit la capitale d'Israël. Selon la tradition, Jérusalem se nommait *Salem* (*paix* en hébreu). Dans cette cité, le roi-prêtre Melkisédeq accueillit Abraham, lui offrit du pain et du vin et le bénit (Genèse 14, 17-20). Entre 1220 et 1200 av. J.-C., Josué et les Israélites conquirent la Palestine sans arriver à prendre Jérusalem. David prit la ville et s'y installa, d'où son surnom de *Cité de David* (1 Chroniques 11, 7-8). Sous le règne de son fils Salomon (965-926 av. J.-C.), la ville se développa considérablement ; Salomon y fit édifier son palais et le temple que son père n'avait pu ériger. Entre la fin du règne de Salomon et le départ en exil à Babylone,

Jérusalem fut constamment assiégée : aux assauts succédaient pillages et incursions de toutes sortes. En 922 av. J.-C., le roi égyptien Sheshonq I<sup>er</sup> conquit la ville et *prit les trésors de la Maison du Seigneur et les trésors de la maison du roi... et même les boucliers d'or que Salomon avait faits* (I Rois 14, 26). Vers 845, les Arabes et les Philistins volèrent tous les biens qui se trouvaient dans la maison du roi, même ses fils et ses femmes (2 Chroniques 21, 17). Ce furent enfin les Araméens qui pillèrent la ville, puis le roi Joas d'Israël *qui prit tout l'or et l'argent, tous les objets qui se trouvaient dans la Maison du Seigneur et dans les trésors de la maison du roi... et qui s'en retourna à Samarie* (2 Rois 14, 14). En 605 et 597 av. J.-C., Nabuchodonosor II, roi de Babylone, prit Jérusalem, qu'il détruisit ; il emmena ensuite sa population en exil à Babylone. *À ce moment, les Chaldéens brisèrent les colonnes de bronze de la Maison du Seigneur ainsi que les bases de la mer de Bronze qui étaient dans la Maison du Seigneur et ils en transportèrent le bronze à Babylone* (2 Rois 25, 8-13). Les prophètes réconfortèrent les déportés en leur annonçant leur retour dans la ville de David et Salomon. En 549 av. J.-C., Cyrus le Grand, roi des Perses, prit le royaume de Babylone, emmena son roi et tua son fils Belshassar ; il permit ensuite le retour des Juifs dans leur pays (Esdras 1). Sitôt revenus dans leur ville, les habitants de Jérusalem, dirigés par Zorobabel, entreprirent de reconstruire le temple de Salomon, qui fut consacré en 515 av. J.-C.

Hellénisée par Alexandre le Grand (332), Jérusalem fut pillée (169), par Antiochus IV, le Temple profané et rempli de débauches et d'orgies (2 Macchabées 6, 4-5). À cause de ces sacrilèges et de la terreur que faisait régner Antiochus IV, les Macchabées entreprirent une guerre de libération du peuple juif appelée *Révolte des Macchabées*. Vainqueurs, ils reprirent la colline du Temple et restaurèrent l'édifice qu'ils reconsacrèrent en décembre 164. Après cela, les Macchabées firent de Jérusalem libérée leur capitale et régnèrent jusqu'en 63 av. J.-C., année où le grand prêtre Hyrcan livra Jérusalem à Pompée.

En 40 av. J.-C., Hérode le Grand Antipater fut proclamé roi des Juifs par le sénat romain. Désirant s'attacher son peuple, Hérode réédifia le Temple, doubla la surface de l'esplanade et dota Jérusalem d'un palais magnifique, d'une forteresse et d'une grande agora. Cependant, les conflits entre la puissance romaine et les Juifs étaient si fréquents et violents qu'en l'an 70, après une révolte appelée première guerre juive, la ville de Jérusalem fut détruite une nouvelle fois, et incendiée par Titus, le futur empereur.

Vestige du grand temple d'Hérode, le mur des Lamentations est devenu le premier lieu de pèlerinage du judaïsme.

## JÉRUSALEM CÉLESTE

La Jérusalem céleste est l'image transcendée de la Jérusalem terrestre ; elle resplendira à la fin des temps, pour une nouvelle vie dans la lumière divine. L'apôtre Paul oppose la Jérusalem terrestre et la Jérusalem céleste, l'Ancien Testament et le Nouveau Testament, le judaïsme et le christianisme (Galates 4, 24-26). Dans la Jérusalem de David devait vivre le peuple de Dieu ; dans la Jérusalem céleste vivra après le jugement dernier le peuple de Dieu libéré par le Christ (Apocalypse 21, 2-4).

Pour le rédacteur de l'Apocalypse, après la victoire de Dieu sur Satan, à la fin des temps, descendra du ciel la Jérusalem céleste qui s'établira sur la terre. *Elle sera prête comme une épouse qui s'est parée pour son époux* (Apocalypse 21, 2). Ce sera une ville faite d'or pur (symbole de lumière), carrée (symbole de solidité et de perfection), entourée d'un mur de jaspe avec douze assises et douze portes (symbolisant à la fois les douze tribus et les douze apôtres, ainsi que la multitude des élus). Proche du paradis disparu, cette Jérusalem céleste n'a pas besoin de temple car *son Temple, c'est le Seigneur Dieu tout-puissant, ainsi que l'Agneau. La cité n'a besoin ni du soleil ni de la lune pour l'éclairer, car la gloire de Dieu l'illumine et son flambeau, c'est l'Agneau.* (Apocalypse 21, 23-27).

## JESSÉ

*Homme de Dieu*. Fils d'Obed et petit-fils de Booz (Ruth 4, 21-22), de la tribu d'Éphrata, Jessé fut le père de huit fils dont le plus jeune, berger, devint le roi David (1 Samuel 17, 12-14). Jessé est cité dans la généalogie du Christ (Matthieu 1, 5). Dans l'épître aux Romains (chapitre 15, 12), l'apôtre Paul qualifie *Jésus de rameau de la souche de Jessé.*

## JÉSUS

Nom masculin très répandu à l'époque hellénistique. Forme hellénisée de l'hébreu *Josué* ou bien *Yehoshoua.*

## JÉSUS FILS DE SIRAKH (LIVRE DE)

Fils d'Éléazar, fils de Sira (Siracide 50, 27), rédacteur d'une série de textes édités à Jérusalem vers 190/180 av. J.-C. La Bible présente ses écrits sous le titre du livre du Siracide qui se compose de règles de vie, de proverbes, d'aphorismes populaires ou de recommandations religieuses et de prophéties enseignant la sagesse. La version de la Septante a incorporé le livre du Siracide parmi les livres de la sagesse au même titre que le Qohéleth (Ecclésiaste), les Proverbes et le Cantique des Cantiques. Le livre du Siracide a longtemps été appelé L'Ecclésiastique (en latin *Liber ecclesiasticus*).

## JÉSUS-CHRIST

De l'hébreu *Yehôshoua* Jésus (*Dieu sauve*) et de *Meshîhâ*, le Messie, l'Oint, le Christ. Jésus nous est connu par l'historien romain Tacite (*Annales* 15, 44), par Pline le jeune (*Lettre à l'empereur Trajan*), par Suétone (*Vie de l'empereur Claude*), et par l'historien juif Flavius Josèphe (*Antiquités juives*). Selon les différents Évangiles, Jésus naquit sous le règne du roi Hérode le Grand, sept ou quatre ans avant la date actuellement attribuée, fixée en l'an 754 de la fondation de Rome par le moine Denys le Petit (mort en 540). Selon ces dates, Jésus, qui entama sa vie publique à 30 ans, se manifesta entre 26 et 28 (Luc 3, 23), peut-être pendant une ou deux années. Jésus fut crucifié un vendredi midi alors que Ponce Pilate était procurateur de Judée (entre 26 et 36), le 14 nisan (Jean 18, 28). Né à Bethléem, cité de David, fils de Jessé, dont il était un descendant (Matthieu 1, 6), Jésus était le fils de Joseph le charpentier et de Marie (Matthieu 13). Il fut baptisé dans le Jourdain par Jean le Baptiste puis débuta son ministère et fit ses premiers miracles en Galilée, à Capharnaüm et Génésareth. Son enseignement et ses miracles lui valurent la haine des autorités qui le firent condamner comme agitateur politique et faux messie.

Le message essentiel de Jésus tient dans l'annonce et la promesse du royaume de Dieu qui, à la fin des temps, assujettira les forces du mal. S'il veut être sauvé, l'homme doit répondre à cet appel et se convertir, puis vivre et agir dans la perspective du royaume futur. Dans son message, Jésus-Christ proclame l'avènement prochain du royaume de

Dieu que chacun peut déjà vivre en son âme ici-bas. Jésus enseigna la loi d'amour citée par saint Jean dans son Évangile (chapitre 15, 12) : *Aimez-vous les uns les autres comme je vous ai aimés*. La résurrection du Christ est une victoire remportée sur la mort ; Jésus-Christ remet l'homme dans la main du Père et lui offre la possibilité de l'éternité.

## JÉTHRO

Désigné dans le livre de l'Exode (chapitre 18) comme beau-père de Moïse, prêtre de Madiân, Jéthro était un éleveur de bétail dont Moïse garda les troupeaux. Ayant entendu ce que Dieu avait fait pour Moïse et comment il avait mené le peuple hors d'Égypte, Jéthro rendit visite à Moïse dans le désert et, voyant comment il menait son peuple, il lui conseilla de placer des hommes capables au-dessus du peuple en tant que *juges* (responsables) : *Ils jugeront le peuple en permanence. Tout ce qui a de l'importance, ils te le présenteront, mais ce qui en a moins, ils le jugeront eux-mêmes. Allège ainsi ta charge. Qu'ils la portent avec toi !* Moïse fit ce que Jéthro lui avait conseillé (Exode 8, 17-26).

## JEÛNE

Abstention totale ou partielle de nourriture, de boisson, et parfois abstinence sexuelle, le jeûne renforce la prière et la méditation, lors de deuils, de pénitences ou au moment d'une requête. Selon la loi mosaïque, le jeûne n'avait lieu que quelques jours par an (Nombres 29, 7), c'est pourquoi les prophètes luttaient contre les jeûnes prolongés et ostentatoires (Ésaïe 58, 3-7). Dans le Nouveau Testament, Jésus critique le formalisme du jeûne et l'hypocrisie des pharisiens qui jeûnent deux fois par semaine mais n'ont pas une réelle humilité (Luc 18, 12). Cependant, Jésus jeûna à plusieurs reprises, notamment pendant quarante jours dans le désert. Le christianisme reconnaît des jeûnes, notamment le carême, ou des jours précis précédant certaines fêtes.

## JÉZABEL

Nom de deux femmes désignées comme impies dans l'Ancien et le Nouveau Testament. La première était la fille d'Ethbaal, roi de Sidon et ancien prêtre d'Astarté. Elle épousa le roi Akhab d'Israël et fut assassinée en 845 av. J.-C. Sous son influence, Akhab commit force abominations en restaurant le culte de Baal pour qui il construisit un temple à Samarie (1 Rois 16, 31). Il extermina les prophètes de Dieu tandis qu'elle entretenait quatre cent cinquante prophètes de Baal et quatre cents prophètes d'Ashéra (1 Rois 18, 19). Le prophète Élie en réchappa miraculeusement et fit mettre à mort tous les prophètes de Baal sur le mont Carmel. Jézabel fut jetée par la fenêtre de son palais par l'usurpateur Jéhu qui la fit piétiner par son cheval. Le corps fut dévoré par les chiens, comme l'avait annoncé le prophète Élie : *Les chiens mangeront le cadavre de Jézabel* (2 Rois 9, 30). L'Apocalypse (chapitre 2, 20) cite une autre Jézabel se disant prophétesse, membre des nicolaïtes à Thyatire, qui *égare mes serviteurs* (Apocalypse 2, 22-23) dont il annonce la chute.

## JOAB

Fils de Cerouya et neveu du roi David, frère d'Avshai et d'Asahel, Joab fut chef des mercenaires de David puis chef de ses armées (2 Samuel, 8, 16). Joab se distingua aussi par sa brutalité et ses assassinats, notamment celui du général Avner qu'il tua pour venger la mort au combat de son frère Asahel (2 Samuel, 3, 27) et celui du fils de David, Absalon, qui s'était révolté contre son père. David pleura la mort d'Absalon puis, âgé, désigna Salomon comme son successeur, privant du trône son fils aîné Adonias. Celui-ci se révolta et s'allia avec le prêtre Abiathar et Joab. Averti, Salomon accéda cependant au trône et laissa Adonias et Joab impunis (1 Rois 1, 50-53) mais, sitôt la mort de David, il destitua Abiathar et fit exécuter Adonias et Joab. Benayahou, meurtrier de Joab, fut élevé au rang de commandant en chef des armées (1 Rois 2, 28-35).

## JOAS DE JUDA

Fils de Civya et du roi Akhazias, assassiné en 845 av. J.-C. pendant la révolution de Jéhu ; Joas, qui n'avait qu'1 an, fut l'unique survivant du massacre. Il fut caché dans un temple pendant six ans par sa tante Yehoshèva et le grand prêtre Yehoyada son époux (2 Rois 11, 1-3). Après la chute d'Athalie, responsable du massacre de sa famille, Joas accéda au trône du royaume de Juda où il demeura de 840 à 801 av. J.-C. (2

Rois 11, 19-20). Il fit réparer le Temple mais, après la mort de Yehoyada à l'âge de 130 ans, il se laissa influencer par ses conseillers et permit le culte des poteaux sacrés et des idoles malgré les recommandations des prophètes. Lorsque Zekarya, le fils de Yehoyada, lui reprocha publiquement ses abus, Joas le fit lapider dans la cour du Temple (2 Chroniques 24, 20-22). Le roi Hazaël de Damas et ses troupes montèrent contre Joas et Jérusalem, anéantirent les chefs et exigèrent de Joas un tribut énorme qui l'obligea à donner *tous les objets consacrés… tout l'or qui se trouvait dans les trésors de la Maison du Seigneur et de la maison du roi* (2 Rois 12, 19). Après cette défaite, Joas tomba malade et ses serviteurs l'assassinèrent parce qu'il avait fait mourir Zekarya (2 Chroniques 24, 25). On l'enterra à Jérusalem hors des tombes royales. Son fils Amasias lui succéda.

## JOAS D'ISRAËL

Roi d'Israël (802-787 av. J.-C.). Fils et successeur du roi Yoakhaz. Après avoir été provoqué par Amasias de Juda, Joas d'Israël lui déclara la guerre, anéantit les Judéens à Beth-Shémesh, captura Amasias et l'amena à Jérusalem *où il prit tout l'or et l'argent*. Ces victoires avaient été annoncées par le prophète Élisée quelque temps avant sa mort (2 Rois 13 et 14).

## JOB

Père de sept fils et sept filles, personnage principal du livre de Job, œuvre rédigée en hébreu ancien par un poète anonyme, que l'on date généralement du Ve siècle avant J.-C. Cette œuvre, un des grands textes de la littérature hébraïque, est un récit rapportant les épreuves d'un homme pieux, riche, bon et juste à qui Satan et les fils de Dieu infligent, avec l'autorisation de Dieu, malheur, maladie et pauvreté afin de tester sa fidélité envers Dieu. Dans le récit, se trouve un échange de vue entre Job et trois de ses amis qui attribuent à la seule justice divine l'origine de ses malheurs, car ils pensent que la souffrance est la punition des péchés. Job personnifie le héros qui malgré les épreuves reste fidèle à ses convictions. Châtié injustement, Job préfigure par ses souffrances le Christ crucifié et sa victoire sur les forces du mal.

## JOËL

Nom d'un prophète de Jérusalem que l'on situe en deuxième position dans la liste des douze « petits prophètes ». Le livre de Joël ne renseigne ni sur le personnage ni sur l'époque de sa rédaction. Les deux premiers chapitres annoncent une invasion de sauterelles et la sécheresse qui annoncent la venue du jour du Seigneur ; les deux suivants préfigurent le jugement dernier des peuples de la Terre. Joël est aussi le nom du fils du juge et prophète Samuel.

## JONAS

Fils d'Amittai, cinquième des « petits prophètes », il remplit sa mission pendant le règne de Jéroboam II (787-747 av. J.-C.) roi du royaume du Nord (Israël). Le livre de Jonas fut quant à lui rédigé en 587 av. J.-C. Il raconte comment le Seigneur commanda à Jonas de se rendre à Ninive pour annoncer sa chute et ce qui arriva lorsqu'il tenta de fuir sa tâche en prenant la fuite sur un bateau. Désigné comme responsable de la grande tempête qui menaçait le navire, Jonas suggéra qu'on le jette par-dessus bord : dès son éviction, la tempête s'apaisa. Dieu envoya alors *un grand poisson* qui avala le prophète mais celui-ci, retrouvant sa foi, supplia Dieu de l'en faire sortir. Trois jours plus tard, Jonas fut rejeté sur le rivage.

Dieu ordonna une seconde fois à Jonas d'aller à Ninive et les habitants de la ville écoutèrent sa prophétie et firent pénitence. Dieu vit leur repentir et abandonna son projet d'anéantissement, ce qui fâcha Jonas (Jonas 4). Dieu installa Jonas hors de Ninive où il construisit une hutte afin d'assister à ce qui allait se passer dans la ville. Le Seigneur fit grandir une plante qui fit de l'ombre sur sa tête, ce qui lui causa une grande joie mais, le lendemain matin, un ver envoyé par Dieu attaqua la plante et la fit dépérir. Le soleil brûlait sa tête et *Dieu fit souffler un vent brûlant*. Jonas avait pitié de la plante et Dieu lui demanda comment Dieu pourrait n'avoir pas pitié de Ninive et de ses 120 000 habitants. Pour Matthieu (chapitre 12, 40), l'histoire de Jonas symbolise la mort et la résurrection du Christ : *Car tout comme Jonas fut dans le ventre du monstre marin trois jours et trois nuits, ainsi le Fils de l'homme sera dans le sein de la terre trois jours et trois nuits.*

## JONATHAN

Fils aîné du roi Saül, premier roi d'Israël, il se lia avec le jeune David après que celui-ci eut combattu victorieusement le géant philistin Goliath. *Jonathan s'attacha à David et l'aima comme lui-même* (1 Samuel 18, 1). Lorsque le roi Saül, jaloux de la gloire de David, voulut le faire assassiner, Jonathan l'aida dans sa fuite (1 Samuel 19 ; 20).

Rencontrant David une dernière fois, Jonathan lui prédit qu'un jour il serait roi d'Israël. Comme son père Saül et ses frères Avinadav et Malki-Shoua, il fut tué dans la bataille contre les Philistins à Guilboa (1 Samuel 31, 2). Devenu roi, David fit placer les ossements de Jonathan à Céla puis recueillit dans son palais Mefibosheth (appelé aussi Meribbaal), le fils de Jonathan, paralysé des deux jambes (2 Samuel 4, 4). Jonathan et David incarnent une amitié que rien ne vint jamais détruire, à la manière de Gilgamesh et Enkidou pour la Mésopotamie et Castor et Pollux pour la Grèce.

## JONATHAN MACCHABÉE

Fils de Mattathias, l'un des cinq frères Macchabée (160-143 av. J.-C.), il fut grand prêtre et chef des Judéens après avoir succédé à son frère Judas Macchabée, mort en 160 av. J.-C.. Jonathan fut tué par Tryphon, général déjà assassin de son roi Antiochus VI. Son frère Simon Macchabée lui succéda et fut élu nouveau chef des Judéens (1 Macchabées 12, 48).

## JOSAPHAT

*Le Seigneur juge*. Nom donné par Joël au lieu où se tiendra le jugement dernier (Joël 4, 2, 12). Ce nom symbolique n'existe sur aucune carte mais la tradition l'associe à la vallée du Cédron.

## JOSAPHAT DE JUDA

Fils du roi Asa de Juda (868-847 av. J.-C.) auquel il succéda, Josaphat *suivit les premières voies de David, rechercha le Seigneur, et n'agit pas selon les œuvres d'Israël. C'est pourquoi Le Seigneur affermit le royaume dans ses mains… en sorte qu'il eut beaucoup de richesses et de gloire* (2 Chroniques 17, 3-5). Josaphat régna sur Juda en même temps que le roi

Akhab était roi d'Israël (871-852 av. J.-C.), mais leur rivalité cessa avec un traité de paix et ils s'associèrent pour plusieurs expéditions. Akhab fut tué pendant une bataille contre Ramoth-de-Galaad. Le roi Josaphat développa l'instruction du peuple en envoyant des fonctionnaires dans tout son royaume, installa des juges dans chaque ville et leur donna pour consigne de peser leurs verdicts car ils ne rendaient pas la justice au nom des hommes, mais au nom de Dieu. À Jérusalem, Josaphat créa des conseils composés de chefs de famille, de prêtres et de lévites, afin de résoudre les conflits entre les habitants.

## JOSEPH BARSABBAS

Chrétien surnommé *Justus* (le Juste), membre de la communauté de Jérusalem ; il fut proposé avec Matthias pour remplacer Judas Iscarioth. Le tirage au sort désigna Matthias, qui rejoignit les onze apôtres (Actes des Apôtres 1, 23-26).

## JOSEPH D'ARIMATHÉE

Cité dans les Évangiles, membre du Grand Conseil juif ; il fut un disciple secret de Jésus, par crainte de ses contemporrains (Jean 19, 38 ; Marc 15, 42). Cet homme aisé, juste et bon, s'était préparé une tombe creusée dans le rocher mais il demanda à Ponce Pilate l'autorisation d'y ensevelir le corps du Christ (Matthieu, Marc, Luc et Jean).

## JOSEPH LE CHARPENTIER

Fiancé de Marie, mère de Jésus, appartenant à la descendance de David (Luc 2, 4), il était charpentier selon l'Évangile de Matthieu, c'est-à-dire bâtisseur de maisons. Joseph demeurait et travaillait à Nazareth ; il n'est cité que pendant l'enfance du Christ.

## JOSEPH LE PATRIARCHE

*Ajouté.* Premier fils de Rachel et onzième de Jacob, Joseph fut appelé ainsi car Rachel demanda *que le Seigneur m'ajoute un autre fils !* (Genèse 30, 23-24). Le patriarche Jacob préférait Joseph à ses autres fils, ce qui lui valut de nombreux privilèges mais aussi la haine de ses frères dont il rapportait faits, gestes et paroles. Âgé de 17 ans, il leur raconta ses songes qui montraient se prosternant devant lui le soleil, la lune et onze étoiles, c'est-à-dire son père, sa mère et ses onze frères, le dernier, Benjamin, étant encore à naître (Genèse 37, 9). Aussi les frères de Joseph décidèrent-ils de le tuer mais Ruben parvint à les convaincre de lui laisser la vie sauve. Ils le vendirent à des marchands ismaélites se rendant en Égypte. *Puis ils prirent la tunique de Joseph et, ayant égorgé un bouc, ils la trempèrent dans son sang. Ils firent porter la tunique à leur père et lui dirent : Nous avons trouvé cela. Reconnais si c'est la tunique de ton fils.* Quand Jacob reconnut la tunique tachée de sang, il crut que Joseph avait été dévoré par une bête féroce. Les *marchands* revendirent Joseph à Potiphar, officier de Pharaon et chef de ses gardes du corps.

Par ses talents, Joseph obtint les faveurs de Potiphar et devint majordome de sa maison (Genèse 39, 4). Poursuivi par les assiduités de l'épouse de Potiphar qu'il repoussait, Joseph fut accusé par elle de l'avoir violée ; Potiphar le fit jeter en prison. Le commandant de la prison chargea Joseph de sa gestion car *le Seigneur était avec lui ; ce qu'il entreprenait, le Seigneur le faisait réussir* (Genèse 39, 22-23).

À deux prisonniers, Joseph donna la signification prophétique de leur rêve. L'un d'eux était un proche de Pharaon qui revint en grâce. Il se souvint de Joseph deux ans plus tard : personne ne parvenait alors à expliquer au souverain ce que signifiait le rêve de sept vaches grasses et de sept vaches maigres, de sept épis de blé gonflés et de sept épis de blé brûlés par le vent. On fit venir Joseph et il expliqua à Pharaon ses visions (Genèse 41, 17-24) : sept années de grande abondance allaient arriver dans le pays d'Égypte, aussitôt suivie de sept années de famine. Joseph proposa à Pharaon de gérer la crise en conservant suffisamment de récolte pour que les sept années riches compensent les sept années de disette (Genèse 41, 25-33). Satisfait de ses réponses, Pharaon nomma Joseph vizir de l'Égypte, lui remit les insignes de sa fonction et lui donna le nom de Çafnath-Panéah (*Dieu dit : il vivra*).

Il donna aussi à Joseph, âgé de 30 ans, une épouse nommée Asenath dont il eut deux fils, Manassé et Éphraïm (*Celui qui oublie* et *Le fécond*). Pendant les sept ans d'abondance, Joseph fit remplir les entrepôts de blé de sorte que l'Égypte fut le seul pays à avoir du blé au moment de la famine. Alors Joseph ouvrit les entrepôts et vendit le grain mis en réserve. C'est lors de la première de ces ventes qu'il vit arriver ses frères du pays de Canaan où sévissait aussi la pénurie. Il ne se révéla pas et ils payèrent leur grain. Pourtant, sitôt de retour, ils trouvèrent l'argent que Joseph leur avait secrètement restitué. Au second voyage, accusés d'un vol qu'ils n'avaient pas commis, les frères furent réunis par Joseph qui se révéla à eux et leur demanda de venir avec Jacob en Égypte s'installer à Goshèn à l'est de la vallée du Nil (Genèse 45, 1). Pharaon accepta ; Jacob, apprenant la nouvelle s'écria : *Mon fils Joseph est encore en vie ; je veux partir et le voir avant de mourir* (Genèse 45, 28). Jacob se mit en route et s'installa à Goshèn. Avant sa mort, il fit des fils de Joseph, Manassé et Éphraïm, ses propres enfants (Genèse 48, 5), les bénit et prophétisa qu'ils deviendraient de grands peuples. Jacob vécut dix-sept ans à Goshèn et mourut à 147 ans (Genèse 47, 28). Joseph l'embauma et l'enterra à l'est du Jourdain.

Joseph mourut âgé de 110 ans, après avoir fait promettre à ses frères d'emmener son corps avec eux s'ils quittaient l'Égypte. Moïse, en effet, *emporta les ossements de Joseph* (Exode 13, 19) qui furent ensevelis près de Sichem (Josué 24, 32). L'histoire de Joseph est contenue dans la conclusion qu'il donne de son aventure à ses frères qu'il a sauvés de la famine : *Ne vous affligez pas maintenant et ne soyez pas tourmentés de m'avoir vendu ici, car c'est Dieu qui m'y a envoyé avant vous pour vous conserver la vie...* (Genèse 45, 5-8) *Vous, vous avez voulu me faire du mal, Dieu a voulu en faire du bien : conserver la vie à un peuple nombreux comme cela se réalise aujourd'hui* (Genèse 50, 20). Ce qui signifie que Dieu parfois, transforme les pires actions en bonnes actions.

## JOSIAS DE JUDA

Roi du royaume de Juda (639-609 av. J.-C.), successeur de son père Amôn assassiné pendant une révolte. Josias fut roi à 8 ans et fit, pendant son règne *ce qui est droit aux yeux du Seigneur et suivit exactement le chemin de David, son père, sans dévier ni à droite ni à gauche* (2 Rois 21-22). Tandis que l'on restaurait le temple de Jérusalem on découvrit (en 621 av. J.-C.) le livre de la Loi de Moïse (2 Rois 22) ce qui permit au roi Josias d'imposer une réforme religieuse au pays. Il purifia son royaume et Jérusalem des poteaux sacrés et des idoles, démolit les autels de Baal, brûla les ossements des prêtres sur leurs autels (2 Chroniques 34, 3-5). Le livre de la Loi contenait les textes du Deutéronome et, après consultation du peuple et des prêtres, il fut adopté en tant que législation d'État ; ses recommandations réglaient l'essentiel de la vie sociale et religieuse du royaume de Juda selon le Seigneur. Après l'instauration de la Loi du livre, Josias fit célébrer la Pâque.

En 609 av. J.-C., Josias fut tué lors d'une bataille près de Méguiddo contre le roi égyptien Néko II (2 Rois 23, 29-30) ; Yoakhaz lui succéda mais Néko le destitua et désigna pour roi Yoyaqim, le fils de Josias, dont il fit son vassal. Sous son règne fut abolie en partie la réforme de Josias et les mœurs étrangères furent réintroduites. Josias fut le dernier grand roi du royaume de Juda.

## JOSUÉ

Fils de Noun, d'abord appelé *Hoshéa* avant que Moïse ne change son nom, de la tribu d'Éphraïm. Serviteur de Moïse, il était avec lui sur le Sinaï lors de la proclamation des commandements (Exode 32, 17). Espion en Canaan pour Moïse, Josué montra au peuple mécontent que le pays de Canaan pouvait être conquis. Seuls Caleb et Josué y pénétrèrent (Nombres 14, 29-30). Vainqueur des Amalécites et des Cananéens lors de batailles qui permirent l'installation des Hébreux sur la Terre promise, Moïse, sur l'ordre de Dieu, l'établit chef des Israélites et lui imposa les mains (Nombres 27, 23). Lorsque Moïse mourut, Josué fut son successeur désigné (Deutéronome 34, 9). Il conquit le pays à l'ouest du Jourdain (Josué 1) et répartit les territoires entre les tribus (Josué 13, 1-22, 34). Pour commémorer l'événement, il fit ériger douze pierres à Guilgal (Josué 4) fit pratiquer la première circoncision depuis le départ d'Égypte (Josué 5, 2-12), et conquit Jéricho (Josué 6, 1-27). À Sichem se réunirent toutes les tribus ; leur assemblée proclama la soumission à Yahweh. Josué prit une grande pierre qu'il fit dresser là, sous le chêne, dans le sanctuaire du Seigneur afin qu'elle serve de témoignage car, dit-il, *elle a entendu toutes les paroles du Seigneur*. Josué mourut à l'âge de 110 ans et fut enseveli à Timnath-Sèrah, dans la montagne d'Éphraïm (Josué 24, 29-39).

Un autre Josué est le fils de Yosadaq, qui accompagna le gouverneur perse Zorobabel lors du retour d'exil de Babylone à Jérusalem (Esdras 2, 2). Ce Josué fut le nouveau premier grand prêtre, investi par Zacharie, et participa à la reconstruction du Temple (Esdras 3 ; Zacharie 3, 1-10).

## JOUE

Dans la Bible, une gifle est une insulte ou une punition. À ce geste dégradant Jésus recommande de répondre : *Si quelqu'un te gifle sur la joue droite, tends-lui aussi l'autre* (Matthieu 5, 39).

## JOUR

Le calendrier biblique fait débuter une journée au moment du coucher du soleil. Fondées sur les périodes lunaires, les fêtes commençaient lorsque la lune apparaissait dans le ciel. La nuit fut d'abord divisée en trois gardes ou veilles, puis en quatre, sous l'influence égyptienne, comme le montrent les *quatre veilles* mentionnées dans les Évangiles de Matthieu (chapitre 14, 25) et de Marc (chapitre 6, 48). Le jour (temps diurne) fut divisé en heures après l'exil à Babylone, mais on n'utilisait que les termes *troisième, sixième et neuvième heures* pour se repérer. Dans cette répartition, la troisième heure correspondait à un moment situé entre 9 et 12 h, selon la saison, la sixième heure à un moment situé entre 12 et 15 h, et la neuvième heure à un moment situé entre 15 à 18 h.

## JOURDAIN

Le plus grand fleuve de Palestine ; il naît au mont Hermon, traverse le lac Houlé, prend entre le lac de Houlé et le lac de Gennésareth l'aspect d'un torrent de montagne avant d'atteindre la mer Morte. Il a le Yarmouk et le Jabboq pour affluents. On considérait l'eau du Jourdain comme purificatrice ; le prophète Élisée demande à Naamân l'Araméen de se plonger sept fois dans le Jourdain pour se guérir de la lèpre (2 Rois 5, 10-14), et Josué fit prendre douze pierres du lit du fleuve pour commémorer le passage des Hébreux à Guilgal (Josué. 4). Jean-Baptiste y baptisa Jésus.

## JUBILÉ (ANNÉE DU)

Année sainte dans l'Ancien Testament, qui était fêtée à la suite de sept années sabbatiques, elles-mêmes placées tous les sept ans, soit tous les quarante-neuf ans (Lévitique 25, 8-31). On annonçait cette année en sonnant avec un cor de bélier (en hébreu *yobél*, d'où vient jubilé). Pour l'année du jubilé, on remettait les dettes, on affranchissait les esclaves israélites et on laissait des champs en jachère.

## JUDA

*Merci.* Nom du quatrième fils de Jacob le patriarche et de son épouse Léa (Genèse 35,23), à l'origine de la tribu de Juda et du royaume de Juda, dit aussi royaume du Sud. Parce que Ruben s'était opposé au meurtre de son frère Joseph par ses autres frères, Juda proposa de le vendre à une caravane de marchands allant en l'Égypte (Genèse 37). Juda quitta ensuite ses frères et s'installa au nord-ouest d'Hébron chez un certain Hira (Genèse 38) où il épousa la fille d'un Cananéen nommé Shoua, dont il eut trois fils, Er, Onân et Shèla (Genèse 38, 2-5). Lorsque Er mourut, son frère Onân épousa sa veuve, Tamar, comme le voulait la coutume mais *il laissait la semence se perdre à terre pour ne pas donner de descendance à son frère,* c'est pourquoi Dieu *le fit mourir* (Genèse 38,6-10). Juda demanda alors à Tamar d'attendre que Shèla, son plus jeune fils, arrive à l'âge adulte et l'épouse, mais il ne tint pas sa promesse et Tamar, par une ruse, fut enceinte de son beau-père et lui donna des jumeaux, Zérah et Pèrèç. Ce dernier, ancêtre de David, figure dans la généalogie de Jésus-Christ (Luc 3, 23-34).

Lors de la bénédiction de Jacob, la tribu de Juda fit l'objet d'une prophétie messianique : *Juda, c'est toi que tes frères célébreront. Ta main pèsera sur la nuque de tes ennemis, les fils de ton père se prosterneront devant toi… Le sceptre ne s'écartera pas de Juda, ni le bâton de commandement d'entre ses pieds jusqu'à ce que vienne celui auquel il appartient et à qui les peuples doivent obéissance* (Genèse 49,8-10). La tribu de Juda fut la plus puissante des douze tribus et les rois David et Salomon manifestèrent sa gloire auprès des autres tribus, notamment celles du Nord qui rejetèrent son pouvoir (1 Rois 12,4). Le royaume de Juda disparut en 587 av. J.-C. (celui d'Israël avait été conquis par les Assyriens en 722 av. J.-C.).

## JUDAÏSME

Le judaïsme est une religion choisie ou héréditaire, dans laquelle les fidèles suivent les commandements de Dieu qui parle aux hommes par la voix des prophètes. En tant que religion, l'origine du judaïsme n'est pas antérieure à la fin du royaume de Juda, vers 587 av. J.-C. Il s'installa durablement dès la reconstruction du temple de Jérusalem après l'exil de Babylone. Le judaïsme perpétue la religion d'Israël, dont la base est la Torah, et se veut fidèle à l'alliance qui fut scellée par Moïse et le peuple avec Dieu : *Écoute Israël, le Seigneur notre Dieu, l'Éternel, est Un*. Le judaïsme exige un monothéisme absolu, une totale confiance en Dieu et la foi en la venue d'un messie annoncé par tous les prophètes.

## JUDAS BARSABBAS

Membre de la commune chrétienne primitive de Jérusalem (Actes des Apôtres 15, 22-27). Il était considéré comme un prophète par les apôtres et les anciens d'Antioche (Actes des Apôtres 15, 32).

## JUDAS ISCARIOTH

*L'homme de Kerioth*. Fils de Simon Iscarioth, ce disciple, parmi les Douze, était chargé de la trésorerie du groupe (Jean 12, 6). *Et Satan entra en Judas appelé Iscarioth* : par un baiser hypocrite, Judas trahit le Seigneur pour trente pièces d'argent qu'il jeta près du Temple lorsqu'il vit Jésus condamné. Après quoi il se pendit. Selon Matthieu (chapitre 27, 3-10) les prêtres refusèrent de reprendre l'argent mais achetèrent avec un terrain destiné aux tombeaux des étrangers. Le terrain fut appelé pour cela *Hakeldama* (Champ du sang). Quoique jouant le mauvais rôle dans le drame christique, Judas Iscarioth est cependant l'un des éléments essentiels de la passion de Jésus-Christ.

## JUDAS MACCHABÉE

Troisième fils de Mattathias, patriarche des Macchabées, auquel il succéda à sa mort (166 av. J.-C.), lorsque les Juifs se révoltèrent contre la profanation des temples, le prélèvement des impôts, l'interdiction de la circoncision et du sabbat, l'autodafé de la Sefer-Tora par le roi Antiochus IV Épiphane. À sa mort (160 av. J.-C.) sur le champ de bataille de Béerzeth, son frère Jonathan lui succéda.

## JUDE (ÉPÎTRE DE)

Texte destiné à préserver ses lecteurs des hérésies et des fausses doctrines, en les exhortant à rester fidèles à la foi par la prière et l'aide au prochain. L'auteur inconnu écrit dans un grec élaboré, certainement pendant le premier tiers du $II^e$ siècle de notre ère ; il se présente comme l'un des frères de Jésus.

## JUDE

Fils de Jacques, l'un des douze apôtres, parfois appelé Thaddée (Luc 6, 16 ; Marc 3, 18).

## JUDÉE

*Ioudaios*, en grec, de judéen, signifiant *habitée par des Judéens*. À l'époque hellénistique et romaine, la Judée désignait la Palestine du Sud (jusqu'à Jérusalem) appelée *Yehoud* quand elle était contrôlée par la Perse.

## JUDÉO-CHRÉTIENS

Nom donné aux chrétiens juifs parmi lesquels naquirent les premières communautés chrétiennes de Jérusalem. Ces fondateurs furent rapidement minoritaires tant les chrétiens d'origine étrangère étaient nombreux. Les judéo-chrétiens restaient attachés, par conviction ou obligation, à la loi mosaïque. Le concile apostolique (48-49 apr. J.-C.), en séparant les activités des uns et des autres, mit un terme aux heurts qui se faisaient de plus en plus nombreux (Actes 15, 1-29).

## JUDITH

*La Juive*. Héroïne du livre qui porte son nom dans l'Ancien Testament, dont l'histoire fut rédigée en grec (200 av. J.-C.) d'après un original hébreu non retrouvé. Judith était *de fort belle apparence et de gracieux aspect* (Judith 8, 7), et résidait à Béthulie, assiégée par l'Assyrien Holopherne. En l'assassinant, Judith devint le symbole de la résistance juive. S'étant mise au service du tyran, elle résida trois jours dans le

camp des Assyriens puis le quatrième jour, Holopherne tenta de la sé-
duire mais, trop ivre pour être vigilant, il s'endormit auprès d'elle et
Judith lui trancha la tête avec sa propre épée. Après cela, Judith ren-
tra dans sa ville emportant la tête coupée qu'elle montra disant : *Voici
la tête d'Holopherne... Le Seigneur l'a frappé par la main d'une femme*
(Judith 13, 15-16). Trouvant le corps de leur chef, les soldats assyriens prirent la fuite et leur camp abandonné fut pillé.

## JUGEMENT DERNIER

Le jugement dernier est l'une des principales phases de l'eschatologie
et, comme la Crucifixion ou la Nativité, l'un des épisodes clés du christianisme. Il est fréquemment représenté dans l'imagerie populaire. On
l'illustre par des monstres et des diables emportant les âmes de ceux
qui ne sont pas trouvés justes devant Dieu, tandis que des anges accueillent les *rachetés*, ceux qui sont purs et ont cru au Seigneur. L'Apocalypse de Jean et l'Évangile de Matthieu (chapitre 25, 31-46) annoncent la
fin du monde et le jugement des âmes devant un tribunal divin. Ces
descriptions et les phases de cette fin de l'humanité doivent beaucoup à la *psychostasie* (jugement) de la religion égyptienne. Au son de
la trompette des anges, les morts sortiront de leurs tombeaux et com-
paraîtront devant Jésus-Christ, leur Juge suprême, qui apparaîtra dans
sa plus grande gloire, tandis qu'à ses côtés, l'archange saint Michel pèsera les âmes. Ceux qui seront regardés comme justes siégeront à sa
droite et les autres seront rejetés à sa gauche, vers l'enfer.

## JUGES (LIVRES DES)

En Israël (1200-1000 av. J.-C.), les Juges étaient les premiers responsables du peuple lié à Dieu par l'alliance et la loi donnée à Moïse. Ils
intervinrent dans les domaines religieux, juridiques, sociaux et militaires et conservèrent ce pouvoir jusqu'à l'apparition du premier roi,
Saül. Il y eut des *petits Juges* et des *grands Juges* mais tous, dans chacune des tribus, jouèrent un rôle de guide spirituel et de redresseur
de torts. Deuxième livre historique de la Bible, le livre des Juges est
classé dans le recueil des Prophètes. Il rapporte la conquête et l'installation d'Israël en Terre promise, depuis la mort de Josué (Juges 2, 6-9)
jusqu'à la naissance de Samuel, le dernier des Juges.

## JUIF

Nom donné, à l'origine, aux habitants du royaume Juda (Sud) et de la Judée (Nehémie 3, 33) puis à leurs descendants. Peu à peu, Juda et Judée prenant de l'influence, *juif* remplaça *israélite* qui avait déjà remplacé *hébreu*. Seuls les Samaritains conservèrent leur nom (Esdras 5).

## JULIUS

Centurion romain qui ramena l'apôtre Paul, d'Israël à Rome, comme prisonnier. Lorsque les soldats voulurent tuer l'apôtre et les autres prisonniers, le centurion Julius les en empêcha (Actes des Apôtres 27).

## JUSTICE

Dans l'Ancien Testament, *vivre dans la justice* signifie vivre dans l'obéissance à l'alliance conclue avec Dieu (1 Rois 3, 6) ; le salut ne peut venir que d'un comportement *juste* qui apportera victoires militaires et fertilité, prospérité, individuelle et collective (Ésaïe 48, 18).
Dans le Nouveau Testament, la justice, au sens religieux, concerne aussi l'obéissance aux lois et à la volonté de Dieu (Matthieu 3). Pour Jésus-Christ, cette justice est un don de Dieu et de son royaume (Matthieu 5 ; 6).

## KABBALE

Mot hébreu, *qabbalah*, signifiant tradition, transmission. Méthode d'enseignement par la transmission de maître à disciple, d'initié à initié, dont l'origine est aussi ancienne que le peuple hébreu. Par extension et souvent à tort, on a utilisé le terme de kabbale pour désigner des écrits réservés à de petits groupes d'hermétistes ou de gnostiques possédant une connaissance voilée et codée, qualifiée d'occulte ou d'ésotérique : le *Sepher Jetzira*, ou *Livre de la création*, attribué à Abraham, le *Sepher ha-Zohar*, ou *Livre de la splendeur*, et des ouvrages tentant de découvrir le sens secret ou voilé des premiers versets de la Genèse, du Pentateuque et des textes prophétiques.

## KAFTOR

Pays d'où les Philistins seraient originaires selon le Deutéronome (chap. 2, 23). *Oui, le Seigneur ravage les Philistins, les survivants de Kaftor* (Jérémie 47, 4).

## KALAH

(de l'akkadien *Kalkhou*). L'une des quatre grandes cités (actuelle Tell Nimroud) édifiées par Nemrod en Assyrie (Genèse 10, 11-12). Kalah fut fondée au XIIIe siècle avant Jésus-Christ et fut la capitale d'Assournazirpal II. Sur son emplacement on découvrit l'obélisque noir de Salmanasar III, sur lequel est gravé un hommage au roi Jéhu d'Israël.

## KARKÉMISH

Ancienne ville de l'empire hittite, conquise en 717 av. J.-C. par le roi assyrien Sargon II (Ésaïe 10, 9), Karkémish vit la défaite du pharaon Néko II (en 605 av. J.-C.) vaincu par Nabuchodonosor II qui par cette victoire accrut sa domination sur la Palestine et la Syrie (Jérémie 46, 2).

## KARSHENA

L'un des sept légistes et juristes autorisés à rencontrer le roi perse Artaxerxès (Xerxès I$^{er}$) (Esther 1, 14).

## KASHER

*Conforme* (hébreu). Mot concernant des nourritures autorisées par la Loi mosaïque (Lévitique), préparées rituellement suivant les prescriptions rigoureuses. Le sang, quelques animaux, poissons, oiseaux et plantes considérés comme impurs sont interdits à la consommation.

## KAVOUL

Localité (actuel Kaboul) du territoire de la tribu d'Asher (Josué 19, 27) qui fut l'une des vingt villes de Galilée données par le roi Salomon au roi Hiram de Tyr pour le remercier de son aide lors de la construction du temple de Jérusalem. Hiram de Tyr ne fut pas satisfait de cette donation (1 Rois 9, 13).

## KEBAR

Nom du cours d'eau ou du canal relié à l'Euphrate (entre Babylone et Nippour), près duquel Ézéchiel vit les cieux s'ouvrir et où la parole du Seigneur lui fut adressée. Ces premières visions furent à l'origine de sa vocation (Ézéchiel 1).

## KEDORLAOMER

Roi d'Élam qui régna sur l'ensemble des villes de la mer Morte mais qui fut vaincu, près de Hova, par Abraham menant ses 318 vassaux.

## KEMOSH

Divinité principale des Moabites, appelés pour cela peuple de Kemosh, par le livre des Nombres (chapitre 21, 29). Reniant l'alliance avec le Seigneur, le roi Salomon fit édifier un haut lieu pour le culte de Kemosh à Jérusalem (1 Rois 11, 7-33). Le roi Joas fit ensuite abattre la construction sacrilège qualifiée d'*abomination* (2 Rois 23, 13).

## KENDÉBÉE

Epistratège (commandant en chef) pour le littoral palestinien des armées du roi Antiochus VII, Kendébée fut vaincu par Jean Hyrcan dans la plaine de Kédron (1 Macchabées 16, 8).

## KÉRÉTIENS ET PÉLÉTIENS

Soldats étrangers originaires de Philistie qui constituèrent la garde du corps du roi David (2 Rois 8, 18).

## KERITH

Torrent coulant à l'est du Jourdain où, sur l'ordre du Seigneur, le prophète Élie put se cacher et boire tandis que la sécheresse ravageait le pays. Chaque jour, des corbeaux lui apportaient du pain et de la viande. Élie quitta Kerith lorsque le cours d'eau se tarit pour aller à Sarepta (I Rois 17, 2-8).

## KINNÉRETH

Localité située au bord du lac de Gennésareth (territoire de la tribu de Nephtali) appelé lac de Kinnéreth (Gennésareth) dans l'Ancien Testament (Josué 19, 35).

## KISLEV

Neuvième mois du calendrier babylonien, correspondant aux mois de novembre et décembre, dont l'usage fut rapporté par les Israélites revenus de Babylone.

## KITTIM/KETTIIM

Les fils de Yavân, c'est-à-dire Grecs (Genèse 10, 4). Cité à plusieurs reprises dans l'Ancien Testament, qui associe ses habitants aux Macédoniens.

## KOUSH

Nom donné par les Hébreux au territoire comprenant la Nubie et l'Éthiopie (dans l'actuel Soudan), peuplé de Koushites (Genèse 2, 13 ; Ésaïe 20, 4). Nom porté par le fils aîné de Cham, fils de Noé, qui serait l'ancêtre des peuples africains. Ce Koush est le père du chasseur Nemrod (Genèse 10, 6-8).

## KOUSHÂN-RISHÉATAÏM

Roi de Mésopotamie que durent servirent pendant huit ans les Israélites avant qu'il ne soit vaincu par le juge Otniel (Juges 3, 9-10).

## KOUSHI

Nom de l'ancêtre du fonctionnaire Yehoudi, qui vivait au temps du prophète Jérémie (chapitre 36, 14) et nom du père du prophète Sophonie (chapitre 1).

## KYRIE ELEISON

*Seigneur, prends pitié* (en grec). Paroles de vénération ou de supplication adressées à un dieu ou à un roi, qui ont conservé leur sens sacré dans les liturgies chrétiennes, romaines et orientales. Parce qu'elles sont répétées souvent, en a découlé le mot *kyrielle* signifiant suite interminable.

## LABAN

*Le Blanc*. Fils de Betouël l'Araméen et frère de Rébecca, mère d'Ésaü, et beau-père de Jacob lorsque celui-ci épousa ses filles, Léa et Rachel (Genèse 28, 5). En contrepartie de ces mariages, Jacob dut se mettre pendant vingt ans au service de Laban, qui l'avait accueilli lorsqu'il fuyait la vengeance d'Ésaü.

## LAKISH

Ancienne ville de Canaan (actuelle Tell de-Douweir) conquise par Josué qui fit pendre le roi à un arbre et passa les habitants de la ville au fil de l'épée (Josué 10, 31-35). Le territoire de la ville détruite fut attribué à la tribu de Juda (Josué 15, 39). Entre 926 et 910 av. J.-C., le roi Roboam, fils et successeur de Salomon, reconstruisit Lakish (2 Chroniques 11, 9) qui par la suite fut encore agrémentée de résidences princières. Lorsque le peuple de Jérusalem se révolta contre lui, le roi Amasias se réfugia à Lakish mais on envoya des gens qui le poursuivirent à Lakish où il fut mis à mort (2 Rois 14, 19). Vers 760 av. J.-C., Lakish fut détruite par un tremblement de terre.

## LAMEK

Fils de Metoushaël (ou Methoushèlah), lui-même descendant de Caïn qui selon la Genèse (chapitre 4), serait le premier polygame, puisqu'il épousa deux femmes, Ada et Cilla qui lui donnèrent Yabal, Youbal et

Toubal-Caïn pour fils. Le premier serait l'ancêtre de ceux qui habitent des tentes avec des troupeaux, le deuxième l'ancêtre de tous ceux qui jouent de la cithare et du chalumeau et le troisième l'ancêtre de ceux qui aiguisent les socs de bronze et de fer. Lamek, mourut à 777 ans et, selon la Genèse (chapitre 5), il serait le père de Noé.

## LAMENTATIONS (LIVRES DES)

Le livre des Lamentations, peut-être rédigé par le prophète Jérémie, est constitué de chants commentant avec tristesse la punition de Dieu contre son peuple et contre Jérusalem. Ces écrits correspondent à une grande crise spirituelle (587 av. J.-C.) née de la destruction du Temple édifié par Salomon à Jérusalem.
À Jérusalem, le mur des Lamentations, lieu de pèlerinage, est l'unique vestige du Temple détruit en 70 par Titus.

## LAMPE

Symbole de la lumière et de la sagesse, de la prudence et de l'espérance, la lampe marque aussi la vivacité de la foi et de la veille confiante. La parabole des vierges folles (lampes éteintes) et des vierges sages (lampes allumées) en est l'illustration (Matthieu 25).

## LANGUE

C'est par des langues de feu (énergie céleste) qu'à la Pentecôte les disciples du Seigneur furent transformés en apôtres ; ils reçurent le don des langues, et partirent annoncer partout la Bonne Nouvelle.

## LAODICÉE

Ville d'Asie Mineure (Phrygie) où fut créée, par Épaphras (disciple de Paul) l'une des premières communautés chrétiennes (Colossiens 4,12-16). Laodicée est la septième Église à qui l'Esprit s'adresse dans l'Apocalypse (chapitre 1, 11).

## LAPIDATION

Principal châtiment des Hébreux, qui consistait à blesser ou tuer un condamné en lui lançant des pierres, généralement hors des murs de la ville. La lapidation s'exerçait légalement dans les cas de blasphème, d'idolâtrie, de non-respect du sabbat, de nécromancie, de divination, de dilapidation de patrimoine ou encore de crime de lèse-majesté.

Dans le Nouveau Testament, Jésus, auquel on demande s'il faut lapider une femme adultère, répond : *Que celui qui n'a jamais péché lui jette la première pierre* (Jean 8, 7) ; il était, en effet, habituel que témoins et accusateurs débutent le supplice. Saint Étienne, premier diacre de la communauté chrétienne, mourut lapidé et devint le premier martyr (Actes des Apôtres 14, 5). Après lui, nombreux furent les chrétiens menacés de ce châtiment à cause de leur foi.

## LARRONS

Nom donné aux deux condamnés accompagnant le Christ sur la croix. L'un des deux se repentit et accepta la révélation tandis que l'autre la rejeta (Luc 23, 43). Le bon larron se nommait Dismas et le mauvais Gesmas. Dismas, dernier à entendre la parole du Seigneur, fut le premier chrétien à parvenir au Paradis, dès la mort du Maître.

## LAVEMENT DES PIEDS

Geste de politesse et d'accueil d'un hôte, le lavement des pieds se pratiquait dans tout le Moyen-Orient (Genèse 18, 4). Laver les pieds de quelqu'un est donc un signe de respect, d'humilité et d'amour, comme le montre le lavement des pieds des disciples par Jésus lors de la Cène (Jean 13, 1-20).

## LAZARE (EL AZÂR) DE BÉTHANIE

*Dieu a aidé.* Frère de Madeleine, mort de maladie et ressuscité par le Seigneur (Jean 11, 1-45). Chassé de Palestine, il serait arrivé en Provence avec les saintes Marie. Selon la légende, Lazare fut le premier évêque d'Autun, où se trouvaient ses reliques, et le patron des croquemorts et des fossoyeurs.

## LAZARE LE PAUVRE

Héros de l'une des plus populaires paraboles des Évangiles enseignant que les biens matériels retiennent à la terre les âmes de ceux qui les possèdent. L'imagerie chrétienne représente Lazare, ses plaies léchées par des chiens, couché devant la porte du riche qui festoie. Après leur mort, l'âme du riche est capturée par des diables tandis que celle du pauvre est emmenée vers le ciel par des anges (Luc 16, 20-31).

## LÉA

Cadette de Rachel, elle fut la première épouse de Jacob, selon la volonté de Laban, son père. Léa donna six fils à Jacob : Ruben, Siméon, Lévi, Juda, Issakar et Zabulon ; Dina fut la seule fille de Jacob.

## LÉGION

Une légion était un corps de l'armée romaine constituée de 120 cavaliers et 6 000 fantassins, suivis par leur intendance. Dans le Nouveau Testament, une légion signifie une multitude (Marc 5, 9).

## LENTILLES

Légume que l'on mangeait grillé, bouilli ou sous forme de farine pour le pain pendant les temps de famine. Nourriture médiocre, qu'Esaü affamé échangea cependant contre son droit d'aînesse, ce qui montre l'état de misère dans lequel il se trouvait lorsqu'il vint trouver Jacob, son frère cadet (Genèse 25, 34).

## LETTRE

Dans l'Ancien Testament, il n'y a pas de littérature épistolaire à proprement parler car les lettres étaient surtout destinées aux actes administratifs et à la diffusion d'ordres et de décrets royaux. La première lettre connue dans la Bible est celle qu'expédia le roi David à Joab, son général en chef, pour qu'il envoie Urie dans un combat où il devait se faire tuer : *Mettez Urie en première ligne, et mettez-vous derrière... Il sera atteint et il mourra* (2 Samuel 11, 14). Après l'exil à Babylone, les lettres sont plus descriptives. Le Nouveau Testament quant à lui recueille vingt et une lettres des apôtres, de Paul principalement, qui sont autant de livres indépendants dans lesquels entrent peu de considérations personnelles. Elles ont pour objet le renforcement de la foi, l'exhortation à la sainteté, l'exigence de la fidélité au Seigneur.

## LETTRES (SYMBOLIQUE DES)

Chaque lettre hébraïque, comme chaque hiéroglyphe égyptien, est un signe symbolique, par sa forme, son dessin, son emplacement et sa sonorité. Combinées entre elles, les vingt-deux lettres de cet alphabet forment un nouveau mode de compréhension qui éclaire des parties du texte en clair parfois complexes.

## LEVAIN

Ferment que l'on mélange à la pâte pour la faire lever pendant la préparation du pain. Dans le Nouveau Testament, l'action du levain illustre l'énergie, positive ou négative, de certains gestes et paroles. Dans l'Évangile de Luc (chapitre 13, 20), Jésus compare le royaume de Dieu à du levain qu'une femme prend et enfouit dans trois mesures de farine.

## LÉVI

*Attaché, contraint.* Troisième fils de Jacob et de sa première épouse Léa, fille de Laban. Lévi est l'ancêtre des lévites (Genèse 29, 34). Pour venger sa sœur Dina violée par Sichem, il tua tous les habitants mâles de la ville de Sichem avec son frère Siméon (Genèse 34, 25). Jacob maudit Lévi et Siméon dont la descendance fut dispersée dans tout Israël (Genèse 49, 7). Lévi eut Guershôn, Qehath et Merari pour fils ; il mourut en Égypte à 137 ans (Exode 6, 16).

## LÉVIATHAN

*Bête qui se tortille.* Monstre marin d'origine babylonienne et égyptienne ; il a la forme d'un serpent ou d'un dragon marin, ressemble parfois à un crocodile et personnifie les forces du Mal que seule l'épée de Dieu parviendra à tuer un jour (Ésaïe 27).

## LÉVIRAT

*Levir*, beau-frère (en latin). Lorsqu'un homme mourait sans fils, son frère ou son plus proche parent mâle devait épouser sa veuve. Le premier fils né de cette union était considéré comme descendant du défunt. C'est une telle pratique que refusa Onan, tenu d'épouser Tamar mais *laissant la semence se perdre à terre pour ne pas donner de descendance à son frère* (Genèse 38, 6-10). La loi du lévirat était toujours en vigueur au temps de Jésus (Matthieu 22, 24).

## LÉVITES

Fils et descendants de Lévi, fils de Jacob et de Léa, désignés comme prêtres et desservants du Temple. Sans territoire particulier, les lévites avaient 48 localités situées dans toutes les tribus. Pour leurs services, ils percevaient la dîme des revenus de chacun dont ils versaient eux-mêmes 1/10 aux prêtres (Nombres 18). Parmi les membres de la tribu de Lévi se trouvaient les prêtres (descendants d'Aaron) et les lévites qui étaient à leur service. Les charges des lévites figurent dans le livre des Nombres (chapitre 3) et dans le 1er livre des Chroniques (chapitre 23-26).

## LÉVITIQUE

Troisième Livre du Pentateuque (Thora ou Livres de Moïse) constitué principalement par les lois et commandements du Seigneur, les prescriptions cultuelles, dites lévitiques, rédigé (pour la version que nous connaissons), après le retour de la captivité à Babylone. Le Lévitique contient les prescriptions pour les sacrifices du peuple et ceux des prêtres, les lois sacerdotales, les lois sur la pureté et l'impureté et les lois de sainteté. Il énumère les crimes passibles de mort, prescrit les fêtes et ordonne l'année sabbatique et l'année du jubilé, décrit les bénédictions et les malédictions, tarifie les vœux et les offrandes.

## LÈVRES

Associées à la parole et à la langue, les lèvres peuvent servir le bien ou le mal, proférer des mensonges ou de sages enseignements. *Les lèvres sont comme un ruban écarlate* (Cantique des Cantiques 4, 3).

## LÉZARD

Tous les lézards sont des animaux impurs, ainsi que le *gecko* et le *caméléon* (Lévitique 11, 29-31), mais ils font partie *des tout petits qui sont pourtant sages parmi les sages* (Proverbes 30, 24).

## LIBERTÉ

Dans l'Ancien Testament, la liberté est l'indépendance face aux oppressions. Libéré du servage, le peuple hébreu se lia volontairement par une alliance avec le Seigneur. Celui-ci laisse cependant à chacun la liberté de choisir son mode d'existence. Cette liberté s'accompagnant d'une totale responsabilité d'actions car *Vois : je mets aujourd'hui devant toi la vie et le bonheur, la mort et le malheur… Tu choisiras la vie afin que tu vives* (Deutéronome 30, 15-20). Dans le Nouveau Testament, liberté signifie indépendance dans le monde et maîtrise de ses pulsions. Paul (Romains 8, 13) assure que la liberté c'est Dieu, le règne de l'esprit amenant la libération de la chair. Pour Jean (chapitre 8, 32), cette libération n'est possible que par la connaissance de la vérité.

## LIÈVRE

Animal impur car *il rumine mais n'a pas de sabots* (Lévitique 11, 6).

## LILITH

Démon femelle qui hantait le désert dans la mythologie de Babylone. Seul le Livre d'Ésaïe (chapitre 34, 14) cite ce monstre qui ne trouve le repos qu'au pays d'Édom en ruine. La tradition rabbinique associe Lilith à la première femme d'Adam : *Dieu créa l'homme à son image, à l'image de Dieu il le créa ; mâle et femelle il les créa* (Genèse 1, 27). Cette première femme n'aurait pas été créée à partir du côté d'Adam.

## LIN

Plante textile, le lin était cultivé en Égypte qui l'exportait. La loi interdisait de porter un tissu de lin mélangé à la laine. Le *byssus*, lin finement tissé, était le vêtement des êtres célestes (Daniel 10, 5 ; Apocalypse 15, 6) ; il servait de suaire en Égypte.

## LINUS ou LIN (SAINT)

Évêque de Rome (2 Timothée 4, 21) qui, selon saint Irénée, aurait été le premier pape successeur de Pierre (66 à 78).

## LION

Cité à de nombreuses reprises dans l'Ancien Testament, objet de multiples comparaisons, le lion symbolise la puissance, le courage, le pouvoir royal et l'orgueil humain régnant sur la société. Le lion peut aussi illustrer le rayonnement spirituel : le Christ est parfois nommé le *Lion de Juda*. Le lion est l'un des éléments du tétramorphe en tant qu'emblème de l'évangéliste Marc ; il illustre l'état bienheureux du paradis dans lequel *le veau et le lionceau seront nourris ensemble, un petit garçon les conduira…* (Ésaïe 11, 6-7).

## LIS

Symbole de virginité et de pureté, notamment dans le Cantiques des Cantiques, en raison de sa blancheur, le lis des champs, quoique simple et naturel, est cependant *plus beau que les plus grandes gloires terrestres*, affirment l'Ancien Testament et le Christ dans les Évangiles.

## LISTE DES PEUPLES

Nom que l'on donne à la liste (Genèse 10) où sont cités les 72 peuples issus des fils de Noé, à savoir Sem (peuples de l'Ouet), Cham (peuples du Sud) et Japhet (peuples du Nord). Cette liste des peuples correspond à la représentation de la terre au début du Ier millénaire avant Jésus-Christ.

## LIVNA

*La blanche*. Nom de plusieurs lieux cités dans la Bible, notamment l'une des étapes où les Israélites se reposèrent pendant la traversée du désert (Nombres 33, 20-21), la ville royale cananéenne qui fut attribuée aux lévites (Josué 21, 13) et une cité qui se révolta contre le royaume de Juda (2 Rois 8, 22).

## LIVRE

On appelle religions du Livre (c'est-à-dire des rouleaux sacrés) les religions monothéistes se réclamant de la Bible, le Livre des livres. Dans les représentations religieuses, ouvert ou fermé, le livre symbolise la connaissance et l'enseignement spirituel. Le cœur de l'homme est souvent comparé à un livre que seul Dieu peut lire, où toutes les intentions et les pensées sont inscrites.

## LO-AMMI

*Pas-mon-peuple.* Nom symbolique ajouté par Dieu au nom du fils que le prophète Osée eut de la prostituée Gomer (Osée 1).

## LOD

Ville située en Palestine, entre Jaffa et Jérusalem, qui fut attribuée à la tribu de Benjamin après la conquête de la Palestine (I Chroniques 8, 12). À l'époque hellénistique, le nom de Lod devint Lydda, et en 145 av. J.-C., le roi Démétrius II Nikator la céda à Jonathan Macchabée (I Macchabées 11, 34). Dans cette ville, Pierre guérit un paralytique nommé Énée en lui commandant : *Lève-toi et fais toi-même ton lit !* (Actes des Apôtres 9, 32-35).

## LOGIAS DE JÉSUS

*Paroles* (en grec). Nom donné à toutes les paroles prononcées par Jésus-Christ dans le Nouveau Testament. Ces *logias*, d'abord retransmises oralement puis recopiées, sont certainement la base des quatre Évangiles.

## LOGOS

*Parole, discours, verbe* (en grec). Pour la Bible, le Logos est la Parole de Dieu, manifestation de Dieu lui-même. De même, le Nouveau Testament, notamment les textes attribués à saint Jean, associe le Christ au Logos, puisque Jésus est le Verbe de vie (1 Jean 1).

## LOI

*Torah.* Nom du Pentateuque, les cinq premiers livres de l'Ancien Testament, dans lequel se trouvent tous les préceptes et commandements dictés par le Seigneur à Moïse (Décalogue) et aux prêtres qui ont reçu sa parole. Cette loi est complétée par des extensions et subtilités de plus en plus complexes suivant la multiplicité des aspects de la vie quotidienne. Le livre nommé Lévitique et le livre des Nombres concernent surtout les règlements cultuels et les interdits, les actes rituels que devaient accomplir les serviteurs de Dieu.

Le Nouveau Testament élargit la Loi et les commandements selon l'affirmation de Jésus-Christ : *Je ne suis pas venu abroger la loi mais l'accomplir* (Matthieu 5, 17-18). C'est pourtant au nom de cette même loi que Jésus-Christ fut jugé, condamné et exécuté.

## LONGIN

Personnage légendaire romain qui recouvre trois héros anonymes des Évangiles. Le soldat romain qui perça de sa lance le côté de Jésus (Jean 19, 34), un centurion qui reconnut le caractère surnaturel du Christ (Marc 15, 39) et le chef des soldats gardant l'entrée du tombeau (Matthieu 27, 65-66). Ce nom de Longin qui vient du grec *Lonchè*, signifie lance. Saint Longin est le patron des cavaliers et des chevaliers.

## LO-ROUHAINA

*Non aimée.* Nom que donne le Seigneur à la fille du prophète Osée, mise au monde par la prostituée sacrée Gomer (Osée 1, 6).

## LOTH

Fils d'Harân et neveu d'Abraham, résidant à Sodome, dont l'histoire est rapportée dans le livre de la Genèse (chapitre 19). Averti par les anges de la destruction de la ville, Loth se réfugia avec ses filles dans la montagne, mais sa femme se retourna malgré l'interdiction qui en lui avait été faite pour voir ce qui advenait de la cité anéantie sous une pluie de soufre et de feu. Elle fut immédiatement transformée en statue de sel. Après cela, les filles de Loth enivrèrent leur père puis couchèrent l'une après l'autre avec lui car il n'y avait pas d'homme dans la région. Ainsi donnèrent-elles naissance à Moab, père des Mohabites, et à Ben-Amrni, père des fils d'Ammon.

## LOND

Quatrième fils de Sem, et petit-fils de Noé, ancêtre des Léoudites, classés à la fois dans les peuples africains et dans les peuples sémitiques (Genèse 10).

## LOUP

Animal carnassier redouté des bergers, parce que dévoreur d'agneaux, symbole de ce qui est sauvage mais aussi de ce que sera le futur paradis puisque *le loup habitera avec l'agneau et qu'ils brouteront ensemble* (Ésaïe 11,6). Le loup est assimilé à tout ce qui est vorace, tels les fonctionnaires (des impôts), qui, *comme des loups déchirent une proie, prêts à répandre le sang, à faire périr les gens pour en tirer profit* (Ézéchiel 22, 27), et les faux prophètes (Matthieu 7, 15). À l'inverse, les disciples de Jésus sont envoyés comme des agneaux parmi les loups (Matthieu 10, 6).

## LOUZ

Premier nom de la ville de Béthel (Josué, chapitre 18, 13).

## LUC

L'un des quatre évangélistes, personnifié par un taureau dans le tétramorphe. Luc, médecin de profession et sans doute le disciple présent à Emmaüs, écrivit l'Évangile qui porte son nom vers 60-70 ainsi que les Actes des Apôtres. L'épître de Paul aux Colossiens (chapitre 4, 14) rapporte que Luc accompagnait Paul dans son voyage à Rome et qu'il partagea la captivité de l'apôtre. Il partageait aussi ses conceptions spirituelles, comme le montre son Évangile qui met l'accent sur de nombreuses valeurs pauliniennes, telles que l'abandon des richesses considérées comme une forme d'idolâtrie. Saint Luc est le patron des médecins.

## LUC (ÉVANGILE SELON)

Troisième Évangile attribué à Luc qui fut rédigé dans les années 80 de notre ère. Luc aurait reçu pour son œuvre le témoignage de la Vierge Marie. Luc voulut situer l'histoire du Christ dans la trame de l'histoire universelle, où *le Fils de l'homme est venu chercher et sauver ce qui était perdu* (Luc 19, 10).

## LUCIFER

Du latin *lux*, lumière, et *ferre*, porter, c'est-à-dire le *Porteur de lumière*. Selon la Bible, le plus bel ange du ciel et le chef de la milice céleste. Lucifer se serait un jour révolté contre Dieu qui l'aurait précipité en enfer. Dans ce lieu il est désormais le chef des démons, Satan, personnification de l'esprit du Mal, Prince de ce monde, le Malin, Méphistophélès, le Diable, Belzébuth et autres noms qui terrorisaient jadis les âmes pieuses. Curieusement, l'Église primitive avait donné au Christ le nom de *Porteur de lumière* car il assurait être la *Lumière du monde*. Christ et Lucifer illustrent l'opposition éternelle de la lumière et des ténèbres, du jour et de la nuit, du bien et du mal.

## LUMIÈRE

Principe de la connaissance, de la conscience, symbolisée par ce qui luit dans le Ciel et sur la Terre (étoile, lampe, comète ou cierge). C'est la plus pure manifestation de Dieu et du Verbe, de l'initiation et de la naissance d'une nouvelle vie. Sans commune mesure avec celle du soleil, *Jésus est la Lumière du monde*.

Dans la Jérusalem céleste, l'Apocalypse précise : *La cité n'a besoin ni du soleil ni de la lune pour l'éclairer, car la gloire de Dieu l'illumine et son flambeau c'est l'agneau* (Apocalypse 21, 23-24).

## LUNE

Dans la Genèse (chapitre 1, 16), Dieu est le créateur de la lumière. Tout culte de la lune, du soleil et des étoiles était interdit aux Hébreux sous peine de lapidation (Deutéronome 17, 3-5). Cependant, le cycle de la lunaison était la base du calendrier et déterminait la plupart des fêtes religieuses. D'une manière générale, peut-être pour se démarquer des autres religions, les prophètes et les évangélistes sont peu favorables à la lune qu'ils disent humiliée par Dieu (Ésaïe 24, 23) ou obscurcie au jour du jugement (Joël 3, 15), ensanglantée (Apocalypse 2, 20), placée sous les pieds de la femme vêtue de soleil (Apocalypse 12).

## LYDIE

Riche personne de Lydie qui se fit baptiser par l'apôtre Paul et le reçut dans sa maison (Actes des Apôtres 16, 13-15). Lydie, fêtée le 3 août, aurait été la première chrétienne d'Europe.

## LYSIAS

Lieutenant pendant la campagne menée en Perse par le roi Épiphane (1 Macchabées 3, 31-36), Lysias devint chancelier et tuteur d'Antiochus V Eupator lorsque Antiochus IV mourut (164 av. J.-C.). Lysias mata la révolte des Macchabées mais Judas Macchabée le bâtit en 165 av. J.-C. (1 Macchabées 4, 26-35). Lysias en fut finalement vainqueur à la bataille de Bethzakharia (162) mais il laissa la liberté religieuse aux Juifs et signa un traité avec eux. Nouveau roi, Démétrius Ier Sôter fit assassiner Lysias en 161 av. J.-C. (1 Macchabées 7, 2-4).

## LYSIMAQUE

*Qui fait cesser le combat* (en grec). Nom du frère du grand prêtre Ménélas avec lequel il pilla le trésor du Temple (1 Macchabées 4, 39-42).

## LYSTRE

Ville de Lycaonie que l'apôtre Paul visita deux fois et où il guérit un infirme de naissance. Les Lycaoniens le confondaient avec Hermès, et son compagnon Barnabé avec Zeus (Actes des Apôtres 14, 8-22).

## MAAKA

Nom de l'une des épouses du roi David, fille du roi Talmaï de Gueshour et mère d'Absalon (2 Samuel 3, 3). Maaka est également le nom de l'une des filles d'Absalon, favorite du roi Roboam de Juda. Reine mère sous le règne de son fils Asa, Maaka fut éloignée du pouvoir parce qu'elle avait fait une idole infâme pour l'Ashera (1 Rois 15, 10). Maaka fut aussi le nom du père du roi Akish de Gath, au temps du règne de Salomon (1 Rois 2, 39).

## MAATH

Personnage inconnu figurant dans la généalogie de Jésus-Christ.

## MACCHABÉES

*Le marteau*. Surnom attribué à Judas (Macchabée), successeur de son père Mattathias (166 av. J.-C.) à la tête de la révolte des Juifs contre l'oppression des Séleucides. Après Judas, la dynastie conserva le surnom que portèrent des grands prêtres et des rois, parfois nommés Hasmonéens. Chronologiquement, on relève le fondateur de la dynastie, Mattathias, puis Judas (166), Jonathan (160), Simon (143), Jean Hyrcan I<sup>er</sup> (134), Aristobule (104), Alexandre Jannée (103), Alexandra Salomé, veuve d'Alexandre (76), et Hyrcan II, nommé par le général romain Pompée, ce qui met un terme au pouvoir des Macchabées.

## MACCHABÉES (LIVRES DES)

Nom donné aux quatre livres historiques rapportant les combats entre les Séleucides et les Juifs menés par les Macchabées entre 170 et 140 av. J.-C. Seuls les deux premiers de ces livres sont admis par l'Église catholique, tandis que la Bible juive n'en admet aucun.

## MADABA

Cité moabite sur la rive est de la mer Morte qui fut conquise par les Amorites (Nombres 21, 26) et attribuée aux Rubénites (Josué 13, 16).

## MADELEINE (MARIE-)

Le personnage de Madeleine est issu de l'imaginaire populaire qui a confondu trois personnages en un seul, comme ce fut le cas du Romain Longin. Il s'agit de la pécheresse citée dans l'Évangile de Luc (chapitre 7, 37), de Marie de Béthanie qui lava les pieds du Seigneur avec ses cheveux dans l'Évangile de Jean (chapitre 12, 3-4), et de Marie de Magdala (Jean 20, 11-18), qui fut parmi les premiers témoins de la résurrection du Christ et offrit du parfum au Maître revenu. Ces trois femmes composent le personnage légendaire de Madeleine. À Vézelay, la basilique consacrée à Madeleine est l'un des hauts lieux de la spiritualité occidentale. Elle fut l'un des principaux points de départ des croisades et du pèlerinage vers Saint-Jacques-de-Compostelle.

## MADIÂN

Fils d'Abraham et de sa seconde épouse Qetoura (Genèse 25). Madiân eut cinq fils : Eifa, Efèr, Hanok, Avida et Eldaa. Ce sont des marchands madianites qui achètent Joseph vendu par ses frères, puis qui le revendent en Égypte (Genèse 37, 28-36). Quoique souvent en conflit, Madianites et Israélites furent associés, tel Jéthro, beau-père de Moïse, qui était prêtre de Madiân. Zimri, un Israélite, amena avec lui une Madianite nommée Kozbi, mais tous deux furent tués d'un coup de lance par le prêtre Pinhas, fils d'Eléazer, ce qui détourna la colère du Seigneur (Nombres 25, 6). Par la suite, Dieu ordonna à Moïse de vaincre les Madianites, adorateurs d'idoles, et les Israélites les tuèrent (Nombres 31).

## MAGDALA

*Château*. Ville édifiée sur la rive ouest du lac de Gennésareth. Lieu d'origine de Marie-Madeleine dite Marie de Magdala (Matthieu 27, 56).

## MAGDALA (MARIE DE)

Disciple de Jésus-Christ originaire de Magdala. Marie de Magdala fut exorcisée de sept démons par Jésus qu'elle assista au moment de la crucifixion et de la mise au tombeau (Matthieu 27). Marie de Magdala découvrit le tombeau vide et fut ensuite témoin de la résurrection du Christ (Jean 20).

## MAGES

Les mages d'orient, c'est-à-dire des prêtres astrologues, furent avertis de la proche naissance du Christ et suivirent une étoile qui les guida jusqu'à Bethléem. Ils sont toujours représentés comme des rois portant couronne, conception légendaire. Rois ou mages, ces personnages manifestent l'ancienne sagesse venant honorer une nouvelle lumière, et s'instruire auprès d'une nouvelle connaissance. Chacun des mages apporta des offrandes symboliques au nouveau-né, de l'or, de l'encens et de la myrrhe (Matthieu 2, 11), symboles de la royauté, de la divinité et de la mort. Au Moyen Âge, les Rois mages reçurent les noms de Gaspard, Melchior et Balthazar.

## MAGNIFICAT

*Mon âme loue la grandeur du Seigneur* (latin). Louange chantée par Marie enceinte, visitant Élisabeth (Luc 1, 46-55). Ce chant est dans le style des psaumes.

## MAHALAIEL

Patriarche antédiluvien, fils de Qénân et père de Yèred qu'il engendra à 65 ans. Mahalaiel vécut jusqu'à l'âge de 895 ans (Genèse 5, 12-17) ; il fait partie de la généalogie de Jésus (Luc 3, 37).

## MAHALATH

Nom de la fille d'Ismaël, fils d'Abraham, troisième épouse d'Ésaü (Genèse 28, 9). Mahalath est appelée Basmath dans le chapitre 36 de la Genèse. Mahalath est aussi le nom de la petite-fille du roi David, épouse du roi Roboam de Juda (2 Chroniques 1).

## MAHANAÏM

*Double camp.* Endroit situé à l'est du Jourdain appartenant à la tribu de Gad qui fut un des refuges des lévites (Josué 13 et 21). Ishbosheth, fils du roi Saül, fut proclamé roi des tribus du Nord à Mahanaïm (2 Samuel 2, 8). David séjourna à Mahanaïm (2 Samuel 17, 24) et l'un des gouverneurs du roi Salomon y installa sa résidence (1 Rois 4, 14).

## MAHLÔN

Époux de Ruth (Ruth 1, 2-5).

## MAHOL

Père des sages Hérnân, Kalkol et Darda dont il est écrit que le roi Salomon était plus sage qu'eux trois réunis (1 Rois 5, 11).

## MAIN

L'ablution des mains, qui peuvent faire le bien comme le mal, créér ou détruire, est une pratique rituelle obligatoire (Exode 30, 21). Se laver les mains montre à la communauté son état d'innocence (Deutéronome 21, 6-7 ; Matthieu 27, 24). Lever la main lors d'un serment prend le Seigneur à témoin (Genèse 14, 22-23) ; on lève les deux mains vers lui en signe de supplication (Psaume 28, 2) ; on pose la main sur la tête de quelqu'un en signe de deuil (2 Samuel 13, 19). L'importance de la main est telle qu'il est préférable de la couper plutôt que de lui laisser faire le mal (Matthieu 5, 30) ; le roi David fait couper mains et pieds aux assassins du fils de Saül (2 Samuel 4, 12).

## MAISON

Faite de briques d'argile crue, la maison fut longtemps une seule pièce percée d'une porte et d'une fenêtre. Symboliquement, la maison était, comme en Égypte, l'ensemble d'une communauté (pays) ou d'un groupe (tribu), comme l'indiquent les expressions, *maison d'Israël, maison de Joseph.*

## MAKIR

Nom du fils de Manassé (Genèse 50, 23), père de Galaad et aïeul des Makirites (Nombres 26, 29). Makir fut aussi le nom du fils d'Ammiël qui pendant la révolte d'Absalon soutint le roi David, le nourrit et ravitailla ses soldats à Mahanaïm (2 Samuel 17, 27).

## MAKPÉLA

Nom de la grotte qui se trouve près d'Hébron, dans laquelle sont ensevelis Abraham et Sara, Isaac et Rébecca, Jacob et Léa.

## MALACHIE

*Mon messager.* Douzième et dernier « petit prophète » de l'Ancien Testament, auteur du Livre qui porte son nom, rédigé au Vᵉ siècle av. J.-C., après l'exil à Babylone. Le livre de Malachie comporte des menaces contre Édom, la promesse du salut pour Israël, et la critique des prêtres qui ne respectent pas les prescriptions du culte (Malachie 1 et 2).

## MALADIES

Selon la Bible, les maladies résultent du péché originel ; chaque maladie est regardée comme une punition des péchés (Deutéronome 28, 15-61). La maladie et la souffrance de l'homme juste et pieux sont assimilées à une expiation d'un seul pour tous les autres. Dans le Nouveau Testament, Jésus-Christ montre que la maladie n'est pas un châtiment mais qu'elle permet à la gloire de Dieu de se manifester par des guérisons miraculeuses (Jean 9, 3).

## MALCHUS

Serviteur du grand prêtre auquel Simon-Pierre coupa l'oreille droite avec son glaive lors de l'arrestation de Jésus qui ordonna à Pierre : *Remets ton glaive au fourreau !* (Jean 18, 10).

## MALÉDICTION

Inversion négative de la bénédiction, la malédiction est censée apporter le malheur, soit immédiatement, soit plus tard, à la manière de l'épée de Damoclès. Une malédiction pouvait frapper aussi bien un individu qu'un groupe, une terre, des rois et leur descendance… L'Ancien Testament cite des malédictions qui poursuivent leurs destinataires pendant des siècles. La seule manière de neutraliser une malédiction est d'obtenir une bénédiction d'égale puissance (Juges 17), le mieux étant d'obtenir celle de Dieu qui dans ce cas exige repentance et soumission, car *Le Seigneur ton Dieu t'aime* (Deutéronome 23, 6).
À l'inverse, lancer une malédiction contre Dieu était passible de la peine de mort par lapidation (Lévitique 24, 11-16). Dieu étant tout-puissant, l'homme juste et bon ne maudit pas ses ennemis (Job 31, 30) mais laisse Dieu se charger des punitions des hommes.
Pour les Évangiles, la malédiction est une chose mauvaise ; le Christ la remplace par l'amour et exige qu'une malédiction soit remplacée par une bénédiction.

## MAMBRÉ

Bois de chênes sacrés proche d'Hébron dans lequel Abraham entendit la voix du Seigneur qui lui apparut sous la forme de la Trinité. C'est à Mambré que Dieu annonça à Abraham la future naissance de son fils Isaac (Genèse 18).

## MAMMON

*Richesse* (araméen). Personnification du pouvoir de l'argent et de la matière face à l'esprit. Ce terme est utilisé dans le Nouveau Testament pour désigner les forces démoniaques.

## MANASSÉ

Fils aîné de Joseph et d'Asenath, fille d'un prêtre égyptien nommé Poti-Phéra (Genèse 41, 45). Père de Makir, Manassé est l'ancêtre de la tribu du même nom, installée à l'ouest du Jourdain et au sud-est du lac de Gennésareth. Le juge Gédéon est issu de la famille de Manassé.

## MANASSÉ DE JUDA

Fils et successeur de son père le roi Ézékias, Manassé fut roi de Juda de 696 à 642 av. J.-C., pendant cinquante-cinq ans – le plus long règne du royaume de Juda (2 Rois 21). N'ayant d'abord que Jérusalem pour royaume, Manassé de Juda servit les Assyriens afin qu'ils lui restituent la totalité de son territoire. Cette situation impliquait une vassalité politique, culturelle et religieuse qui déchaîna la colère des prophètes et celle du Seigneur, car Manassé introduisit le culte assyrien, rebâtit les lieux de culte des divinités étrangères partout où cela pouvait se faire, y compris dans le temple de Jérusalem. Le IIe livre des Rois (chapitre 21) lui reproche de se livrer à la sorcellerie et à la voyance, de faire venir des nécromanciens. Enfin il sacrifia son propre fils et fit *ce qui est mal aux yeux du Seigneur*. Manassé *répandit aussi le sang innocent en telle quantité qu'il en remplit tout Jérusalem*.

## MANNE

*Mân hou (Qu'est-ce que c'est ?)* Nourriture que l'Éternel envoya aux Hébreux pendant qu'ils traversaient le désert (Exode 16). La manne était *quelque chose de fin, de crissant, comme du givre* que l'on pouvait faire cuire ou bouillir, et qui tomba du ciel chaque jour jusqu'à ce que les Hébreux mangent la production du pays de Canaan (Josué 5, 12). Pour le Nouveau Testament, la manne est un symbole du pain de vie, dans lequel les Pères de l'Église voient la préfiguration de l'eucharistie. C'est un signe de la bonté de Dieu pour les hommes qui suivent ses lois.

## MANTEAU

Symbole de retrait sur soi et d'intériorisation, le manteau est l'image de la connaissance que l'on veut attirer en soi (prise du manteau religieux) puis de celle que se transmettent les prophètes. Au moment de son départ terrestre, Élie laissa son manteau à son successeur. Les soldats romains refusèrent de déchirer le manteau du Christ en plusieurs parts parce que l'étoffe était belle et d'une seule pièce ce qui, symboliquement, signifie que la connaissance ne se morcelle pas.

## MAÔN

Nom d'un territoire situé dans le sud du désert de Juda (1 Samuel 23-25) dans lequel David s'enfuit devant Saül. Avigaïl, la femme de Naval qui épousa par la suite le roi David, y demeurait..

## MARA

*Amère*. Oasis du désert de Shour, premier point d'eau où arrivèrent les Israélites après la traversée de la mer Rouge : *Ils arrivèrent à Mara mais ne purent boire l'eau de Mara, car elle était amère* (Exode 15, 23).

## MARC

Apôtre et évangéliste, auteur du deuxième Évangile portant son nom, Marc est représenté dans le tétramorphe par un lion. Il accompagna Barnabé et Paul dans leur mission et fut (peut-être) l'interprète de l'apôtre Pierre à Rome. Marc aurait fondé l'Église chrétienne d'Alexandrie avant de mourir en Égypte vers l'année 67. Au IXe siècle, des Vénitiens volèrent ses ossements à Alexandrie et les rapportèrent à Venise dont il devint alors le saint patron.

## MARC (ÉVANGILE SELON)

L'Évangile de Marc a certainement été écrit à Rome vers l'année 65. Dans cet Évangile, l'aspect divin de Jésus est peu présent car sa nature doit rester secrète. Le Messie, en effet, doit être reconnu à travers ses paroles et ses actes, c'est pourquoi l'Évangile de Marc commence par la vie publique de Jésus, son baptême dans le Jourdain et la tentation au désert (Marc 1). Pour Marc, l'avènement du Royaume de Dieu, c'est-à-dire le règne de la puissance divine sur la terre, réside dans l'exemple de Jésus-Christ et dans son appel à la conversion.

Cette vision du message du Christ témoigne de ce que fut la doctrine chrétienne pendant ses premières années.

## MARDOCHÉE

*Possession du dieu Mardouk.* Tuteur d'Esther, de la tribu de Benjamin, qui fut exilé à Babylone avec le roi Yoyakin en 597 av. J.-C. (Esther 2, 6). Refusant de s'agenouiller devant Hainan, le personnage le plus important du royaume après le roi, Mardochée et les Juifs furent près d'être anéantis mais Mardochée sauva son peuple de la mort qu'on leur destinait. En mémoire de cela, on célèbre la fête du Pourim ou fête de Mardochée. Peu après, Mardochée devint le personnage le plus puissant du royaume de Perse après le roi Xerxès.

## MARIAGE

Dans la Bible, le mariage archaïque était organisé par le père de famille qui choisissait l'épouse de son fils et réglait les détails financiers avec le père de celle-ci (Exode 22, 16). L'avis des intéressés n'influençait que rarement les décisions et l'amour ne venait, semble-t-il, qu'après les questions économiques, religieuses et cultuelles. D'abord autorisés, les mariages entre proches et ceux avec des partenaires d'autres peuples furent bientôt interdits sauf garanties que le culte du Seigneur soit toujours respecté (Deutéronome 7, 1-4). Maître de son épouse, le mari versait à son beau-père une somme convenue entre eux puis il promettait *de protéger son épouse, de ne pas lui réduire la nourriture, le vêtement et la cohabitation* (Exode 21, 10). Si le mariage avait des motifs politiques et économiques, il avait aussi pour but d'agrandir le clan et de fournir des héritiers mâles afin de le perpétuer. C'est pourquoi une grande famille était le signe d'une bénédiction divine (Genèse 17, 17) et la stérilité une malédiction (Genèse 30, 1), ce qui justifiait le lévirat et la polygamie.

Dans le Nouveau Testament, le mariage est un don de Dieu qui unit un homme et une femme *en une seule chair*, rendant ainsi le mariage indissoluble. *Ceux qui doivent renoncer au mariage à cause du service de Dieu… recevront, dans le monde à venir, la vie éternelle* (Marc 10, 29-30; Luc 18, 29). Paul fut un ardent défenseur du célibat destiné à mieux servir le Royaume de Dieu mais *pour éviter tout dérèglement, que chaque homme ait sa femme et chaque femme son mari* (1 Corinthiens 7, 1-10).

## MARIE

De l'hébreu, *Myriam*, mère de Dieu, à qui le christianisme a donné de nombreux autres noms tels que Notre-Dame, Madone, Sainte Vierge et Vierge Marie. Mère de Jésus et cousine d'Élisabeth, elle-même mère de Jean le Baptiste, Marie était native de Nazareth (Galilée) et avait été fiancée à Joseph le charpentier, de la maison de David (Luc 1, 26-27). La maternité virginale de Marie est à chercher dans un verset du livre d'Ésaïe (chapitre 7, 14) : *Le Seigneur vous donnera lui-même un signe : voici que la jeune femme est enceinte et enfante un fils, et elle lui donnera le nom d'Emmanuel.* Cependant le mot hébreu *Almah* signifie aussi bien jeune vierge que jeune femme mais Matthieu (chapitre 1, 23) voit dans la prophétie d'Ésaïe l'annonce de la naissance miraculeuse et virginale de Jésus-Christ. Après la disparition de Jésus, Marie se joignit au groupe des apôtres (Actes des Apôtres 1, 14), puis le Nouveau Testament reste silencieux sur le reste de sa vie. Symboliquement, la Vierge Marie perpétue les grandes déesses des anciennes religions, telles qu'Isis, Nout, Gaia et Déméter, la grande déesse blanche des Celtes, dont elle conserve en les transcendant toutes les caractéristiques, à la fois de création cosmique et de bonté universelle.

## MARIE

Mère de Jean, dit Marc, auteur de l'Évangile selon saint Marc. Cette Marie n'apparaît que dans les Actes des Apôtres (chapitre 12, 12), où elle est une chrétienne de Jérusalem.

## MARIE

Nom de la mère de Jacques le Mineur, que Paul nomme « frère du Seigneur » (Galates 1,10) (Marc 15,40).

## MARIE DE BÉTHANIE

Sœur de Marthe et de Lazare, qui *intercéda afin que Jésus ressuscite son frère.* (Jean 11, 1-44). Selon Jean (chapitre 12), Marie de Béthanie oignit les pieds de Jésus et les essuya avec ses cheveux. Marie de Béthanie est souvent confondue avec Marie de Magdala.

## MARRATIM

*Pays des rois.* Contrée située à l'embouchure du Tigre et de l'Euphrate (Jérémie 50, 21).

## MARTHE

Sœur de Marie et de Lazare de Béthanie, disciples de Jésus, Marthe et sa sœur le reçurent chez elles mais, tandis que Marie restait assise aux pieds du Seigneur et écoutait, Marthe s'activait aux devoirs ménagers. Elle s'en plaignit à Jésus qui lui répondit : *Marthe, Marthe, tu t'inquiètes et t'agites pour bien des choses. Une seule est nécessaire. C'est bien Marie qui a choisi la meilleure part ; elle ne lui sera pas enlevée* (Luc 10, 38-42). Symbole d'activité, Marthe est la patronne des peintres et des sculpteurs.

## MARTYR

Mot signifiant *témoin*, ou celui qui témoigne, donné dans toutes les religions à ceux qui moururent pour leur foi. Il n'y a pas à proprement parler de martyr dans l'Ancien Testament, bien que de nombreux personnages meurent par fidélité à leur Dieu. Dans le second livre des Macchabées (chapitre 6, 18-31), Éléazar se laisse martyriser plutôt que de renier sa foi et trahir les vénérables et saintes lois. Par la suite, la chrétienté honora le jour de la mort d'un martyr comme s'il s'agissait d'un anniversaire car il correspondait à sa naissance dans la vie éternelle. Jésus exhorta ses apôtres à témoigner sans craindre la mort même si elle devenait ainsi inévitable. Pendant les premiers siècles du christianisme, les chrétiens furent… *haïs de tous à cause de mon Nom.* comme le leur avait assuré le Christ dans l'Évangile de Matthieu (chapitre 10, 22). Historiquement, le *temps des martyrs* a une durée d'environ trois siècles ; il s'acheva sous le règne de l'empereur Constantin bien qu'il se soit poursuivi dans le royaume franc.

## MASSADA

*Ferme comme le roc* (hébreu). Nom d'un plateau élevé (440 m) situé dans le désert de Judée où Hérode le Grand fit ériger une forteresse pour lui servir de refuge. Après sa mort, les Romains firent de Massada un bâtiment militaire, mais en 66, selon Flavius Josèphe dans *La Guerre juive*, Massada fut reprise aux Romains par les Juifs qui continuaient la lutte. Dans l'impossibilité de vaincre ou d'affamer les mille résistants, Flavius Silva, en 72, fit construire un tour plus haute que la forteresse et bombarda les assiégés qui décidèrent de se tuer plutôt que d'être pris par l'ennemi. Tous reçurent la mort des mains de leur propre famille puis le dernier se tua lui-même en s'enfonçant son glaive dans le corps après avoir incendié ce qui restait de la forteresse. Seuls *deux femmes et cinq enfants, qui s'étaient cachés dans une citerne* survécurent à la fin tragique des résistants de Massada.

## MATHUSALEM

Fils d'Hénok et père de Lamek, ce descendant de Seth vécut 969 ans (Genèse 5) ; il serait l'homme ayant vécu le plus longtemps.

## MATTÂN

Petit-fils de la reine Athalie, prêtre de Baal tué par la population du royaume de Juda devant les autels du dieu interdit par le Seigneur. Le grand prêtre Yehoyada installa alors Joas de Juda sur le trône et fit tuer Athalie (2 Rois 11, 18). Mattân est aussi le nom du grand-père de Joseph le charpentier, l'époux de Marie (Matthieu 1, 15).

## MATTATTA

Fils de Nathan et petit-fils de David, cité dans la généalogie de Jésus.

## MATTATHIAS

Prêtre ancêtre de la dynastie des Macchabées, père de cinq fils, Jean, Siméon, Judas Macchabée, Éléazar et Jonathan. Mattathias, qui refusait l'hellénisation des Juifs, fonda un mouvement de résistance qui prit rapidement de l'ampleur. Mattathias et les siens circoncisaient les enfants incirconcis qu'ils rencontraient en Israël (1 Macchabées 2, 43-47). Mattathias mourut en 166 av. J.-C. et Judas Macchabée son fils lui succéda. Le petit-fils de Mattathias, fils de Simon Macchabée, fut également nommé Mattathias. Il fut mortellement blessé à la bataille de Dôk en 134 av. J.-C. (1 Macchabées 16, 14).

## MATTATHIAS

Nom deux fois cité dans la généalogie de Jésus, d'abord fils d'Amôs et père de Joseph, et fils de Semein et père de Maath (Luc 3).

## MATTHAT

Nom deux fois cité dans la généalogie de Jésus (Luc 3).

## MATTHIAS

Treizième apôtre qui remplaça Judas après sa pendaison. Matthias, qui appartenait aux 72 disciples, fut le premier à n'avoir pas été appelé directement par le Seigneur mais, tiré à la courte paille, donc choisi selon la volonté de Dieu pour reconstituer le groupe de douze apôtres (Actes des Apôtres 1, 21-26). On le représente tenant une croix ou un livre.

## MATTHIEU

Disciple et apôtre du Christ qui fut percepteur à Capharnaüm. Matthieu est l'auteur du 1er Évangile du Nouveau Testament qui porte son nom. Il évangélisa l'Éthiopie et mourut martyr, tué avec une hache, arme avec laquelle il est représenté dans la statuaire chrétienne. Dans le tétramorphe, Matthieu est personnifié par un ange.

## MATTHIEU (ÉVANGILE SELON)

L'Évangile selon saint Matthieu est, avec l'Évangile de saint Jean, celui qui a le plus influencé l'Église des origines. Selon l'Évangile de saint Matthieu, Jésus-Christ est venu accomplir les promesses de l'Ancienne Alliance ; le refus par le judaïsme de la valeur de la mort de Jésus contribue au succès de la mission terrestre du Messie.

## MAUVAIS

Qualificatif utilisée par l'apôtre Jean pour désigner les entités autrement nommées *Satan, Diable* ou *Malin*. Seul le Christ libère les hommes du pouvoir du Mauvais. Dans le Nouveau Testament, le Mauvais est l'un des pôles de la lutte éternelle que se livrent les forces du bien et du mal. Les hommes ne peuvent par leurs seules forces vaincre cette énergie s'ils n'ont choisi la Rédemption de Dieu.

## MAXILLAIRE

Point du corps où réside la force, selon plusieurs récits de l'Ancien Testament. C'est ainsi que Dieu brise le maxillaire des ennemis d'Israël et que Samson tue mille Philistins d'un seul coup de mâchoire d'âne (Juges 15, 15-17).

## MÉFAATH

Ville dont le prophète Jérémie annonça l'anéantissement (Jérémie 48, 21) et qui se trouvait sur le territoire des Rubénites.

## MÉGUIDDO

Ville fortifiée de Canaan située au sud-est du mont Carmel qui dominait la plaine d'Izréel. Méguiddo fut attribuée à la tribu de Manassé (Josué 17, 11), puis David l'incorpora dans son royaume et Salomon en fit une cité administrative (I Rois 4, 12). En 733 av. J.-C., la ville fut prise par les Assyriens, mais en 609 le roi Josias s'y établit, ce qui empêcha le pharaon Néko de combattre avec les Assyriens. Josias fut tué pendant la bataille de Méguiddo (2 Rois 23, 29).

## MÉGUILLOTH

*Cinq rouleaux.* Nom désignant les cinq livres de l'Ancien Testament que l'on lisait aux cinq principales fêtes juives, Pâque, fête des Semaines, Tisha Bé Av, fête des Tabernacles, Pourim. Il s'agissait du Cantique des Cantiques, du livre de Ruth, des Lamentations, de l'Ecclésiaste et d'Esther.

## MELCHI

Nom cité dans la généalogie de Jésus (Luc 3).

## MELKISÉDEQ

*Prêtre de Dieu, le Très-Haut.* Roi de Salem qui bénit Abraham et lui apporta le pain et le vin. Abraham lui donna la dîme de tout ce qu'il possédait (Genèse 14, 20). L'Ancien Testament et les Pères de l'Église associent Salem à Jérusalem, car ce roi-prêtre Melkisédeq serait la préfiguration du Messie et un modèle pour les rois.

## MEMOUKÂN

L'un des sept ministres, spécialistes des lois, qui étaient admis à voir le roi Xerxès et siégeaient au premier rang dans le royaume (Esther 1, 13-14). Memoukân montra que le droit du pays autorisait le roi à répudier la reine Vasti qui refusait de se montrer devant le roi parée du diadème royal afin que le peuple puisse l'admirer.

## MENAHEM

Roi du royaume d'Israël (747-738 av. J.-C.) qui tua l'assassin du roi Zacharie, Shalloum, avant de monter sur le trône. Il conquit la ville de Tifsah et massacra ses habitants qui refusaient de lui obéir (2 Rois 15).

## MÉNÉLAS

Avec ses frères Simon et Lysimaque, gens cupides et sans scrupule, Ménélas accapara la fonction de grand prêtre en évinçant Jason, le titulaire, qu'il fit exiler. Ayant gardé par-devers lui des sommes d'argent destinées au roi séleucide, il resta impuni et conserva ses fonctions grâce à la cupidité des puissants… (2 Macchabées 4, 24-50).

## MENÉ TÉQEL OU-PARSÎN

Mots qu'une main mystérieuse inscrivit sur le mur du palais du roi babylonien Belshassar pendant un festin. Seul Daniel, exilé à Babylone, put l'interpréter : *Mené* comme *compté, car Dieu a fait le compte de ton règne et il y a mis fin. Téqel comme pesé car tu as été pesé dans la balance et trouvé insuffisant et Parsîn comme partagé car ton royaume a été partagé et donné aux Mèdes et aux Perses* (Daniel 5, 25-28).

## MENSONGE

La notion de mensonge est plus vaste dans la Bible que dans la langue française. Le mot *mensonge* s'applique en effet non seulement à toute parole trompeuse, mais encore à tout ce qui est en contradiction avec la Vérité contenue dans la loi mosaïque. Se comporter contre ces règlements, se détourner de Dieu en quelque manière est une attitude mensongère vis-à-vis du Seigneur avec qui on a une alliance. C'est pourquoi pratiquer le culte des idoles est assimilé au mensonge (Amos 2, 4). Dans le Nouveau Testament, le mensonge manifeste la force tentatrice, le pouvoir du diable, lui-même père du mensonge (Jean 8, 44).

## MER

Lieu de tous commencements, la mer détient la connaissance de l'humanité mais, pour la Bible, la mer symbolise aussi ce qui sur la terre est hostile à la vie. C'est dans la mer que Dieu retient les monstres prisonniers, c'est dans ses eaux ténébreuses que se cachent les ennemis de Dieu et le repaire du diable. Si Jésus rejette dans le lac de Gennésareth (mer de Galilée) les esprits impurs, c'est aussi dans cette mer qu'il fait une pêche miraculeuse: Marcher sur l'eau, donner des ordres à la mer, ou apaiser la tempête, montrent la puissance de Dieu (Matthieu 14, 25-33).

## MÉRARI

Troisième fils de Lévi, ancêtre de la famille des Mérarites (Nombres 33) qui reçurent les villes de Ruben, Gad et Zabulon (Josué 21, 34-40).

## MÉRAV

L'aînée des deux filles de Saül que le roi promit à David. Il se rétracta ensuite pour la donner à Adriël (1 Samuel 18, 17-19).

## MER D'AIRAIN

Grand bassin métallique (5 m de diamètre et 2,5 m de hauteur) servant aux ablutions, situé dans le temple de Salomon et coulé en bronze par Hiram. Cette *mer d'airain* fut détruite lors du sac de Jérusalem en 586 av. J.-C. par les Chaldéens (2 Rois 25, 13).

## MER DES JONCS

Dans l'Ancien Testament, la mer des Joncs désigne le golfe d'Aqaba et le golfe de Suez (1 Rois 9, 26).

## MERIBA

*Querelle.* Étape de la traversée du désert par les Hébreux qui reprochaient la pénurie d'eau à Moïse. Dieu lui permit alors de faire sortir de l'eau d'un rocher en le frappant de son bâton (Exode 17, 7).

## MERIBBAAL

Nom d'un fils du roi Saül, et de l'un de ses petits-fils, fils de Jonathan, estropié des deux jambes. David le garda à sa cour et lui fit restituer tous ses biens (2 Samuel 9, 4-13). Au moment de la révolte d'Absalon, Meribbaal abandonna David qui pourtant l'épargna (2 Samuel 19, 25-31).

## MER ROUGE

Mer de l'océan Indien, qui sépare l'Asie de l'Afrique. Le golfe d'Aqaba, où elle finit, est appelé *mer des Roseaux* dans l'Ancien Testament.

## MÉRODAK-BALADÂN

*Mardouk a donné un fils.* Prince chaldéen du pays de la mer, vassal des Assyriens. Après la mort du roi de Babylone Tiglath-Piléser, en 727 av. J.-C., Mérodak-Baladân usurpa son trône, jusqu'à ce que Sargon II, fils de Tiglath-Piléser l'en expulse en 710. À la mort de Sargon, en 704 av. J.-C., Mérodak-Baladân reprit le trône, tenta une alliance contre l'Assyrie avec le roi Ézékias de Juda (2 Roi 20, 12-21) mais fut définitivement chassé par Sennakérib, successeur de Sargon.

## MÉRÔM

Cité du nord de la Palestine, où Josué remporta une victoire sur les rois cananéens (Josué 11) pour conquérir les eaux de Mérôm (le lac Houlé, au nord du lac de Gennésareth).

## MÉSHA

Roi des Moabites au temps des rois Omri, Akhab, Akhazias et Yoram. Mésha abandonna Israël après la mort d'Akhab puis s'imposa ensuite en vainqueur de Juda et d'Israël. La stèle de Mésha comporte les victoires royales dont celle de Mésha, remportée sur le roi Akhab d'Israël.

## MESSIE

Forme hellénisée de l'araméen *maskîak*, l'oint, c'est-à-dire sacré par le Seigneur, traduit en grec par *khristos*, signifiant sauveur, envoyé de Dieu. Titre que l'on donnait aux rois légitimes du royaume de Juda lorsqu'ils étaient oints par le Seigneur. Ce terme s'appliqua pour les prophètes au Roi idéal qui viendrait sur la terre pour y faire régner une paix et une justice éternelles, puis qualifia Jésus, aussi appelé *Fils de l'homme* et *Emmanuel* (Dieu avec nous).

## MEURTRE

Absolument condamné par le sixième commandement : *Tu ne tueras point* (Exode 20, 13), le meurtre correspond à un acte bien précis : *Qui frappe un homme à mort sera mis à mort, quand un homme est enragé contre son prochain au point de le tuer par ruse, tu l'arracheras même de mon autel pour qu'il meure* (Exode 21, 12-14). Cependant : *Celui qui n'a pas guetté sa victime - c'est Dieu qui l'a mise sous sa main - je te fixerai un lieu où il pourra fuir.*

Le sang de la victime d'un meurtre *crie vers le Ciel* (Genèse 4, 10). Dieu lui-même exige que justice soit faite : *...à chacun je demanderai compte de la vie de son frère. Qui verse le sang de l'homme, par l'homme verra son sang versé* (Genèse 9, 5-6). Ce qui amène la loi des représailles : *Si un homme frappe à mort un être humain quel qu'il soit, il sera mis à mort* (Lévitique 24). C'est Dieu lui-même qui est le vengeur des saints et des justes qui ont versé leur sang pour lui (Apocalypse 16, 6). Tandis que l'assassin subit sa peine, le meurtrier involontaire peut chercher asile dans l'une des villes de refuge fixées par la loi.

## MICHÉE

Nom d'un prophète établi dans le royaume de Juda au VIIIe siècle av. J.-C. auquel on attribue le livre de Michée.

Michée est aussi le nom d'un membre de la tribu d'Éphraïm qui vivait au temps des Juges. Ce Michée se fit construire un sanctuaire personnel dans lequel il installa un prêtre (lévite) de Bethléem (Juges 17). Un troisième personnage, appelé Michée, fils de Yimla, fut prophète dans le royaume d'Israël sous le règne du roi Akhab (1 Rois 22).

## MICHÉE (LIVRE DE)

Livre de l'Ancien Testament attribué au prophète Michée bien que quelques parties de ce livre lui soient largement postérieures. Ce prophète prêchait dans le royaume du Sud, en Judée, sous le règne des rois Yotam, Akhaz et Ézéchias. Originaire de Morèsheth Gath, au sud-ouest de Jérusalem, Michée était un disciple du prophète Ésaïe. Le livre de Michée se compose surtout de menaces et de promesses adressées à la Samarie, alors capitale du royaume d'Israël. Il s'attaque à ceux qui abusent du pouvoir et invective les juges et les chefs corrompus d'Israël (chapitre 3, 9-12).

## MICHEL

Saint Michel est celui *qui est comme Dieu*, toujours représenté tenant en respect un dragon du bout de sa lance. Ce personnage très populaire, l'un des princes de premier rang parmi les anges, parfois appelé *Défenseur de l'Occident*, est l'un des aspects du Verbe lumineux terrassant les forces brutes et ténébreuses du monde personnifiées par le dragon. C'est, avec Raphaël et Gabriel, le seul ange cité par la Bible (Daniel 10, 13-21). Dans l'Apocalypse, Michel est l'ange qui expulse Satan du haut des cieux (chapitre 12).

## MIÇPA/MIÇPÈ

*Poste de guet*. Petite cité située au nord de Jérusalem (territoire de Benjamin) où toutes les tribus décidèrent de combattre celle de Benjamin (Juges 20, 1-10). À Miçpa, le juge et prophète Samuel assembla tout le peuple et fit élire Saül comme premier roi d'Israël (1 Samuel 10, 17). Par la suite, le roi Asa de Juda transforma Miçpa en forteresse frontière entre le royaume d'Israël et le royaume de Juda (1 Rois 15, 22).

Après la chute d'Asa, en 587 av. J.-C., Miçpa fut la ville du gouverneur Guédalias qui y mourut assassiné (Jérémie 40, 1-3), puis au temps des Macchabées, Miçpa fut le point de départ de la révolte contre les Séleucides (1 Macchabées 3, 46-60).

## MIDRASH

De l'hébreu signifiant *recherche*. Le Midrash fait partie de la littérature talmudique. Il interprète les textes de l'Ancien Testament écrits entre le IVe et le XIIe siècle av. J.-C., sous deux formes distinctes, les *midrashim halakhiques* et les *midrashim haggadiques*, les premiers constitués de commentaires des textes du Pentateuque, et les seconds constitués d'une compilation des enseignements théologiques, de récits folkloriques et de commentaires moraux.

## MIEL

Le miel illustre la richesse et la prospérité de la Terre promise (pays de Canaan) qui est décrite comme un pays ruisselant de lait et de miel (Exode 3, 8). Ce miel, sauvage n'est pas le fruit du travail des hommes, car l'apiculture n'existait pas, mais il résulte de l'œuvre de la nature et de Dieu. Le miel est ainsi doublement symbolique, nutritif et spirituel. C'est ainsi que Samson se nourrit de miel d'abeilles installées dans la carcasse d'un lion mort (Juges 14, 8-9) et que, dans le désert, Jean-Baptiste survit en mangeant des sauterelles et du miel sauvage, afin d'atténuer le goût amer des insectes (Matthieu 3, 4). Pour les prophètes, les jugements de Dieu et ses commandements sont plus doux que le miel. Lorsque sur l'ordre de Dieu le prophète Ézéchiel avale un rouleau sacré, il assure que dans sa bouche ce parchemin est d'une douceur de miel (Ézéchiel 3, 1-3 ; Apocalypse 10, 9).

## MIKAL

Fille du roi Saül, sœur cadette de Mérav. Saül promit Mérav à David, mais la donna à un autre (1 Samuel 18, 19). David aima Mikal mais lorsque Saül l'apprit, il exigea comme cadeau cent prépuces de Philistins, espérant que David se ferait tuer lors du combat. David abattit deux cents Philistins et apporta leurs prépuces à Saül qui ne put lui refuser Mikal mais tenta de le faire tuer. Mikal prit son parti mais fut donnée à un autre. À la mort de Saül, David obtint qu'on lui rende Mikal mais quand David sauta et tournoya autour de l'arche de l'alliance arrivée à Jérusalem, Mikal méprisa David et le tourna en dérision.

## MIKMAS

*Le lieu secret*. Localité située à 12 km au nord de Jérusalem, dans la tribu de Benjamin. Jonathan, fils de Saül, y battit les Philistins (1 Samuel 13, 5-14). Prise par les Babyloniens, Mikmas fut reconquise (Esdras 2, 27) et Jonathan Macchabée s'y installa comme juge (1 Macchabées 9).

## MILKA

Femme de roi. Fille d'Harân et sœur de Loth, épouse de Nahor, le frère d'Abraham (Genèse 11 ; 22), Milka était la grand-mère de Rébecca.

## MILKÔRN

*Roi*. Dieu national des Ammonites, souvent identifié à Moloch. Le roi Salomon accueillit son culte dans son royaume (I Rois 11, 5-7) mais le roi Josias détruisit ses temples (2 Rois 23, 13).

## MILLÉNARISME

Interprétation des commentaires de l'Apocalypse suivant lesquels le Christ viendra à la fin des temps pour fonder un royaume messianique de mille ans dans lequel Satan n'aura plus aucun pouvoir. Ces mille merveilleuses années ne seront qu'une trêve avant le combat final et la fin de Satan. Après cela, le jugement dernier anéantira le monde et un nouvel univers sera créé (Apocalypse 20 ; 21).

## MIRACLE

Miracle n'a pas son équivalent en hébreu. C'est dans le Nouveau Testament que le miracle intervient dans son sens courant actuel ; les Évangiles rapportent des actions du Christ qui dépassent de loin celles habituellement pratiquées par les hommes : eau transformée en vin, malades guéris, miracle des pains ou pêche miraculeuse.

## MISÉRICORDE

Capacité d'être sensible à la souffrance d'autrui. Pour la Bible, la miséricorde est l'une des qualités divines sur lesquelles s'appuie la compassion, ou miséricorde humaine. C'est par miséricorde que Dieu sauve les hommes du péché en leur envoyant son Fils. La parabole du Bon Samaritain illustre le principe de la miséricorde (Luc 10).

## MISHÂL

Surnommé Méshak en babylonien, Mishâl fut l'un des trois compagnons de captivité de Daniel à Babylone. Tous refusèrent d'adorer un dieu babylonien (Daniel 1, 6) et ils furent jetés dans une fournaise dont les flammes les épargnèrent.

## MISHNA

*Répétition de la doctrine* (hébreu). La plus ancienne partie du Talmud constituée de lois religieuses transmises oralement depuis la révélation sur le Sinaï. Rabbi Yehouda Ha-Nassi (le prince) consigna ces lois par écrit ainsi que leurs interprétations comprenant les lois concernant l'État, les lois civiles et pénales, les lois des fêtes, les lois des offrandes, les lois du mariage et les lois de pureté.

## MISREFOTH-MAÏM

*Combustion d'eaux.* Petite cité située au nord du Carmel, à 20 km d'Haïfa. Après son combat pour la possession de l'eau de Mérôm, Josué battit les rois cananéens ligués contre lui et les poursuivit jusqu'à Misrefoth-Maïm (Josué 13, 6).

## MISSION

Apostolat dans son sens premier, la mission a pour but d'annoncer la religion chrétienne aux peuples non croyants. Les apôtres furent les premiers missionnaires du Christ.

## MOAB

Ancêtre des Moabites, fils incestueux de Loth et de sa fille aînée (Genèse 19). Ses descendants s'installèrent en Transjordanie, à l'est de la mer Morte, au Torrent des Saules (Esdras 15, 7). Après diverses fortunes, les Moabites conquirent Jéricho et imposèrent un tribut à Israël pendant dix-huit ans jusqu'à ce que le Juge Ehoud assassine le roi Eglôn (Juges 3, 12-30). David les battit et les Moabites devinrent des serviteurs soumis au tribut (2 Samuel 8, 2). Ayant recouvré leur indépendance, les Moabites furent soumis aux Assyriens puis aux Babyloniens avant d'être annexés au royaume nabatéen. Polythéistes, les Moabites accueillaient les Israélites qui se livraient chez eux à la débauche et se convertissaient à leur culte (Nombres 25). Cependant, Ruth, aïeule de David, était une Moabite et le roi Salomon fit ériger un temple à Kemosh, dieu moabite, pour plaire aux femmes moabites qui vivaient dans son royaume (I Rois 11, 7).

## MOIS

Après l'exil à Babylone, et sous l'influence des savants babyloniens, les mois bibliques portèrent le nom des mois babyloniens. L'année débutait à la nouvelle lune du printemps par le mois de nisan et se poursuivait par iyyar (ziv), siwân, tammouz, ab, eloul, tishri (etanim), mareshwân (boul), kislev, téveth, shevat, adar et ve-adar (qui était un mois complémentaire).

## MOÏSE

*Retiré des eaux.* Fils d'une Israélite qui le confia à la grâce divine, emmailloté dans un berceau déposé sur les eaux du Nil. Moïse est l'une des grandes figures de la Bible, le personnage principal du livre de l'Exode, le libérateur du peuple hébreu, celui qui traita une alliance avec l'Éternel qui en retour lui donna le Décalogue (dix lois gravées sur des tables de pierre) alors qu'il se trouvait au sommet du mont Sinaï. La tradition assure qu'il fut enseveli au pays de Moab, en face de Beth-Péor. Mais personne n'a jamais connu son tombeau ajoute le dernier chapitre du Deutéronome (34).

L'imagerie chrétienne a illustré plusieurs scènes de la vie de Moïse : l'enfant abandonné sur le Nil, des dix plaies frappant l'Égypte afin d'obliger Pharaon à libérer les Hébreux, la descente du mont Sinaï avec les tables de la Loi, l'adoration et la destruction du veau d'or, la traversée de la mer Rouge, la manne dans le désert, le serpent d'airain sauvant les Hébreux de la mort.

## MOISSON

La moisson est le fruit du labeur des hommes et de Dieu qui en garantit la bonne fin ; c'est donc un grand honneur que d'avoir le droit de moissonner dans le champ sacré. Pour les Évangiles, le temps de la moisson n'est autre que le moment du jugement dernier.

## MOLOCH

*Roi*. Surnom déformé du dieu Baal à qui l'on sacrifiait des enfants (Lévitique 18, 21). Le culte de Moloch fut parfois pratiqué en Israël, notamment sous le règne du roi Manassé.

## MONOTHÉISME

Du grec *monos*, seul, et *théos*, dieu. Religion n'adorant qu'une seule divinité, un dieu unique. Le monothéisme est apparu chez les Hébreux avec le Décalogue qui précise : *Tu n'auras pas d'autres dieux face à moi*. Il était pratiqué aussi en Égypte, notamment pendant le règne du pharaon Aménophis IV, dit Akhenaton.

## MONTAGNE

Le plus haut point de relation entre les hommes et les dieux, entre le Ciel et la Terre. La montagne abrite les sages dans des grottes et cavernes préfigurant les cryptes des cathédrales. Le faîte de la montagne symbolise la solitude et les difficultés de l'ascension mais aussi la rencontre possible avec Dieu. Seules les âmes courageuses, les héros et les saints (tels Abraham sur le mont Moriyya, Moïse sur le mont Horeb/Sinaï et Élie sur le mont Carmel) parviennent à ces sommets d'où l'on contemple le monde, et où Dieu dicte les lois de l'univers. C'est depuis le haut d'une montagne que Jésus s'adressa à la foule dans un sermon précisant la nature des béatitudes.

## MORÉSHETH/MORÉSHETH-GATH

*Possession de Gath.* Ville située au sud-ouest de Jérusalem où naquit le prophète Michée.

## MORIYYA

Nom du pays et de la montagne où le patriarche Abraham se rendit pour sacrifier son fils sur l'ordre de Dieu qui voulait le mettre à l'épreuve (Genèse 22). Alors qu'il allait exécuter son holocauste, un ange lui ordonna d'arrêter et Abraham prit un bélier prisonnier des buissons qu'il sacrifia à la place d'Isaac. Plus tard, au même endroit, le roi David érigea un autel pour Dieu, y offrit un sacrifice et la communion à tout le peuple. C'est à ce même endroit que son fils Salomon bâtit le temple de Jérusalem.

## MORT

Pour l'Ancien Testament, la mort signifie la disparition de la matière vivante tandis que l'âme continue de mener une existence errante dans le monde de l'au-delà, selon une conception proche de celle de toutes les religions antiques. C'est ainsi que les vivants, Jésus y compris, rendent leur esprit, leur souffle, leur haleine de vie à Dieu car la respiration manifeste la vie humaine. Selon Job, *Si Dieu ne concentrait en lui son souffle et son haleine, toute chair expirerait à la fois et l'homme retournerait en poussière* (Job 34, 14-15). Ainsi sont séparés le corps matière et l'âme immatérielle. L'Évangile de Matthieu (chapitre 10, 28) précise cette vision de l'être humain : *Ne craignez pas ceux qui tuent le corps mais ne peuvent tuer l'âme ; craignez bien plutôt celui qui peut faire périr âme et corps dans la géhenne.*

## MOUTON

L'un des animaux dont le mâle était destiné au sacrifice. La tonte annuelle des moutons, en avril et mai, était l'occasion d'une fête rituelle
(Genèse 31, 19) dont le prêtre recevait le premier produit (Deutéronome 18, 4).
Réputé doux, innocent et inoffensif (Matthieu 7, 15), cet animal est associé au Christ qui est désigné comme l'Agneau de Dieu (*Agnus Dei*)
tandis que les apôtres sont des brebis envoyées parmi les loups (Matthieu 10, 16). Jésus-Christ est le *Bon Berger* des brebis, c'est-à-dire de l'ensemble des chrétiens.

## MULE/MULET

Animal obtenu par le croisement entre les ânes et les chevaux. Bien
qu'interdit par le livre du Lévitique (chapitre 19, 19), le produit du croisement d'espèces animales différentes était utilisé par les rois d'Israël,
notamment Salomon qui recevait des mulets tous les ans en cadeau
(1 Rois 10, 25). Ils servaient de montures et de bêtes de somme mais participaient aussi aux cérémonies royales. Salomon arriva sur une mule
au lieu où il devait recevoir l'onction royale (1 Rois 1).

## MULTIPLICATION DES PAINS

Nom donné au miracle réalisé par Jésus-Christ qui nourrit une foule
de cinq mille personnes assemblées pour écouter sa parole avec seulement cinq pains et deux poissons. *Jésus prit les cinq pains et les deux
poissons… ils mangèrent tous et furent rassasiés.* Selon l'Évangile de
Marc (chapitres 6 et 8), Jésus fit miracle à deux reprises.

## MUSIQUE

La notation musicale n'existe pas dans la Bible bien que le chant et la
danse soient mentionnés. Des instruments de musique étaient utilisés pour exprimer la joie, le bonheur ou le malheur, le deuil et les lamentations. La musique avait une puissance magique, comme le
montre le jeune David jouant de la cithare pour guérir le roi Saül victime d'un esprit malin (1 Samuel 16, 16). C'est par la musique et les cla-
meurs du peuple que Josué fit s'écrouler les murailles de Jéricho.

## MYRIAM

Fille de Lévi et sœur d'Aaron, prophétesse, qui dirigea les femmes lorsque les Hébreux traversèrent la mer Rouge. Elle prit un tambourin, entonnant le chant qui depuis porte son nom : *Chantez le Seigneur, il a fait un coup d'éclat. Cheval et cavalier, en mer il les jeta !* (Exode 15, 21). Atteinte de la lèpre (pour avoir protesté parce que Moïse avait pris une femme étrangère), elle fut guérie au bout de sept jours grâce à la prière de Moïse intercédant en sa faveur auprès de Dieu. Elle mourut pendant la traversée du désert et fut enterrée à Qadesh (Nombres 12 ; 20).

## MYRRHE

Gomme-résine utilisée comme parfum et produit de toilette puis, associée à l'huile d'onction sainte, comme élément au service du culte. La myrrhe est l'un des cadeaux apportés par les Mages lors de la nativité de Jésus (Matthieu 2, 11). Au moment de la crucifixion, on offrit à Jésus un peu de vin mélangé à de la myrrhe afin de l'apaiser, mais il refusa le breuvage (Marc 15, 23).

## MYSTÈRE

*Chose cachée, secrète* (grec). Enseignement et rites secrets initiatiques non dispensés aux profanes. Dans l'Ancien Testament ce mot n'apparaît qu'à l'époque hellénistique tardive et garde son sens d'origine. Les Évangiles n'utilisent pas ce terme car l'enseignement du Christ est dévoilé à quiconque veut l'entendre. L'apôtre Paul l'utilise cependant souvent pour signifier que le seul mystère tient dans la révélation du Christ et dans son but de rédemption. Par le message du Christ, *Dieu nous a fait connaître le mystère de sa volonté* (Éphésiens 1).

## MYTHE

*Mot, parole, fable* (grec). Récit des religions antiques rapportant sur un mode tantôt poétique, tantôt fantastique l'histoire du monde (cosmogonie), des dieux et des hommes, tentant de donner une signification, une explication aux phénomènes célestes et terrestres incompréhensibles. Pour la Bible, où toute création est voulue et organisée par Dieu, il n'y a pas de mythes au sens strict bien que de nombreux événements puissent être considérés comme tels : Création, Paradis terrestre, Déluge, Caïn et Abel, Abraham et Isaac, etc. Dans le Nouveau Testament, l'apôtre Paul est totalement opposé au principe même du mythe.

## NAARNA

Nom de la fille de Lamek et Cilla, sœur de Toubal-Caïn, lui-même ancêtre des forgerons selon la Genèse (chapitre 4, 22). Naarna est aussi le nom de la mère, ammonite, du roi Roboam de Juda (1 Rois 14, 21) et celui de l'une des villes de la tribu de Juda (Josué 15, 41).

## NAARNÂN

Nom d'un des fils, ou petit-fils, de Benjamin (Genèse 46, 21) ancêtre des Naamites appartenant à la tribu de Benjamin.

Nom du chef de l'armée du roi d'Aram qui, lépreux, se rendit en Samarie afin que le roi d'Israël le guérisse de sa maladie. Le roi ayant refusé, le prophète Élisée lui fit dire de se laver sept fois dans le Jourdain et d'invoquer le nom du Seigneur son Dieu qui le délivrerait de son mal. Naarnân se baigna sept fois comme on le lui avait indiqué et *sa chair devint comme la chair d'un petit garçon* (2 Rois 5). Après cela, Naamân adora le Dieu d'Israël tandis que le prophète refusait ses cadeaux. Guéhazi, serviteur d'Élisée, exigea pour lui-même quelques subsides et Élisée maudit Guéhazi qui devint alors lépreux comme l'avait été le général araméen.

## NAASSÔN

Fils d'Aminadab, grand-père de Boaz, et mari de Ruth, cité dans la généalogie de Jésus (Matthieu 1, 4).

## NABATÉENS

Peuple établi au sud de la mer Morte vers le IVe siècle avant Jésus-Christ, dont Pétra était la capitale. Les Nabatéens contrôlaient les routes reliant l'Arabie du Sud à l'Égypte et à la Syrie, appelée aussi *Route de l'Encens*. En 63 av. J.-C., ils devinrent vassaux de Rome et formèrent alors la province romaine nommée Arabie Pétrée.

## NABOTH

Malheureux possesseur d'une vigne à Izréel, que le roi Akhab voulait acheter parce qu'elle était mitoyenne du palais royal. Naboth refusa de vendre l'héritage de ses pères (1 Rois 21, 4) mais l'épouse d'Akhab, Jézabel, fit porter contre lui un faux témoignage l'accusant d'avoir maudit Dieu et le roi. Naboth fut lapidé et mis à mort et Akhab prit la vigne. Le prophète Élie dit alors au roi : *À l'endroit où les chiens ont léché le sang de Naboth, les chiens lécheront aussi ton propre sang.* Ce qui arriva au moment de la révolte de Jéhu. Le cadavre d'Akhab, assassiné, fut jeté sur le champ de Naboth où les chiens le dévorèrent.

## NABUCHODONOSOR II

Fils de Nabopolassar (605-562 av. J.-C.), Nabuchodonosor est le plus connu des rois de Babylone car il amena son empire à son apogée. Étendant son territoire vers l'ouest, il lutta contre les Égyptiens et le royaume de Juda qu'il vainquit, envahit Jérusalem en 587 et emmena ses habitants en déportation en 597. Dans l'art médiéval, Nabuchodonosor est représenté par un aigle à tête d'homme couronnée.
À Babylone, Nabuchodonosor II fit ériger la porte d'Ishtar, un palais urbain avec des jardins suspendus qui furent considérés comme l'une des Sept Merveilles du monde antique. Il fit reconstruire le temple de Mardouk et une gigantesque tour à étages.

## NADAV

Nom du fils aîné d'Aaron et Élisabeth (Exode 6, 23) qui avec son frère Abihou mourut pour avoir offert un sacrifice interdit (Lévitique 1-2).

## NADAV D'ISRAËL

Nom du deuxième roi du Royaume du Nord d'Israël (907-906 av. J.-C.), ayant succédé à Jéroboam I<sup>er</sup>. Il régna deux ans puis fut tué au pays des Philistins pendant le siège de Guibbetôn (1 Rois 15, 25-32).

## NAGGAI

Père de Hesli, fils de Maath, cité dans la généalogie de Jésus (Luc 3, 25).

## NAHASH

*Serpent.* Roi des Ammonites dont triompha le futur roi Saül (1 Samuel 11, 1-13) alors qu'il occupait Yavesh de Galaad.

## NAHOR

Grand-père d'Abraham (Genèse 11, 22-27) cité dans la généalogie de Jésus (Luc 3, 34).

## NAHOUM

*Consolateur.* Le septième des « petits prophètes » qui vécut à la fin du VII<sup>e</sup> siècle av. J.-C. dans le royaume de Juda. Nahoum est l'auteur du livre prophétique qui porte son nom, dans lequel il menace la ville de Ninive. Le livre contient également un psaume louant la gloire de Dieu que l'on n'attribue cependant pas au prophète. Ninive fut effectivement détruite lors de la rédaction du livre de Nahoum.

## NAÏN

Ville de Galilée, à 10 km au sud-est de Nazareth, dans laquelle Jésus ressuscita le fils unique d'une veuve (Luc 7, 11-17).

## NARCISSE

Nom d'un chrétien romain que l'apôtre Paul salue avec sa maison dans l'une de ses lettres (Romains 16, 11).

## NATHAN

Prophète et ami du roi David, auteur d'une histoire des règnes de David et de Salomon (I Chroniques 29; II Chroniques 9). Nathan annonça à David qu'il ne serait pas le constructeur du temple de Dieu, mais que ce serait son fils et successeur, Salomon. Il avertit aussi David qu'ayant fait tuer Urie le Hittite pour prendre sa femme, le Seigneur le châtierait à son tour. C'est pourquoi le fils aîné de David et Bethsabée, épouse d'Urie, mourut et que seul resta le second fils, Salomon, qui succéda à David.

## NATHANAËL

*Dieu a donné.* L'un des premiers disciples de Jésus selon l'Évangile de Jean; c'est l'apôtre Barthélemy qui est cité dans les autres Évangiles. Originaire de Cana, présenté à Jésus par Philippe, Nathanaël, étonné de savoir que le Messie arrivait de Nazareth demanda : *Peut-il sortir quelque chose de bon de Nazareth ?* (Jean 1, 43-49). Nathanaël fut l'un des disciples à qui le Christ apparut au lac de Tibériade après sa résurrection (Jean 21, 2).

## NATIVITÉ

Nom donné à la naissance du Christ. Dans l'art chrétien, la Nativité réunit anges, hommes et animaux dans une étable (symbole de la caverne, donc de la vie terrestre) illuminée par la lumière céleste d'une étoile. La nativité du Christ est fêtée à Noël.

## NAVAL

*Fou, insensé.* Éleveur de bétail, dur et méchant, établi à Carmel, dans le sud de Juda, époux d'Avigaïl. Pour avoir protégé ses bergers au moment de la tonte de ses moutons, David lui réclama un cadeau mais Naval chassa les messagers de David qui lança alors une troupe de deux cents hommes contre lui. Cependant, son épouse Avigaïl apporta les présents attendus et les hommes armés se retirèrent. Lorsque Avigaïl décrivit à son époux les présents qu'elle avait donnés aux hommes de David, *le cœur de Naval mourut dans sa poitrine, et il fut comme pétrifié. Et au bout d'une dizaine de jours, le Seigneur frappa Naval, et il mourut. David apprit la mort de Naval et bénit le Seigneur puis il demanda Avigail en mariage et l'épousa* (I Samuel 25, 37-38).

## NAZARÉIEN

L'un des surnoms de Jésus, *celui qui vient de Nazareth* (Matthieu 21, 11).

## NAZARETH

Village du Sud de la Galilée cité par le Nouveau Testament comme lieu d'origine de Jésus-Christ et de sa famille (Matthieu 2, 23).

## NAZIR

Homme ou femme qui faisait le vœu du naziréat, et se consacrait à Dieu un certain temps, ou sa vie entière. Le livre des Nombres (chapitre 6) donne des précisions quand aux règles que devaient suivre celui qui avait choisi le naziréat. Le nazir s'abstenait de vin et de vinaigre d'alcool, ne se rasait pas et laissait pousser ses cheveux. Il ne devait pas s'approcher d'un mort même s'il s'agissait de son père ou de sa mère, de son frère ou de sa sœur. Au terme du naziréat, on coupait rituellement les cheveux du nazir et on les jetait dans le feu. Samson et Samuel furent parmi les nazirs les plus glorieux. Le naziréat existait encore au temps de l'apôtre Paul qui participa avec d'autres nazirs aux rites de purification au temple de Jérusalem (Actes des Apôtres 21, 23-26).

## NAZÔRÉEN

Jésus est ainsi désigné dans l'Évangile de Matthieu (chapitres 2 et 26). La signification du terme est imprécise, peut-être *sauvé* ou *préservé*, ce qui évoquerait l'idée du salut annoncé par le Christ et ses apôtres. Cette appellation serait à relier à l'hébreu *naçour* qui désigne précisément les sauvés, les rescapés ou les survivants dans les livres prophétiques.

## NEBAYOTH

Fils aîné d'Ismaël (Genèse 25, 13), considéré comme l'ancêtre d'une tribu établie en Arabie (Ésaïe 60, 7).

## NÉBO

Nom d'un mont dans la chaîne d'Abarim en Transjordanie (Moab), situé face à Jéricho, d'où Moïse put apercevoir le pays de Canaan, la Terre promise avant de mourir. Nébo était aussi le nom d'un dieu de Babylone personnifiant la sagesse et l'écriture, représenté les tablettes du destin dans les mains. Plusieurs cités furent appelées Nébo. L'une en Transjordanie (territoire de la tribu de Ruben) et l'autre dans le territoire de Juda.

## NEBOUSHAZBÂN

Nom du chef du personnel du roi Nabuchodonosor II (Jérémie 39, 13).

## NEBOUZARADÂN

Nom du chef de la garde personnelle du roi Nabuchodonosor II (Jérémie 39, 11). Nebouzaradân prit Jérusalem en 587 av. J.-C., détruisit la ville et déporta sa population vers Babylone (2 Rois 25). Nabuchodonosor II lui donna l'ordre de libérer le prophète Jérémie.

## NÉCROMANCIE

Pratique magique interdite consistant à d'entrer en contact avec les morts afin d'en recevoir des informations, des conseils, ou de connaître l'avenir. La nécromancie, punie de mort selon le Lévitique (chapitre 20), était cependant pratiquée parfois par les Israélites. C'est ainsi que le roi Saül, apeuré par le nombre de ses ennemis, consulta la sorcière d'Ein-Dor, *qui avait un pouvoir sur l'esprit des morts* (1 Samuel 28, 7), car Dieu ne lui donnait aucune réponse sur ce qu'il avait à faire. Ayant pu appeler l'esprit du défunt juge et prophète Samuel, le roi s'entendit annoncer sa fin prochaine au cours d'un de ces combats qu'il redoutait. Selon les règnes et les rois, la nécromancie fut tolérée, pourchassée, ou permise officiellement, comme sous le roi Manassé de Juda (2 Rois 21, 6). Après lui, le roi Josias l'interdit (2 Rois 23, 24).

## NÉHÉMIE

Juif né pendant l'exil babylonien, élevé à la dignité d'échanson du roi Artaxerxès. Néhémie fut envoyé par lui comme magistrat en 445 av. J.-C. dans la province de Juda avec pour mission de restaurer les ruines de Jérusalem, puis d'en faire reconstruire les murailles (Néhémie 2).

## NÉHÉMIE (LIVRE DE)

Écrit à la première personne, le livre attribué à Néhémie fut sans doute rédigé cent ans après sa mort. Il rapporte comment Néhémie fut désigné par le roi perse Artaxerxès pour relever Jérusalem de ses ruines malgré l'opposition des cités voisines. Après la restauration de la ville, Néhémie entreprit de recenser la population puis de rétablir l'autorité de la loi religieuse avec les prêtres.

## NÉKO II

Pharaon égyptien de la XVI$^e$ dynastie (610-595 av. J.-C.), vainqueur en 609 du roi Josias de Juda qui mourut au combat. Néko II destitua le fils de Josias désigné par le peuple et le remplaça par son frère Yoyaqim, qui accepta de lui payer un tribut (2 Rois 23). En 605, Néko II fut lui-même vaincu par Nabuchodonosor de Babylone à la bataille de Karkemish, et la Palestine, la Syrie et Sidon se trouvèrent sous la domination babylonienne. Néko II mourut en 595, après avoir creusé le canal reliant le Nil à la mer Rouge, qui précédait de 2 400 ans le canal de Suez percé par le Français Ferdinand de Lesseps.

## NEMROD

Surnommé chasseur héroïque devant l'Éternel (Genèse 10, 8-12), Nemrod fut le fondateur mythique de la ville de Ninive (Assyrie), la ville aux larges places qui, malgré les malédictions du prophète Jonas, ne dut son salut qu'à quelques justes ayant trouvé grâce devant l'Éternel. Akkad, Babel, Erek et Kalah étaient les grandes cités de son royaume qui s'étendait jusqu'à Assour.

## NEPHTALI

*Combattant.* Sixième fils de Jacob, né de la servante Bilha (Genèse 30, 7-8), ancêtre de la tribu qui porte son nom et qui reçut le territoire situé à l'ouest du Jourdain et du lac de Gennésareth (Josué 19, 32-39). En 733 av. J.-C., ses habitants furent déportés à Assour (2 Rois 15, 29) mais le prophète Ésaïe leur annonça que le Seigneur avait couvert de gloire la route de la mer, l'au-delà du Jourdain et le district des nations (Ésaïe 8, 23) ce qui fut mis ensuite en relation avec l'arrivée de Jésus en Galilée par l'évangéliste Matthieu (chapitre 4, 15).

## NERGAL

Dieu régissant la chaleur du soleil, le monde des morts et de certaines maladies telles que la peste. Dieu principal de la ville de Kouth (Babylonie), le culte de Nergal s'établit en Samarie avec l'arrivée des habitants de Kouth après la fin du royaume du Nord (Israël) (2 Rois 17, 30).

## NERGAL-SARÈÇÈR

*Que le Dieu Nergal protège le roi.* Chef de la cour de Nabuchodonosor II, roi de Babylone, qui participa à la prise de Jérusalem en 587 av. J.-C. (Jérémie 39, 3 ; 13).

## NÉRI

Grand-père de Zorobabel, cité dans la généalogie de Jésus (Luc 3, 27).

## NERIYA

Père de Baruch et secrétaire du prophète Jérémie (Jérémie 32, 12).

## NÉRON

Empereur romain de 54 à 68 apr. J.-C. sous le règne duquel sont fixées la crucifixion de l'apôtre Pierre et la décapitation de l'apôtre Paul à Rome. En juillet 64, Rome fut détruite en grande partie par un incendie dont les chrétiens furent jugés responsables. La persécution qui s'ensuivit fut la première grande persécution subie par les chrétiens.

## NETANYA

Nom du père d'Yishmaël, meurtrier du gouverneur babylonien Guedalias (2 Rois 25, 23).

## NETANYAHOU

Nom du père de Yehoudi, ministre à la cour du roi Yoyaqîm de Juda au temps du prophète Jérémie (Jérémie 36, 14), et nom d'un lévite ayant vécu sous le règne du roi Josaphat de Juda (2 Chroniques 17).

## NEVATH

Père de Jéroboam, premier roi du royaume du Nord (Israël) après la séparation des deux royaumes (1 Rois 11, 26).

## NICANOR

Nom de l'un des sept diacres de la communauté chrétienne primitive de Jérusalem (Actes des Apôtres 6, 5).

## NICODÈME

*Vainqueur du peuple.* Pharisien et scribe, membre du Sanhédrin, Nicodème alla rencontrer Jésus de nuit et lui déclara : *Tu es un maître qui vient de la part de Dieu, car personne ne peut opérer les signes que tu fais si Dieu n'est pas avec lui* (Jean 3, 1). Après cela, Nicodème s'entretint avec Jésus du mystère de la nouvelle naissance. Par la suite, il plaida en faveur de Jésus devant le Sanhédrin (Jean 7, 50-52) puis, après sa crucifixion, il apporta un mélange de myrrhe et d'aloès pour que son ensevelissement soit digne de lui (Jean 19, 39).

## NICOLAÏTES

Nom donné à des chrétiens gnostiques qui prônaient et enseignaient un compromis entre le christianisme et le paganisme.

## NICOLAS

*Champion populaire.* L'un des sept diacres de la communauté chrétienne primitive de Jérusalem, peut-être fondateur de la secte des nicolaïtes, selon certains Pères de l'Église (Actes des Apôtres 6, 5).

## NIKANOR

Chef de l'armée du roi séleucide qui fut battu à Emmaüs par les forces de Judas Macchabée, en 165 av. J.-C. (1 Macchabées 4, 1-25). Une nouvelle bataille les opposa à Hadasha et Judas Macchabée fut à nouveau victorieux de Nikanor qui eut la tête tranchée. Le peuple en liesse fêta ce jour d'allégresse. On en décréta la célébration annuelle (1 Macchabées 7), mais cette fête ne subsista pas dans le judaïsme.

## NIL

Fleuve d'une longueur d'environ 6 500 km qui se jette dans la Méditerranée, le Nil était pour l'Égypte le symbole de la vie, physique et spirituelle. Dans le livre de l'Exode (chapitres 2, 3, 5), il est rapporté comment Moïse fut abandonné dans un berceau en papyrus sur le fleuve.

## NIMSHI

Grand-père de Jéhu, roi d'Israël (2 Rois 9).

## NINIVE

Ville fondée par Nemrod, située sur la rive est du Tigre et capitale de l'Assyrie de 704-612 av. J.-C., moment où elle fut détruite par les Babyloniens et les Mèdes. Prospère et triomphante, la ville fut souvent attaquée par les prophètes, Jonas, Nahoum et Sophonie, qui annoncèrent sa ruine. Jonas fut triste que Dieu ne détruise pas la ville comme il avait décidé de le faire.

## NISAN

Premier mois de l'année juive allant de la mi-mars à la mi-avril.

## NOCES DE CANA

Premier miracle de Jésus réalisé à l'occasion d'un mariage pendant lequel il transforma de l'eau en vin, ce que les théologiens regardent comme la préfiguration du vin servi pendant le repas de la Cène. Le vin des Noces de Cana symbolise la vie spirituelle, la mort physique et la renaissance. C'est à partir de ce miracle que débute la mission terrestre du Christ, qui ira jusqu'au calice qu'il devra boire jusqu'à la lie, que symbolise le vinaigre sur la croix.

## NÔD

Pays situé à l'est d'Éden dans lequel s'installa Caïn après le meurtre de son frère Abel (Genèse 4, 16). En hébreu, Nôd est l'infinitif absolu du verbe *errer*, en analogie avec l'errance perpétuelle (*nâd*) imposée par Dieu à Caïn.

## NOÉ

Le héros des temps anciens (Genèse 6), celui des géants et des grands cataclysmes, célèbre par son arche, qui lui permit de faire survivre les espèces vivantes au Déluge envoyé par Dieu las de la méchanceté des hommes. Noé, père de Sem, Cham et Japhet, construisit son arche selon les dimensions que Dieu lui avait données, et le Déluge commença. Noé avait 600 ans et il navigua jusqu'à ce que les eaux se retirent. Dieu conclut alors une alliance avec Noé et assura : *Quand je ferai apparaître des nuages sur la terre et qu'on verra l'arc dans la nuée, Je me souviendrai de mon alliance entre moi, vous et tout être vivant quel qu'il soit ; les eaux ne deviendront plus jamais un déluge qui détruirait toute chair* (Genèse 9, 14-15). Cet épisode de la Genèse est presque identique à celui du héros sumérien Outa-Napishtin, qui construisit un immense navire afin de sauver toutes les espèces vivantes du déluge, selon un mythe largement antérieur au récit biblique.

Par la suite, Noé planta des vignes, but de leur vin et s'enivra. Dans cet état il se montra nu et son jeune fils Cham le dit à ses frères Sem et Japhet qui pudiquement recouvrirent leur père. Noé, furieux, condamna Cham à être le dernier des serviteurs de ses frères (Genèse 9, 18).

## NOËL

Fête commémorant la naissance de Jésus, dont la date a été fixée au IV$^e$ siècle par l'Église d'Occident au 25 décembre. Les Églises orientales célèbrent Noël un peu plus tard, car elles n'ont pas reconnu la réforme grégorienne du calendrier. Cette date correspond au solstice d'hiver, proche de la fête de Jean l'Évangéliste, car Noël symbolise la lumière naissance et transcende les anciens cultes solaires des religions antiques. Noël est en France une fête d'obligation, fériée dans tout le pays, une fête populaire de la famille que personnalisent, outre l'enfant de la crèche, le père Noël et le sapin illuminé, lui-même issu des religions celtes.

## NOÉMI

Femme d'Élimélek, mère de Mahlôn et Kilyôn, belle-mère de Ruth. Native de Bethléem de Juda, elle s'installa avec Élimélek à Moab. À la mort de son époux et à celle de ses deux fils, elle retourna avec Ruth à Bethléem où elle soutint le mariage de Ruth et Booz. Oved, leur enfant, fut juridiquement le fils de Noémi, c'est pourquoi elle est considérée comme l'arrière-grand-mère de David.

## NOGAH

Nom de l'un des fils du roi David (1 Chroniques 3, 7 ; 14, 6).

## NOM

La Bible, comme toutes les civilisations de l'Antiquité, attribue un pouvoir au nom, que ce soit celui d'un homme, d'un animal, d'un lieu ou d'un objet. Ce nom peut désigner ses qualités ou le pouvoir qu'il exerce. Donner un nom exprime le pouvoir que possède un être sur ce qu'il nomme. Dieu donne à Adam le pouvoir de régner sur les animaux et les plantes en leur donnant des noms (Genèse 2, 19). Un roi nommait un territoire ou une ville qu'il venait de conquérir ou de fonder.

La signification des noms revêt ainsi une grande importance pour la compréhension des textes bibliques. De nombreux noms expriment la relation qu'entretiennent lieux et hommes avec Dieu. De même, les changements de noms annoncent un changement d'état, une conversion, dans le Nouveau Testament notamment, où Jésus-Christ attribue un nouveau nom à ces premiers disciples (voir Nom de Dieu).

## NOMBRES (LIVRES DES)

*Recensement.* Quatrième livre du Pentateuque qui doit son nom au fait qu'il débute par le recensement des tribus israélites qui eut lieu dans le désert du Sinaï (Nombres 1). Le livre des Nombres contient les lois concernant la vie sociale, la vie familiale, l'ordonnancement des fêtes et rites religieux. Y sont décrits la marche dans le désert jusqu'au Jourdain, la nuée couvrant la sainte demeure, la révolte de Miryam et d'Aaron, la révolte de Coré, Datân et Abirâm, la scène de l'eau jaillissant du rocher, le serpent d'airain, la vision de Balaam. À partir du chapitre 26 sont décrits le second recensement, les modalités des droits d'héritage, la désignation de Josué, les guerres de conquête, puis la répartition des terres gagnées entre les tribus.

## NOM DE DIEU

Dans l'Ancien Testament, Dieu se révèle par l'annonce de son nom à Abraham : *C'est Moi le Dieu Puissant* (Genèse 17) puis à Moïse : *Je Suis Qui Je serai* (Exode 3,14). Les différents noms de Dieu décrivent sa personnalité et son rôle. L'interdiction de prononcer son nom signifie que l'on n'a pas le droit de prendre possession de Dieu, ce qui arriverait si on le prononçait. *Dieu laisse son nom habiter dans le Temple mais Lui-même reste dans les cieux* (Deutéronome 12).

Ainsi on exclut l'idolâtrie des objets et des lieux saints car Dieu ne peut être limité à un sanctuaire physique. Dans le Nouveau Testament, Jésus précise que ses disciples doivent dorénavant appeler Dieu *Père* (Matthieu 5,6) comme cela était déjà annoncé par l'ange à Joseph, lui demandant de donner à l'enfant de Marie le nom de Jésus, c'est-à-dire *Le Seigneur (YHWH) est le Salut*, puis celui d'Emmanuel, c'est-à-dire *Dieu avec nous* (Matthieu 1,21-23).

## NOTRE PÈRE (PRIÈRE)

Nom donné à la prière du Seigneur telle qu'elle est rapportée, quoique différente, dans les Évangiles de Matthieu (chapitre 6) et Luc (Chapitre 11). La prière récitée actuellement est celle transcrite dans l'Évangile de Matthieu, qui met en valeur les aspects de la Bonne Nouvelle et du salut annoncés par Jésus-Christ.

## NOUN

Nom du père de Josué (Josué 1) et du fils d'Élishama, membre de la tribu d'Éphraïm (I Chroniques 7, 27).

## NOUVEAU TESTAMENT

Nom donné aux différents livres bibliques, rédigés en grec, qui rapportent la naissance et le ministère de Jésus-Christ, jusqu'à sa résurrection. Les quatre Évangiles, composés au $I^{er}$ siècle, sont suivis des Actes des Apôtres puis des épîtres de l'apôtre Paul adressées aux premières communautés chrétiennes. Après elles se trouvent différentes épîtres rédigées par d'autres apôtres, soit un ensemble de vingt et une épîtres, puis le Nouveau Testament se termine par l'Apocalypse attribuée à Jean.

## NOV

Lieu où se déroula l'annonciation de Saül, au nord de Jérusalem. S'enfuyant devant Saül qui voulait le mettre à mort, David se réfugia chez les prêtres de Nov qui lui donnèrent des vivres, mais averti, Saül tua tous les prêtres de Nov ainsi que leurs femmes et leurs enfants (1 Samuel 21-22).

## NUDITÉ

La nudité est utilisée soit pour montrer l'innocence des origines (jardin d'Éden ou jeune enfant) soit, à l'inverse, pour désigner l'impudicité à laquelle l'inconscience et les vices conduisent les hommes lorsqu'ils n'obéissent qu'à leurs instincts et leurs désirs.

La nudité montre la pauvreté aussi bien que la honte, l'extase mystique ou prophétique. Pour avoir mangé le fruit interdit, Adam et Ève *surent qu'ils étaient nus. Ayant cousu des feuilles de figuier, ils s'en firent des pagnes* (Genèse 3, 7). À l'inverse, le livre d'Ésaïe (chapitre 20, 3-4) rapporte : *Mon serviteur Ésaïe est allé nu et déchaussé – pendant trois ans –, signe et présage contre l'Égypte et contre la Nubie.* Spirituellement, l'homme est toujours nu, sans artifice, devant Dieu car *Il n'est pas de créature qui échappe à sa vue ; tout est nu à ses yeux, tout est subjugué par son regard.* (Hébreux 4, 13).

## NUIT

Une journée calendaire débutant à la tombée du jour, la nuit était pour les Israélites la *première partie* d'une journée, comme le précise à maintes reprises la Bible qui utilise l'expression *d'un soir à un soir*. Sur un plan symbolique, la conception de la nuit ne diffère pas de celles des autres civilisations qui voient dans la nuit surtout des aspects négatifs, lui attribuent la naissance de monstres ou des douleurs ; elle est propice aux drames de toutes sortes et peut favoriser l'apparition d'entités diaboliques. Pour le Nouveau Testament, la nuit symbolise ce qui est hors du royaume lumineux du Christ (Jean 3, 19) et le temps où l'homme en est éloigné avant la parousie.

## NUMÉNIUS

Fils d'Antiochus, envoyé à Rome avec Antipater par Jonathan le Macchabée afin d'y renouveler l'alliance entre Juifs et Romains (1 Macchabées 12, 16).

## NUMÉROLOGIE

Dans la Bible, les nombres ont leur valeur numérique habituelle plus un sens symbolique particulier qui confirme les situations évoquées et les met en relation analogique avec d'autres événements. C'est ainsi que le nombre *trois* évoque Dieu et la Trinité (chênes de Mambré), que le nombre *quatre* exprime la réalisation dans le monde physique, la solidité terrestre, puis le plan carré de la future Jérusalem. *Sept* rappelle l'œuvre de Dieu créant le monde en sept jours, les sept anges célestes et les sept flambeaux brûlant devant le trône de Dieu, qui sont les sept esprits de Dieu suivant l'Apocalypse qui comptabilise aussi sept fléaux et sept sceaux, sept cornes et sept yeux pour l'agneau qui sont les sept esprits de Dieu envoyés sur toute la terre.

Le nombre *douze* symbolise une totalité, telle l'année de douze mois et le jour douze heures, les douze patriarches et les douze tribus, les douze apôtres et les douze pains d'oblation.

## NUNC DIMITTIS

Premiers mots (latins) du cantique de louanges que chanta Siméon lorsqu'il eut Jésus nouveau-né dans ses bras (Luc 2, 29). Le *Nunc dimittis* est utilisé par l'Église catholique dans la liturgie des complies.

## NUQUE

Afin de montrer que l'on avait tout pouvoir sur un être ou un ennemi vaincu, on posait le pied sur sa nuque (Josué 10, 24). Placé sur la nuque, le joug signifie une dépendance totale et un asservissement.

## OBÉISSANCE

Dans l'Ancien Testament, l'obéissance est la première condition exigée par Dieu non seulement vis-à-vis de Lui-même mais aussi vis-à-vis de la Loi et des prophètes, afin que l'alliance conclue avec les hommes puisse s'accomplir. Tout péché découle de la désobéissance. Au contraire, toute la bonté de Dieu est attirée par l'amour et l'obéissance de ceux qui le craignent. Ainsi l'amour de Dieu et l'amour de la Loi ne font qu'un. Dans le Nouveau Testament, le modèle de l'obéissance est le Christ, Fils de l'homme, ayant obéi à Dieu jusqu'au sacrifice afin de sauver l'humanité. Recevoir et accepter le message du Christ nécessite une totale obéissance à Dieu, ce qui rendra l'homme libre. Cependant, ce n'est plus la Loi qui dicte l'attitude de l'homme mais sa conscience qui lui permet de l'observer. Le rapport avec Dieu est ainsi devenu personnel.

## ODED

Nom du père du prophète Asa (2 Chroniques 15, 1) et d'un prophète du royaume du Nord d'Israël ayant vécu sous le règne du roi Péqah. Tandis que ce roi ramenait 200 000 prisonniers judéens d'une campagne victorieuse, Oded affronta l'armée et exigea leur libération au nom du Seigneur. Des officiers furent désignés pour les raccompagner. Alors ils habillèrent ceux qui étaient nus et les ramenèrent chez leurs frères à Jéricho, la ville des palmiers (2 Chroniques 28).

## ŒIL

*Miroir de l'âme,* l'œil est un symbole de vie et de chaleur, comme le soleil qu'il représente parfois. L'œil permet la liaison entre le monde et l'homme, auquel il transmet les impressions extérieures ; il provoque ses réactions de sorte qu'un seul regard suffit pour engendrer l'amour ou le péché. Selon l'Évangile de Matthieu (chapitre 6, 22-23) l'œil est la lampe du corps. *Si donc ton œil est sain, ton corps tout entier sera dans la lumière. Mais si ton œil est malade, ton corps tout entier sera dans les ténèbres.* Rien n'échappe à l'œil de Dieu car *Tout est nu à ses yeux, tout est subjugué par son regard* (Hébreux 4, 13) mais Dieu permet à l'homme de posséder un œil intérieur qui ouvre le cœur à sa lumière.

## OFEL

*Bosse.* Pointe rocheuse placée au sud-est du mont du temple de Jérusalem où le Guihôn prend sa source. Sur le mont Ofel était érigée la ville de Jébus, première cité de David. En 696-642 av. J.-C., le roi Manassé *construisit à l'extérieur de la Cité de David un rempart qui passait à l'ouest de Guihôn, dans la vallée, qui allait jusqu'à la porte des Poissons et qui entourait l'Ofel* (2 Chroniques 33, 14). Après le retour d'exil, Néhémie fit restaurer la muraille et assigna Ofel comme résidence des serviteurs du Temple (Néhémie 11, 21).

## OFFRANDE

Du latin *offere.* Don fait rituellement à Dieu, par amour et gratitude, ou pour tenter d'apaiser sa colère et d'attirer sa bienveillance. Exemple de l'offrande absolue, *le Christ nous a aimés et s'est livré lui-même à Dieu pour nous, en offrande et victime,* selon l'apôtre Paul (Éphésiens 5, 2).

## OFRA

Nom d'un lieu situé dans le territoire de Benjamin (Josué 19, 23), et d'une ville d'Avièzer édifiée au nord de Sichem, sur le territoire de Manassé. Dans cette cité naquit le juge Gédéon (Juges 6, 11, 24 ; 8, 32) qui y fut enterré. C'est à Ofra qu'Abimélek, fils de Gédéon, assassina ses soixante-dix frères (Juges 9, 5).

## OG

Roi de Bashân, petit État situé à l'est du lac de Galilée. Og était l'un des Refaïtes, géants qui vivaient aux temps anciens dans la région. Il perdit la vie pendant la bataille d'Édrèï contre Moïse qui occupa son pays avec les Israélites (Nombres 21, 33-35). Le territoire et ses soixante villes fortifiées furent ensuite attribués à la tribu de Manassé (Josué 12, 4-5). Selon le livre du Deutéronome (chapitre 3, 11), le lit de fer de Og faisait grand de neuf coudées de long et de quatre de large (4, 12 x 1, 83 m). On l'exposa à Rabba.

## OHOLIAV

Artisan de la tribu de Dan, fils d'Ahisamak, qui seconda Beçalel lors de la construction du sanctuaire et la fabrication de ses ustensiles cultuels (Exode 31, 6).

## OHOLIBA

*Ma tente en elle*. Nom poétique et symbolique donné par Ézéchiel à la ville de Jérusalem dans sa parabole des sœurs prostituées, Israël et Juda (Ézéchiel 23) ; la Samarie est, elle, nommée *Ohola*.

## OHOLIVAMA

Cananéenne, l'une des épouses d'Ésaü, fille d'Ana. Yéoush, Yaélâm et Qorah furent ses fils (Genèse 36, 2 à 18).

## OLIVE, OLIVIER

Jadis offert aux hommes par les dieux, l'olivier est un symbole de fécondité, de paix, de force et d'immortalité ; c'est un rameau d'olivier qu'apporte la colombe à Noé après le Déluge. Le mont des Oliviers est le lieu où se produisit l'ascension du Christ, mais c'est dans le jardin de Gethsémani, nom signifiant le pressoir à huile, que le Christ passa sa dernière nuit avec ses disciples.

## OLIVIERS (MONT DES)

Colline d'une hauteur de 809 mètres située à l'est de Jérusalem. Le mont des Oliviers était couvert de ces arbres. Selon le prophète Zacharie, les pieds du Messie venant sur terre doivent se poser sur le mont des Oliviers avant qu'il entre à Jérusalem. *La Gloire du Seigneur s'éleva du milieu de la ville et se tint sur la montagne qui est à l'orient* (Ézéchiel 11, 23). Suivant cette prophétie, les Juifs ensevelissaient là leurs morts, et parfois venaient y mourir eux-mêmes, afin d'être certains d'y être enterrés.

Lorsque David, poursuivi par son fils Absalon insurgé contre lui, s'enfuit de Jérusalem, il passa par le mont des Oliviers. *Il monta par la montagne des Oliviers, il montait en pleurant ; il avait la tête voilée. Car le sommet du mont des Oliviers était un lieu où l'on se prosterne devant Dieu* (2 Samuel 15, 30-32). Après David, son père, le roi Salomon, plus au sud, fit ériger des hauts lieux pour ses femmes étrangères et ce lieu prit le nom de *mont du Scandale* (ou de la *Destruction*). *C'était une abomination car les femmes de Salomon y offraient de l'encens et des sacrifices à leurs dieux* (1 Rois 11, 7-8). Après Salomon, le roi Josias fit détruire ces lieux maudits (2 Rois 23, 13-14).

Le mont des Oliviers est l'un des plus importants Lieux saints du judaïsme et du christianisme. Le Christ y rencontra ses disciples (grotte de Gethsémani) et y fut arrêté avant son supplice. Au sommet du mont des Oliviers eut lieu l'ascension du Christ.

## OMBRE-À-PAUPIÈRE

*Qéren-Happouk*. Nom de la plus jeune fille de Job (Job 42, 14).

## OMNIPRÉSENCE ET OMNISCIENCE DE DIEU

Pour le roi Salomon, bâtisseur du temple de Jérusalem, la présence de Dieu était liée au sanctuaire sacré : *Cette Maison que tu as bâtie, je l'ai consacrée afin d'y mettre mon nom à jamais ; mes yeux et mon cœur y seront toujours* (1 Rois 9, 3). L'omniprésence de Dieu ne fut effective qu'à partir de l'exil à Babylone où les Juifs n'avaient plus de signe matériel pour manifester l'alliance. Pour le christianisme, la présence de Dieu est assurée dans toute communauté qui se réclame de Lui. *Là où deux ou trois sont assemblés je suis au milieu,* est un article de foi primordial. L'omniscience divine consiste en la simultanéité, car au regard de Dieu passé, présent et futur ne font qu'un.

## OMRI

Roi d'Israël de 882 à 871 av. J.-C., fondateur de la dynastie qui porte son nom. Après l'assassinat du roi Éla en 882, les armées proclamèrent leur commandant Omri, nouveau roi ; celui-ci élimina tout d'abord Zimri, roi pendant sept jours, et Tivni, installé antiroi par une partie du peuple.

Omri établit Samarie comme nouvelle capitale du royaume car la ville, comme Jérusalem, n'appartenait à aucune tribu et ne subissait aucun trouble politique ou religieux (1 Rois 16, 24). Omri fut un souverain respecté à l'intérieur et à l'extérieur des frontières d'Israël, que les textes assyriens appellent la *maison d'Omri*. Les bonnes relations diplomatiques obtenues et entretenues avec les Phéniciens par Omri aboutirent au mariage de son successeur Akhab avec Jézabel, princesse de Tyr. Jéhu fit chuter la dynastie d'Omri en 845.

## ON

Ville égyptienne nommée *Iounou* (le pilier), dont le nom fut traduit par *On* en hébreu, avant d'être appelée *Héliopolis* (ville du Soleil en grec). À On, Joseph épousa Asenath, fille de Poti-Phéra, prêtre du temple (Genèse 41, 45). Dans le livre d'Ésaïe (chapitre 19, 18), le prophète désigne la *ville du Soleil* comme l'une de celles qui en Égypte parlent la langue de Canaan et se trouve liée par serment au Seigneur.

## ONÂN

Fils de Juda qui dut épouser sa belle-sœur Tamar à la mort prématurée de son frère, selon la loi du lévirat, afin d'éviter qu'elle soit sans descendance (Genèse 38, 8-10). Il partagea sa couche mais refusa de lui donner sa semence. Une erreur d'interprétation a fait du refus de procréer d'Onân le symbole de l'autosatisfaction sexuelle (onanisme, ou masturbation).

## ONCTION

Action d'oindre un être en lui appliquant un peu d'huile consacrée afin de lui conférer une bénédiction ou un sacrement. Cet usage était répandu chez tous les peuples de l'Antiquité, notamment chez les Égyptiens, les Grecs et les Hébreux, pour la consécration des prêtres et des rois. Dans l'Ancien Testament, les rois de Juda étaient appelés *messies* (c'est-à-dire oints) et en grec, *christos*. Dieu conféra l'onction d'Esprit-Saint à Jésus (Actes des Apôtres 10, 38). Le christianisme conserva les rites de l'onction qu'il associa aux cérémonies du baptême, de la confirmation, à l'extrême-onction et au sacre des rois. Les lieux, certains objets du culte, sont aussi consacrés par des huiles saintes.

## ONÉSIME

*Utile*. Esclave de Philémon de Colosses qui échappa à son maître et rencontra Paul captif à Éphèse. Onésime se convertit au christianisme et Paul, devenu son père spirituel, le désigne ainsi dans l'épître de Philémon (chapitre 10) : *Celui que j'ai engendré en prison*.

## ONÉSIPHORE

Chrétien d'Éphèse qui secourut l'apôtre Paul à Éphèse et à Rome.

## ONIAS

Nom de plusieurs grands prêtres dont le premier entra en fonction à l'époque d'Alexandre le Grand (323-300 av. J.-C.), le deuxième en 246-218 et le troisième sous le règne du roi Antiochus IV Épiphane. Il fut assassiné à Daphné où il s'était réfugié dans le temple d'Apollon en 170 av. J.-C. (2 Macchabées 4, 33-38).

## OR

Symbole de la richesse matérielle terrestre, mais aussi de la Lumière spirituelle, l'or est l'image de la perfection. C'est aussi l'image de la fausse adoration avec la statue du Veau d'Or (Exode 32) construit par Aaron, le frère de Moïse.

La symbolique traditionnelle associe l'or au lion dans le domaine animal, au roi dans le domaine humain et au soleil dans le domaine spirituel. Pouvant asservir celui qui le possède, l'or est aussi représenté par un serpent ou un monstre persécutant ses proies.

## OREILLE

L'organe de l'ouïe symbolise la capacité d'entendre le message divin ainsi que le montrent quelques personnages aux très longues oreilles. La scène montrant Pierre coupant l'oreille d'un soldat romain tandis que le Christ rétablit le morceau décollé est caractéristique ; elle illustre le fait que tout être doit pouvoir entendre la voix divine afin de pouvoir se convertir.

## OREV

*Corbeau.* Nom d'un chef madianite vaincu par les Éphraïmites près du rocher d'Orev. Sa tête fut coupée et envoyée à Gédéon (Juges 7,25).

## ORGE

Céréale connue très tôt au Moyen-Orient, l'orge servait à la préparation du pain et comme nourriture pour le bétail. Avec seulement cinq pains d'orge et deux poissons, Jésus a nourri cinq mille personnes lors du miracle de la Multiplication des pains.

## ORIENT

Selon l'architecture traditionnelle, les édifices religieux, églises ou cathédrales, étaient orientés vers l'orient (l'est) où se lève le soleil, le point où apparaîtra le Christ au moment du jugement dernier (parousie). C'est la raison pour laquelle les gisants des mausolées et ceux des cimetières dirigent symboliquement leurs regards vers l'orient.

## ORPA

*Celle qui tourne le dos.* Belle-fille de Noémi et belle-sœur de Ruth, elle resta au pays de Moab lorsque Noémi, accompagnée de Ruth, repartit à Bethléem après la mort de son mari et de ses fils (Ruth 1).

## OSÉE (ROI D'ISRAËL)

Dernier roi du royaume du Nord (732-723 av. J.-C.). Ayant accédé au trône par un coup d'État après avoir tué le roi Péqah, Osée cessa de payer le tribut que le royaume devait à Salmanasar, qui entama une expédition punitive contre Israël. Vaincu, Osée reprit son paiement mais, s'alliant avec l'Égypte, il cessa à nouveau de s'acquitter de son tribut et Salmanasar le fit prisonnier tandis qu'il prenait Samarie et que le royaume du Nord, Israël, disparaissait de l'histoire (2 Rois 15 ; 17).

## OSÉE (PROPHÈTE)

Le premier des douze « petits prophètes », exerça son activité, entre 755 et 725 av. J.-C., dans le royaume du Nord, Israël, sous le règne des rois Azarias, Yotam, Akhaz et Ézékias de Juda, et Jéroboam II d'Israël. Le livre d'Osée, rapporte comment les Israélites délaissèrent le yahwisme pour adopter les cultes des religions voisines, notamment celui de Baal. Osée reproche aux Israélites leur infidélité à l'égard de Dieu, et profère des menaces contre eux tout en invoquant la possibilité du salut. Sur l'ordre de Dieu, Osée épousa une prostituée sacrée du nom de Gomer, et eut avec elle trois enfants aux noms symboliques annonçant le jugement de Dieu. Le premier fut appelé Izréel, le deuxième Lo-Rouhama et le troisième Lo-Amrni, ce qui signifiait respectivement : *Je mettrai fin à la royauté de la maison d'Israël ; Je ne continuerai plus à manifester de l'amour pour la maison d'Israël*, et *Vous n'êtes pas mon peuple*. Ces trois définitions auguraient l'amour de Dieu mais aussi son jugement pour Israël l'infidèle (Osée 1 ; 2).

## OTNIEL

Fils de Qenaz et frère de Caleb, juge qui conquit Qiryath-Séfèr et reçut en échange Aksa, fille de Caleb, pour épouse (Josué 15, 16-19). En tant que premier juge d'Israël, il soumit Koushân-Rishéataïm, roi d'Aram, et le pays fut en paix pendant quarante ans (Juges 3, 9-11).

## OUÇ

Pays natal de Job (chapitre 1), peut-être situé en Arabie.

## OUR

Grande ville et centre politique de Sumer dont Abraham était natif selon l'Ancien Testament (Genèse 11). Les ruines d'Our se trouvent au tell el-Mougayyar, dans le sud de l'actuel Irak.

## OURIËL

Nom de plusieurs personnages bibliques et de l'un des quatre archanges. Ouriël, placé à la gauche du trône de Dieu, donne à Israël l'expiation et la lumière.

## OURIM ET TOURRIMIM

Instruments, baguettes ou pierres, dont se servaient les prêtres pour interroger le Seigneur (Deutéronome 33, 8). Ces instruments étaient placés dans le pectoral porté sur l'éphod du grand-prêtre (Exode 28, 30).

## OURIYAHOU

Prophète au temps de Jérémie, qui s'exila en Égypte fuyant la haine du roi Yoyaqîm de Juda. Il fut ramené devant le roi qui le fit exécuter (Jérémie 26, 20-24).

## OURS

Animal redouté en raison de sa puissance, dont on craignait les grondements et les attaques sur les troupeaux. Dans les métaphores prophétiques, c'était surtout l'ourse privée de ses petits que l'on craignait et dont on utilisait l'image. C'est ainsi que dans les Proverbes (chapitre 17, 12) il est écrit : *Mieux vaut tomber sur une ourse privée de ses petits que sur un sot en pleine folie.* De même, au jour du jugement, *Dieu attaquera les infidèles comme une ourse à qui l'on a ravi ses petits* (Osée 13, 8). On retrouve l'ours dans les prophéties d'Ésaïe, dans celles de Daniel et dans l'Apocalypse.

## OUZZA

Nom du fils d'Avinavad qui mourut pour avoir touché l'arche d'alliance qui se trouvait dans sa maison, à Qiryath Yéarim, après son retour du pays des Philistins (2 Samuel 6, 3-7 ; 1 ; Chroniques 13, 7-10).

Ouzza est aussi le nom du possesseur d'un jardin de Jérusalem où les rois Manassé et Amon furent enterrés (2 Rois 21, 18-26 ; 2 Chroniques 33, 20).

## OVED

*Serviteur*. Fils de Ruth et de Booz, père de Jessé et grand-père de David cité dans l'arbre généalogique de Jésus (Matthieu 1).

## OVED-EDOM

*Serviteur d'Édom*. L'homme de Gath, à qui David donna la garde de l'arche d'alliance pendant trois mois après la mort d'Ouzza. Lorsque David sut que Dieu consacrerait toute la maison d'Oved-Édom parce que l'arche s'y trouvait, il fit transférer l'arche à Jérusalem (2 Samuel 6, 10-12).

## OZIAS DE JUDA (OU AZARIAS)

Roi du royaume du Sud, Juda, de 787 à 736 av. J.-C., successeur du roi Amasias son père (2 Rois 14, 21), dont le règne apporta puissance et prospérité à Juda. Ozias mena une guerre victorieuse contre les Philistins, dota Jérusalem de nouvelles constructions mais en raison de sa puissance, son cœur s'enorgueillit jusqu'à sa perte, et il fut infidèle. C'est pourquoi, alors qu'il était dans le Temple offrant de l'encens sur l'autel des parfums contre l'avis des prêtres, Dieu le frappa de la lèpre ; il vécut en quarantaine jusqu'à sa mort, tandis que son fils Yotam assurait la régence des affaires du royaume (2 Chroniques 26, 16-23 ; 2 Rois 15).

## PAARAÏ L'ARBITE

Nom de l'un des trente guerriers héros du roi David (2 Samuel 23, 25).

## PADDAN-ARAM

Région du nord de la Mésopotamie (plaine d'Aram), dont Rébecca, sœur de Laban et épouse d'Isaac, était native (Genèse 25, 20).

## PAIN

Aliment de base de toutes les populations du Moyen-Orient, le pain désigne fréquemment dans la Bible toute l'alimentation. Nourriture sacrée car essentielle, le mot pain est utilisé dans le Nouveau Testament comme symbole de ce que Jésus-Christ apporte aux hommes sur le plan spirituel. Jésus se présente lui-même comme le pain de la vie (Jean 6, 35 ; 51). Le repas de la Cène où le pain est partagé et consommé rituellement montre l'importance de cette nourriture. Symboliquement, le pain est le signe de la générosité de la terre, de la sollicitude divine. Dans la communion il est signe de sacrifice (le corps du Seigneur) mais aussi de partage. Le pain est la réalisation de ce qu'annonce le grain de blé, qui doit mourir pour renaître.

## PAINS-SANS-LEVAIN

*Mazzoth* (hébreu). Fête célébrée en même temps que celle de la Pâque pendant laquelle on honore aussi la nouvelle année des récoltes (le mois des Épis), dite aussi fête du Printemps (Deutéronome 16, 1-8). Comme Passah (Pâque), Mazzoth commémore la sortie d'Égypte. Le 15 de ce même mois est célébrée la fête des Pains-sans-levain, pour le Seigneur qui exige : *Pendant sept jours, vous mangerez des pains sans levain* (Exode 34, 18).

## PAIX

*Shalom* (hébreu). Terme désignant la paix, la prospérité matérielle et le bien-être, la vie harmonieuse, physique et spirituelle, des hommes et du monde. Cette paix ne peut être accordée et préservée que par Dieu selon la formule de bénédiction recommandée : *Que le Seigneur porte sur toi ton regard et t'accorde la paix* (Nombres 6, 26). Sur le plan prophétique, la paix parfaite succédera à l'exil, et sera amenée par un *prince de la paix*, ou *Messie* (Ésaïe 11, 4-9).
Dans le Nouveau Testament, Dieu est un *Dieu de la paix* (Romains 15, 33) qui a apporté la réconciliation dans le Christ de tous les hommes avec Lui (2 Colossiens 5, 19) par l'intermédiaire de son Fils.

## PALESTINE

Nom d'une contrée du Proche-Orient dont les limites évoluèrent selon les époques. La Palestine désigne la région côtière située entre l'Égypte et la Phénicie, jadis peuplée par les Philistins. Pour la Bible et les récits chrétiens, la Palestine est constituée par les territoires à l'ouest du Jourdain (pays de Canaan), Cisjordanie, à l'est par les territoires de Galaad, actuelle Transjordanie.

## PALLOU

Nom du second fils de Ruben, ancêtre de la famille des Pallouites.

## PALMIER, PALMES

Symbole de victoire utilisé par l'ensemble du monde méditerranéen, les palmes montrent la réussite d'une œuvre ou la régénérescence de ce que l'on considérait comme mort ou disparu. Puissante et splendide, Jéricho était surnommée *la ville des palmiers* (Deutéronome 34, 3). Agitées en signe d'admiration devant les personnalités, les palmes furent déposées sur le chemin de Jésus entrant à Jérusalem le dimanche des Rameaux.

## PALTI

*Dieu est délivrance* (hébreu). Nom d'un espion envoyé par Moïse au pays de Canaan (Nombres 13, 9), et nom du deuxième époux de Mikal, la fille de Saül, après qu'elle eut été mariée à David (1 Samuel 25, 44). Palti fut aussi le nom du chef de la tribu d'Issakar (Nombres 34, 26).

## PANTHÉISME

*Tout Dieu* (grec *pan* et *théos*). *Dieu est tout et tout est Dieu*, c'est-à-dire que Dieu et le monde ne sont qu'une seule et même entité. La Bible et le christianisme rejettent le panthéisme car par sa transcendance et son pouvoir créateur, Dieu est un être parfaitement distinct de sa création, et non compris en elle.

## PÂQUE

Du grec *pascha*, tiré lui-même de l'hébreu *pesach*, passage. L'une des plus importantes fêtes du judaïsme, qui commémore à la fois le sacrifice de l'agneau pascal et la fête des pains azymes (*Pains-sans-levain*), auxquels sont associés, depuis le Moyen Âge, le passage de l'ange exterminateur et la sortie d'Égypte (Exode 12) sous la conduite de Moïse.

## PÂQUES

La plus grande fête chrétienne, célébrée en mémoire de la résurrection du Christ. La date de Pâques coïncidait à l'origine avec la Pâque juive, le sacrifice de l'agneau pascal symbolisant celui du Christ. Le concile de Nicée de 325 fixa le jour de Pâques au dimanche ; sa date fut déterminée au VIe siècle par Denys le Petit, suivant le comput ecclésiastique, au dernier dimanche suivant la première pleine lune après l'équinoxe de printemps. De cette date découlent les fêtes de l'Ascension et de la Pentecôte, cinquante jours après Pâques. L'Église orthodoxe a quant à elle conservé l'ancien calendrier Julien ce qui place la fête de Pâques treize jours après celle de l'Église romaine.

## PARABOLE

*Comparaison* (grec *parabolé*). Allégorie ou récit symbolique destiné à dispenser un enseignement spirituel ou moral, utilisé dès l'Antiquité tant par les aèdes grecs que par les bardes celtes. Dans la Bible on reconnaît les paraboles dans le livre des Proverbes et dans les Évangiles, lorsque le Christ s'adresse à la fois à la foule et à ses disciples, c'est-à-dire à des profanes et à des initiés (instruits). Parmi ces paraboles, les plus connues sont celles du bon Samaritain, du pauvre Lazare et du mauvais riche, celle du bon pasteur et du grain de sénevé.

## PARACLET

Du mot grec *paraklêtos*, défenseur, parfois assimilé à *Consolateur* ou *Celui qui soutient*. Selon saint Jean, le Paraclet est l'esprit de Vérité, c'est-à-dire le Saint-Esprit membre de la Trinité avec le Père et le Fils.

## PARADIS

Du grec *paradeisos*, jardin, mot issu du perse signifiant jardin, verger et, par extension, séjour des bienheureux. Dans la Bible, le jardin d'Éden est nommé Paradis tandis que le christianisme donne ce nom au séjour des âmes justes après la mort. Après le jugement dernier, les saints resteront dans la Jérusalem céleste, ville d'or entourée de nuées sur lesquelles règne le Christ, en compagnie des anges et des élus.

## PARÂN

Nom du désert situé au sud de Qadesh, dans la péninsule du Sinaï où vivaient les Ismaélites (Genèse 21, 21). Pendant l'Exode, les Hébreux y séjournèrent et de Parân partirent les espions de Moïse vers Canaan (Nombres 13, 3). Parân était aussi le nom d'une montagne où *Le Seigneur a resplendi* (Deutéronome 33, 2).

## PARFUM

Outre son sens premier et son utilisation rituelle, le parfum symbolise la bonne odeur des œuvres du chrétien et, analogiquement, la beauté et la qualité de son âme. L'encens intervient en tant que principe purificateur, à la manière d'un bon esprit chassant les miasmes des mauvais. La scène la plus fréquente représentée dans l'imagerie chrétienne est celle montrant Marie-Madeleine présentant du parfum au Christ lors de sa résurrection.

## PARMÉNAS

*Persévérant* (grec). Nom de l'un des sept diacres institués par les apôtres (Actes des Apôtres 6, 5).

## PAROLES DE JÉSUS EN CROIX

Terme générique comportant les sept phrases que Jésus-Christ prononça sur la croix : - *Père, pardonne-leur, car ils ne savent pas ce qu'ils font* (Luc 23, 34) ; - *En vérité, je te le dis, aujourd'hui tu seras avec moi dans le paradis* (Luc 23, 43) ; - *Femme, voici ton fils… Voici ta mère* (Jean 19, 26-27) ; - *Mon Dieu, mon Dieu, pourquoi m'as-tu abandonné ?* (Matthieu 27, 46) ; - *J'ai soif* (Jean 19, 28) ; - *Tout est achevé* (Jean 19, 30) ; - *Père, entre tes mains, je remets mon esprit* (Luc 23, 46).

## PAROUSIE

Du mot grec *parousia, arrivée.* Terme désignant le second avènement, glorieux, du Christ à la fin des temps pour qu'il règne sur le monde. Cette dernière situation a été utilisée dans l'imagerie chrétienne, notamment dans l'art roman d'Europe occidentale, où les tympans et grands vitraux montrent le *Christ en gloire et en majesté*.

## PASHEHOUR

*Fils d'Horus* (égyptien *Pa-sheri-hor*). Nom de trois personnages, tous ennemis du prophète Jérémie. Le premier, fils d'Immer, chargé de l'ordre dans le temple de Jérusalem, attacha Jérémie au pilori pendant une nuit en raison de ses prophéties. Jérémie lui donna le nom de Pashehour *Épouvante-partout* (Jérémie 20). Le deuxième était au service du roi Sédécias ; il jeta Jérémie dans une citerne. Pashehour est le fils de Malkiya (Jérémie 38) ; le troisième, père de Guédalyahou, n'est mentionné qu'en tant qu'adversaire de Jérémie. Pashehour est encore le nom d'un prêtre dont les descendants retournèrent en Judée avec Zorobabel et Esdras après l'exil à Babylone (Esdras 2, 38).

## PASSION

Nom donné aux souffrances endurées par Jésus, de son arrestation à sa mort sur la croix, telles qu'elles sont rapportées par les quatre Évangiles.

## PASTEUR

*Berger*. Dénomination des guides spirituels qui, à l'image de Dieu *L'Éternel est mon Berger* (dit le psalmiste) et du Christ, *Je suis le Bon Berger (Bon Pasteur)*, protègent, instruisent et emmènent le troupeau des fidèles vers la nourriture divine. La crosse tenue par les évêques illustre leur rôle de pasteur regroupant la communauté.

## PAUL (SAINT)

Né à Tarse entre 5 et 15 apr. J.-C., et mort martyr à Rome en 67. Tout d'abord nommé Saul, Paul est un apôtre tardif du Christ dont il ne rejoignit le groupe qu'après la Pentecôte. Issu d'une famille juive orthodoxe de citoyenneté romaine, Saul était docteur (savant lettré) parmi les pharisiens. Tourmenteur des chrétiens, Saul fut illuminé sur le chemin Damas où il se rendait pour diriger les persécutions. La vision qu'il eut alors du Christ bouleversa totalement sa vie. Dès ce moment, il prit le nom de Paul et se fit le zélateur de celui qu'il combattait jusque-là. Paul sillonna l'Asie Mineure pendant quatorze ans, alla de Grèce à Rome, fondant des assemblées, organisant des communautés à qui il écrivit et qu'il instruisit en quatorze Épîtres qui sont les pièces essentielles du Nouveau Testament après les quatre Évangiles. Emprisonné à Rome, il y fut décapité sous le règne de Néron. Le nom de paulinisme a été donné à l'ensemble de la mission de l'apôtre Paul qui fut le véritable fondateur du christianisme qu'il rendit universel. À Paul sont généralement attribuées les 14 premières épîtres du Nouveau Testament. Les autres étant seulement rédigées en son nom par ses disciples. Dans ses écrits, il affirme qu'en Jésus-Christ est le salut offert par Dieu aux hommes qui l'accueillent.

## PAUVRETÉ

Pour le Nouveau Testament, la pauvreté prônée par le Christ est une des conditions amenant à la pureté de l'âme. Dans le sermon sur la Montagne, Jésus affirme : *Heureux les pauvres de cœur, le Royaume des Cieux est à eux* (Matthieu 35, 3).

## PÉCHÉ

Du latin *peccatum*, signifiant faute ou crime. Transgression, volontaire ou non, de la loi divine. Selon la Bible, le péché originel est la faute que tout homme porte en lui depuis la chute d'Adam et son expulsion du jardin d'Éden. Dans l'Ancien Testament, le bouc émissaire, était une victime expiatoire chargée d'emporter tous les péchés d'Israël. Les sept péchés capitaux sont l'avarice, la colère, l'envie, la gourmandise, la luxure, l'orgueil et la paresse. *Vivre dans le péché* signifie vivre loin de Dieu et *pécher contre l'esprit* consiste à refuser Dieu, une attitude orgueilleuse dont le Christ assure qu'elle ne peut être pardonnée. Selon l'Évangile de Matthieu (chapitre 5, 23-28), *la miséricorde accordée par Dieu au pécheur exige que celui-ci pardonne à son prochain.*

## PÊCHE

La pêche miraculeuse est une scène souvent représentée dans l'art chrétien car elle symbolise la diversité et la multitude des êtres susceptibles de recevoir le message du Christ. Selon les Évangiles, ce sont tout d'abord des pêcheurs de poissons que le Seigneur invita à devenir *pêcheurs d'hommes* (les frères disciples, Pierre et André).

## PEDAYA

*Le Seigneur a libéré* (hébreu). Nom d'un ancêtre du roi Yoyaqîm de Juda (2 Rois 23, 36) et de l'un des artisans ayant participé à la reconstruction du temple de Jérusalem après l'exil (Nehémie 3, 25).

## PEINE DE MORT

Dans l'Ancien Testament sont définis les cas où la peine de mort pouvait être exercée. Il s'agissait de punir le meurtre, les coups, diffamations et injures infligés aux parents, le rapt, la zoophilie, les sacrifices faits à d'autres dieux qu'au Seigneur et le blasphème de son nom, la profanation du sabbat, le sacrifice d'enfant, la pratique de la sorcellerie, de la divination et de la nécromancie, les rapports incestueux, l'homosexualité, l'adultère et les crimes de luxure. D'autre part, si la fille d'un prêtre se prostituait, elle méritait la mort pour avoir déshonoré son père (Lévitique 21, 9). En général, la mort était donnée par lapidation.

## PELATYA

Nom de l'un des chefs de la tribu de Siméon, qui participa au massacre des Amalécites (1 Chroniques 4, 42), ainsi que du fils d'Hananya, descendant du roi David (I Chroniques 3, 21).

## PELATYAHOU

Fils de Benayahou, chef du peuple à Jérusalem, à qui le prophète Ézéchiel annonce sa chute *parce qu'il projetait le crime et tramait le mal dans la ville* (Ézéchiel 11).

## PELAYA

Descendant de David, fils d'Elyoénaï; sous les ordres d'Esdras, il commenta et expliqua la Loi au peuple après le retour de l'exil de Babylone.

## PÈLEG

*Division* (hébreu). Fils d'Éber selon la table des peuples. Nommé Péleg *car en son temps, la terre fut divisée* (Genèse 10, 25); il vécut 239 ans et eut

Réou pour fils ainsi que des fils et des filles (Genèse 11, 16-19) ; il est cité dans la généalogie de Jésus (Luc 3, 35).

## PÈLERINAGE

La Loi exigeait que le sanctuaire du Seigneur soit visité trois fois par an par les fidèles (Exode 23, 17). Ce pèlerinage devait avoir lieu au moment de la fête des Pains-sans-levain (Pâque), de la fête des Semaines (Pentecôte) et de la fête des Tentes (Deutéronome 16, 16).

## PÉNITENCE

Du latin *pænitere*, se repentir. La pénitence est d'abord une souffrance volontairement imposée pour expier une faute, ou par désir de perfectionnement. Pour les apôtres, la pénitence était liée à la conversion et au baptême. Le christianisme a imposé des moments de pénitence et de purification tels que le carême, les quatre-temps, les jeûnes et les temps d'abstinence.

## PENNINA

*Corail* (hébreu). Nom de l'une des deux épouses d'Elqana, père du prophète Samuel (1 Samuel 1).

## PENIEL

*Visage de Dieu* (hébreu). Lieu situé auprès du gué de la rivière Yabboq (Transjordanie) où Jacob combattit l'ange du Seigneur. Le patriarche nomma le lieu Peniel car, dit-il, *j'ai vu Dieu face à face et ma vie a été sauve* (Genèse 32, 31). Par la suite, le juge Gédéon détruisit la tour qui s'élevait à Peniel et tua les habitants de la ville (Juges 8, 17) mais le roi Jéroboam fit aménager Peniel (1 Rois 12, 25).

## PENTATEUQUE

*Ensemble de cinq livres* (grec). Nom des cinq premiers livres de la Bible, attribués à Moïse, qui ont pour nom Genèse, Exode, Lévitique, Nombres, Deutéronome. Le Pentateuque est appelé Torah, c'est-à-dire Loi et instruction. Attribué à Moïse, le Pentateuque est en réalité l'œuvre de rédacteurs ayant vécu sous les règnes de David et Salomon et jusqu'aux années 850-800 av. J.-C.. Le Pentateuque est constitué de textes législatifs (Lévitique et Deutéronome) et de récits historiques, rapportant la libération des Hébreux de leur captivité en Égypte (Exode) et la traversée du désert sous la direction de Moïse. Le Pentateuque relate la création du monde (Genèse) et l'histoire des patriarches Abraham, Isaac et Jacob ainsi que celle de Joseph, puissant personnage en Égypte.

## PENTATEUQUE (DOCUMENTAIRE)

Terme désignant les recherches relatives à l'origine et l'historicité du Pentateuque. Les textes élohistes et yahwistes (selon le nom donné à Dieu) ont des éléments qui furent rédigés avant l'époque mosaïque et sont les sources les plus anciennes que l'on possède. Avec eux se trouvent les textes sacerdotaux et les textes historiques (Deutéronome). La datation généralement acceptée est la suivante :
- la source yahwiste fut écrite vers 850 av. J.-C. dans le royaume sud de Juda ;
- la source élohiste fut écrite vers 750 av. J.-C. dans le royaume nord d'Israël ;
- la fusion des deux sources fut faite vers 650 av. J.-C. ;
- le teste historique du Deutéronome fut écrit vers 606 av. J.-C., un peu avant l'exil à Babylone ;
- les écrits sacerdotaux, furent rédigés entre 500 et 450 av. J.-C..

## PENTECÔTE

Mot issu du grec *pentékostê*, c'est-à-dire le cinquantième jour. Dans le judaïsme, la Pentecôte est une fête destinée à commémorer la remise des tables de la Loi à Moïse qui se fit quarante-neuf jours après la Pâque. Le christianisme, quant à lui, voit dans la Pentecôte, fêtée cinquante jours après Pâques, le moment où l'Esprit saint est descendu sur la tête des apôtres comme des langues de feu, dix jours après l'ascension du Christ (Actes des Apôtres 2). C'est à cette date que l'on fixe la formation de l'Église. La Pentecôte est présente sur de nombreux tympans (Vézelay).

## PÉOR

Montagne du pays moabite où le dieu Baal était honoré sous le nom de Baal-Péor (Nombres 23, 25). Péor était aussi le nom d'une cité de la tribu de Juda (Josué 15, 59), proche de Jérusalem.

## PÉQAH

Nom de l'avant-dernier roi du royaume du Nord, Israël, de 735 à 732 av. J.-C., successeur de Péqahya, qu'il avait assassiné. Péqah continua le culte des idoles et des veaux d'or, déjà établi par le roi Jéroboam, puis fit alliance avec le roi de Damas pour vaincre le royaume de Juda et exiger que le roi Akhaz participe à la coalition contre l'Assyrie (2 Chroniques 28). Akhaz, au contraire, s'allia avec le roi Tiglath-Piléser III d'Assyrie qui marcha contre Damas et annexa des territoires du royaume d'Israël : Galaad, la Galilée, et le pays de Nephtali, dont il déporta les habitants en Assyrie. Vaincu, Péqah fut à son tour tué par Osée, fils d'Éla, qui lui succéda (2 Rois 15).

## PÉQAHYA

Roi d'Israël, royaume du Nord, de 737 à 736 av. J.-C., qui succéda à son père Menahem. Il encouragea le culte des idoles institué par le roi Jéroboam. Son écuyer Péqah conspira contre lui, le tua dans son palais de Samarie et lui succéda (2 Rois 15).

## PÈRE

Ce terme utilisé dans son sens premier dans la Bible prend aussi le sens de chef de tribu et de patriarche. Parmi les patriarches se trouvent les ancêtres d'Israël, Abraham, Isaac et Jacob, puis ses douze fils, pères des douze tribus d'Israël (Genèse 11 et 37). Cette filiation s'exprime dans la parole de Dieu adressée à Moïse : *Tu parleras ainsi aux fils d'Israël : Le Seigneur, Dieu de vos pères, Dieu d'Abraham, Dieu d'Isaac et Dieu de Jacob, m'a envoyé vers vous* (Exode 3, 15). Le mot *père* pouvait aussi désigner un maître spirituel, un envoyé, un prophète ou un roi. C'est dans ce sens que l'apôtre Paul désigne les apôtres fondateurs de communautés chrétiennes et pères spirituels des nouveaux convertis qu'ils guident vers la foi (1 Corinthiens 4, 14). Jésus-Christ utilise le mot Père pour désigner Dieu et montrer les nouveaux rapports établis entre Lui et les hommes.

## PÈREÇ

*Brèche* (hébreu). Fils de Juda et de sa belle-fille Tamar, frère jumeau de Zérab, ancêtre des Parçites (Nombres 26, 20) et de David (Ruth 4), que Luc (chapitre 3, 33) cite dans la généalogie de Jésus.

## PÈREÇ-OUZZA

Brèche d'Ouzza (hébreu). Lieu où Ouzza fut tué pour avoir touché l'Arche d'alliance, alors qu'il conduisait son chariot (2 Samuel 6, 8).

## PERSÉCUTION

Dans le christianisme, ce terme s'applique généralement aux grandes violences exercées contre les premiers chrétiens par les empereurs romains de Néron à Constantin, qui y mit un terme par l'édit de Milan. La première cause des persécutions romaines était que les chrétiens refusaient d'adorer les empereurs divinisés.

## PETOUËL

Nom du père du prophète Joël (chapitre 1).

## PHARISIEN

D'un mot araméen signifiant *séparé*. Membres d'une communauté juive laïque dirigée par des docteurs de la Loi qui, selon les Évangiles, affectaient un très grand formalisme religieux, notamment avec des lois de pureté, la dîme et le jeûne bi-hebdomadaire. Ce comportement fait d'attitudes était critiqué par le Christ qui reprochait aux pharisiens : *Ils disent et ne font pas.* Ils étaient les adversaires de la classe sacerdotale des sadducéens.

## PHILÉMON

Homme fortuné résidant à Colosses converti au christianisme par l'apôtre Paul. Depuis sa prison (Rome ou Césarée), Paul lui adresse son Épître à Philémon (écrite en 55) dans laquelle il le prie de reprendre Onésime, son esclave fugitif, de le considérer comme un frère bien-aimé, sans lui faire subir le châtiment habituel.

## PHILIPPE

*Ami des chevaux*. Cinquième disciple et apôtre du Christ, natif de Bethsaïde et présenté au Christ par Nathanaël (Jean 1, 45). Philippe fut en mission en Scythie et en Phrygie et mourut martyr, crucifié à Hiérapolis. Philippe fut aussi le nom de l'un des sept diacres installés à Jérusalem dans la première communauté chrétienne par les apôtres (Actes des Apôtres 6, 5). Philippe était le père de quatre filles qui possédaient le don de la prophétie (Actes des Apôtres 21, 8-9).

## PHILIPPES

Ville de Macédoine orientale dans laquelle l'apôtre Paul fonda la première communauté chrétienne d'Europe (vers l'année 50), alors qu'il effectuait son second voyage missionnaire. L'épître aux Philippiens est adressée à ces chrétiens de la ville de Philippes.

## PHILIPPIENS (ÉPÎTRE AUX)

Épître adressée par Paul prisonnier (vers 53/55) aux chrétiens de la ville de Philippes dont il avait fondé la communauté. En plus des enseignements habituels, l'apôtre remercie les Philippiens pour l'aide qu'ils lui ont accordée pendant sa captivité alors qu'il attend qu'un jugement soit prononcé.

## PHILISTINS

Peuple non sémitique, peut-être originaire de Crète ou du sud de l'Asie Mineure, installé vers 1200 av. J.-C. sur les territoires de la Syrie, la Palestine et le nord de l'Égypte après avoir anéanti l'empire hittite. Les

Philistins fondèrent les villes d'Ascalon, d'Ashdôd, d'Eqrôn, de Gath et de Gaza (confédération des cinq villes) sur la côte méditerranéenne. La pression qu'ils exerçaient sur les Israélites en Canaan contribua à faire du peuple hébreu un État monarchique centralisé qui permit au roi David de les vaincre pour un temps (2 Samuel 5, 17-25) ; les Philistins ne cessèrent pas leurs attaques contre Israël et Juda. Ils furent définitivement vassalisés par les Assyriens à la fin du VIIIᵉ siècle av. J.-C.

## PIED

Le Nouveau Testament invite les Hébreux à secouer la poussière de leurs chaussures, c'est-à-dire à refuser d'adhérer à un ensemble particulier. Parfois, par euphémisme, les pieds désignent les parties génitales (Exode 4,25). Le mot pied peut aussi manifester la soumission et la servilité, tel un vassal aux pieds de son roi ou un vaincu aux pieds de son vainqueur. Par respect pour le maître, Marie-Madeleine essuya les pieds du Christ avec ses cheveux en signe d'amour et de respect. Dans le Nouveau Testament, un disciple s'assied aux pieds du Seigneur dans un geste de respect et d'écoute attentive.

## PIERRE (SAINT)

De son vrai nom Simon, l'apôtre Pierre (Cephas) naquit en Galilée où il était pêcheur et mourut martyr à Rome en 64 de notre ère. Avec son frère André, ils furent les deux premiers disciples de Jésus. Pierre fut le compagnon de chaque jour, le témoin de la mission et des miracles du Christ qu'il renia cependant par trois fois. Malgré cela, Pierre reçut de son Maître les clés du ciel et la charge des premières communautés chrétiennes : *Je te donnerai les clés du Royaume des cieux ; tout ce que tu lieras sur la terre sera lié aux cieux et tout ce que tu délieras sur la terre sera délié aux cieux* (Matthieu 16, 18-19). Dans la religion catholique, les papes sont les successeurs de Pierre ; ils ont les mêmes droits que lui sur le dogme et la communauté chrétienne. Premier responsable de l'Église de Rome, Pierre fut condamné à mort sous Néron et crucifié, à sa demande, la tête en bas, selon la *Légende dorée*. Dans l'imagerie chrétienne, l'apôtre Pierre est reconnaissable à ses clefs (du ciel et de la terre).

## PIERRE (ÉPÎTRES DE)

Nom de deux missives attribuées à l'apôtre Pierre et intégrées dans le Nouveau Testament. La première d'entre elles comporte des exhortations aux chrétiens afin de les affermir dans la foi au moment des persécutions. Le texte aurait été rédigé non par l'apôtre mais par Silvanus, son secrétaire. La seconde épître de Pierre (écrite au IIᵉ siècle) met en garde les chrétiens contre les faux docteurs qui veulent les détourner de la vraie foi.

## PIERRE

La pierre est un matériau noble, qu'il s'agisse de la pierre d'angle ou d'une pierre précieuse, du roc sur lequel on construit sa maison, de l'autel ou du temple de la divinité. La pierre fait participer la matière terrestre, l'art de l'homme et la gloire de l'univers dans une même construction s'élevant vers le ciel. Dans la vie pratique, la pierre était utilisée pour construire ce qui devait durer, mais aussi pour lapider les condamnés. Les Dix Commandements sont gravés dans la pierre, le Christ est la *pierre d'angle*, clé de voûte, autour de laquelle est érigée l'Église dont les chrétiens sont les *pierres vivantes* (1 Pierre 2, 4-5).

## PIERRES PRÉCIEUSES

*Eben yeqara* (hébreu). Dans la Bible, leur beauté et leur perfection valent aux pierres précieuses des vertus magiques, parfois divines, qui justifient leur place parmi les objets cultuels, l'éphod du grand prêtre et l'habillement des prêtres. Le Livre de l'Exode (chapitre 28, 17-20) cite les pierres précieuses qui devaient se trouver sur le pectoral du grand prêtre : sardoine, topaze, émeraude, escarboucle, lazulite, jaspe, agate, cornaline, améthyste, chrysolithe, béryl et onyx. Pour le prophète Ézéchiel, dans le jardin d'Éden, l'homme était entouré de murs faits de pierres précieuses : sardoine, topaze, jaspe, chrysolithe, béryl, onyx, lazulite, escarboucle et émeraude (Ézéchiel 28, 13). De même, l'Apocalypse décrit la Jérusalem céleste dont les assises sont de jaspe, de saphir, de calcédoine, d'émeraude, de sardoine, de cornaline, de chrysolithe, de béryl, de topaze, de chrysoprase, d'hyacinthe et d'améthyste (chapitre 21, 19-20).

## PILATE (PONCE)

Gouverneur romain (26-36), qui eut à juger puis à condamner Jésus. Les évangélistes relativisent son rôle et le montrent conscient de l'innocence du Christ, notamment lorsque son épouse intervient déclarant : *Ne te mêle pas de l'affaire de ce juste ! Car aujourd'hui j'ai été tourmentée en rêve à cause de lui* (Matthieu 27, 19). Voyant que le peuple voulait la mort de Jésus et craignant une émeute, Pilate prit de l'eau et se lava les mains en présence de la foule en disant : *Je suis innocent de ce sang. C'est votre affaire !* (Matthieu 27, 24).

## PINHAS

*Nègre* (égyptien). Fils d'Éléazar, petit-fils d'Aaron, le premier grand prêtre (Exode 6, 25) à qui Dieu accorda le sacerdoce définitif en reconnaissance de sa fidélité et de son zèle (Nombres 25, 1-13). Pinhas fut aussi le nom d'un prêtre du temple de Silo qui fut tué avec son frère Hofni en raison de leurs agissements répréhensibles.

## PISGA

Montagne située face à Jéricho d'où Moïse contempla la Terre promise avant de mourir (Deutéronome 34). C'est en ce lieu que le devin Balaam fit bâtir sept autels et offrit en sacrifice un taureau et un bélier sur chacun d'eux (Nombres 23, 14). Le Seigneur vint le trouver et mit dans sa bouche des paroles destinées à Balak roi de Moab.

## PISHÔN

L'un des quatre fleuves coulant au Paradis. Le Pishôn traverse le pays de Hawila (Genèse 2, 11).

## PITÔM

*Maison du dieu Atoum* (égyptien *Per-Atoum*). Ville édifiée à l'est du delta du Nil, par le pharaon Ramsès II (1304-1237 av. J.-C.). Lors de sa construction, les Israélites furent soumis au travail obligatoire (Exode 1, 11).

## PLAIES

Punitions, malheurs envoyés par Dieu pour frapper les hommes. Les plus connues et représentées furent les dix plaies d'Égypte (Exode 7, 1-11) envoyées parce que le pharaon refusait de laisser partir les Hébreux de son pays. Les plaies se manifestèrent notamment sous la forme d'eau changée en sang, par une pluie de grenouilles, de moustiques, de sauterelles, de vermine, par des épidémies de peste, de furoncles, des chutes de grêle, les ténèbres et la mort de nouveau-nés. Après cela, les Hébreux furent autorisés à quitter le pays.

## POISSON

Principe de vie et d'abondance, les poissons étaient l'emblème des premiers chrétiens qui utilisèrent le mot grec *ichthus* comme idéogramme, en souvenir des paroles de Jésus s'adressant à Pierre et André : *Venez à ma suite et je vous ferai pêcheurs d'hommes* (Matthieu 4, 19) mais aussi parce que ces lettres étaient les initiales de *Iesu Kristos Théou Uios Sôter* (Jésus Christ Fils de Dieu Sauveur) que l'on remarque notamment dans les inscriptions funéraires chrétiennes. Le poisson figure parfois l'eucharistie, la multitude des chrétiens et l'ensemble de l'humanité, dans lesquels Jésus puis les apôtres jettent leurs filets.

## POITRINE

Dans la Bible et les civilisations du Proche-Orient, on se frappait la poitrine en signe d'affliction, de crainte ou de repentir. L'Évangile de Luc (chapitre 18, 13) décrit le collecteur d'impôts qui se tenait dans le Temple et se frappait la poitrine disant : *Mon Dieu, prends pitié du pêcheur que je suis.* Lorsque Jésus mourut sur la croix, les témoins se frappèrent la poitrine de douleur (Luc 23, 48).

## POLYCARPE

Nom du disciple de l'apôtre Jean qui fut évêque de Smyrne et mourut martyr sur un bûcher vers l'an 156, à l'âge de 86 ans.

## POMME

Considérée à tort comme fruit de l'arbre de Vie du jardin d'Éden, la pomme n'en est pas moins un fruit symbolique que l'on trouve dans de nombreuses cultures, grecque, celte et chrétienne. Dans l'Ancien Testament, on note en particulier les *pommes d'amour* (peut-être pouvoir aphrodisiaque) mangées par Rachel pour vaincre sa stérilité.

## PORC

Dans l'imagerie chrétienne, le porc fait référence à l'exorcisme pratiqué par Jésus chassant les démons puis les envoyant dans un troupeau de porcs. Qualifié d'impur par l'Ancien Testament, le porc était interdit et sa consommation condamnée (Ésaïe 65), ce qui explique le geste du scribe Éléazar préférant mourir plutôt que d'en consommer (2 Macchabées 6, 18). Image de l'indignité et de l'indigence, le fils prodigue dut garder un troupeau de porcs pour survivre. De même, Jésus précise aux disciples qu'ils doivent éviter de profaner ce qui est sacré : *Ne donnez pas aux chiens ce qui est sacré, ne jetez pas vos perles aux porcs, de peur qu'ils ne les piétinent et que, se retournant, ils ne vous déchirent* (Matthieu 7, 6).

## PORTE

*Je suis la Porte étroite…* dit Jésus-Christ. Les litanies précisent que la Vierge Marie est *la Porte du Ciel*. Dans l'Apocalypse, le Seigneur déclare : *Voici, je me tiens à la porte et je frappe, si quelqu'un entend ma voix et ouvre la porte, j'entrerai chez lui…* (chapitre 3, 20) faisant de chacun une porte pouvant librement livrer, ou refuser, le passage à la lumière spirituelle et à la connaissance.

## POSSESSION

Un démon s'installe dans la conscience ou le corps d'un homme, perturbant sa pensée et son comportement, anihilant sa volonté (Luc 22, 3-6). De la même nature que les anges déchus, les démons peuvent posséder un homme totalement ou en partie et l'encourager ou l'obliger à faire le mal ou vivre dans l'incroyance (Matthieu 12, 43).

## POTI-PHÉRA

*Don de Rê* (de l'égyptien *Pa-di-pa-Râ*). Prêtre de la ville d'On (Héliopolis) et beau-père de Joseph (Genèse 41).

## POUTH

Nom d'un peuple dont Cham, le second fils de Noé, serait l'ancêtre.

## PREMIER-NÉ

Dans la Bible, le terme de premier-né s'applique aussi bien à l'homme qu'aux animaux. Pour la loi de l'Ancien Testament, tout premier-né devait être offert au Seigneur ; le droit d'aînesse (héritage) était obligatoirement accordé au fils premier-né du père, qui recevait, en plus de la bénédiction paternelle, une part deux fois plus importante que celle des autres enfants (Deutéronome 21, 17). Spirituellement, le peuple d'Israël est le fils premier-né de Dieu (Exode 4, 22) de même que le Christ est le premier-né d'une multitude de frères, selon l'apôtre Paul (Romains 8, 29).

## PRÉSAGES

Terme qui s'applique aux signes que peuvent percevoir quelques initiés qui annonceront que la fin des temps est proche (Matthieu 24).

## PRÊTRE

Du grec *presbuteros*, signifiant ancien, d'où proviennent les mots *presbytère*, puis *prêtre*. Pour l'Ancien Testament, les prêtres apparurent au temps de Moïse et du culte du Seigneur unique (Exode 28). Au faîte de hiérarchie sacerdotale était placé le grand prêtre du temple de Jérusalem qui, avec le conseil des Anciens, avait le pouvoir sur la vie religieuse. Bien que le Nouveau Testament ne désigne jamais le Christ, les disciples ou les apôtres comme prêtres, pour le christianisme, les prêtres sont des guides pour les fidèles, les bergers des croyants. Ils exercent un sacerdoce qui font d'eux les intermédiaires, les intercesseurs, entre Dieu et ses fidèles.

## PRIÈRE

Du latin *precari*, prier. La prière est un dialogue entre l'âme humaine et son Dieu, dont on retrouve des traces dès l'origine des religions, notamment chez les Égyptiens qui laissèrent de nombreux papyrus de prière dans leurs tombeaux. La prière peut ainsi exprimer l'adoration, la supplication ou la crainte, la louange, la joie et la reconnaissance. On la reconnaît dans certaines paroles rituelles, dans des musiques et des chants particuliers, bien qu'elle puisse aussi être muette et individuelle.

## PRISON

L'Ancien Testament ne signale l'existence de prison que chez les peuples étrangers ; les Israélites ne paraissent avoir établi des lieux de détentions qu'à partir de l'époque royale. Les prisons servirent alors à retenir les rebelles de toutes sortes tout autant que les prophètes (Michée, Jérémie) qui dérangeaient le souverain en place. Après l'exil, Esdras restaura la communauté juive à Jérusalem et l'on prévoyait des châtiments allant de la prison à la peine de mort, avec des peines intermédiaires telles que l'exclusion et les amendes pécuniaires Pour quiconque n'accomplissait pas exactement la loi de Dieu et la loi du roi (Esdras 7, 26). À partir de l'époque romaine, les prisons accueillent pratiquement tous les disciples et apôtres qui portent témoignage de leur foi. Symboliquement, les trois jours que passe Jésus-Christ dans le royaume de la mort sont semblables à un séjour dans une prison dont Satan est le maître. À la fin des temps, Satan séjournera lui-même mille ans dans l'abîme qui sera sa prison (Apocalypse 20).

## PROCHORE

Nom de l'un des sept diacres établis à Jérusalem par les apôtres (Actes des Apôtres 6, 5).

## PROFANATION

Dans l'Ancien Testament, une profanation pouvait consister à voler un objet sacré, ou seulement à l'utiliser dans un autre but que celui du culte. On profanait aussi un objet en le retirant du butin de guerre que l'on réservait à Dieu. Proche du blasphème, la profanation pouvait consister en une flétrissure du nom de Dieu, ce qui impliquait pour le coupable des châtiments sévères, voire la peine de mort. Partie de l'ancienne alliance, le concept de profanation fut largement critiqué par le Nouveau Testament (Matthieu 15, 11-20 ; Romains 14, 14).

## PROPHÈTE

Du grec *pro, avant*, et *phêmi, je dis, homme qui prédit*, c'est-à-dire voyant. Les prophètes sont les messagers de Dieu, les inspirés qui interprètent les songes et les visions. Pourchassés, ils se réfugient dans des déserts où les ravitaillent les anges et parfois les corbeaux. Les principaux prophètes bibliques sont Abacuc, Agée, Abdias, Amos, Balaam, Daniel, Élie, Élisée, Ézéchiel, Isaïe, Jérémie, Joël, Jonas, Malachie, Michée, Moïse, Nahum, Nathan, Samuel, Sophonias et Zacharie.

Dans la Bible, les prophètes apparaissent au moment où le peuple est désorienté face à des événements imprévisibles, tel que la chute de Jérusalem et l'exil à Babylone, ou lorsque le *troupeau* se trouve trop éloigné de sa voie spirituelle.

## PROSÉLYTE

*Celui qui est venu s'ajouter* (grec). Nom donné aux païens qui se convertissaient au judaïsme et se faisaient circoncire (Actes des Apôtres 9, 6).

## PROVERBES (LIVRE DES)

Livre attribuée au roi Salomon et à quelques autres penseurs et sages, qui réunit des pensées, maximes et aphorisme représentant la poésie, la littérature et la philosophie juive et orientale. Ces textes destinés à un large public ont pour but d'éclairer et d'enseigner, de dispenser des réflexions sur *la justice, la droiture, la prudence, que le sage écoute et il augmentera son acquis, l'homme intelligent, et il acquerra l'art de diriger* (Proverbes 1, 2-5). Cette disposition donne au livre des Proverbes une dimension universelle et intemporelle.

## PSAUMES ET LIVRE DES PSAUMES

*Hymnes de louange* (hébreu) Chants poétiques, hymnes, qu'accompagnait un instrument de musique à cordes. Les Psaumes étaient aussi des cantiques de victoire, d'action de grâces, notamment les psaumes attribués à David. Le Psautier est le nom donné au recueil rassemblant les 150 Psaumes.

## PUBLIUS

Fonctionnaire romain, premier magistrat de l'île de Malte, qui accueillit avec bienveillance l'apôtre Paul et son disciple pendant trois jours. En retour, l'apôtre guérit son père atteint de dysenterie (Actes des Apôtres 28, 7-8).

## PUITS DE JACOB

Endroit où Jésus s'entretint avec la Samaritaine sur le rédempteur du monde (Jean 4, 6). Le puits de Jacob est situé près de Sychar et de Sichem, au pied du mont Garizim, sur une terre jadis donnée par Jacob à son fils Joseph. La tradition assurait que le patriarche y avait bu lui-même.

## PUTIPHAR (POTIPHAR)

*Don de Rê* (de l'égyptien *Pa-di-pa-Rê*). Joseph fut accusé d'avoir commis l'adultère avec la femme de Putiphar qui le fit jeter en prison. Cette accusation mensongère ne l'empêcha cependant pas d'interpréter les songes et visions de Pharaon.

## QADESH

*Saint.* Oasis du désert du Sinaï, au sud du pays de Canaan, dont le nom primitif était Em-Mishpath (Genèse 14, 7), où s'arrêtèrent les Hébreux avant la conquête de Canaan. De Qadesh, Moïse expédia des espions dont le rapport provoqua une révolte du peuple (Nombres 14). Myriam, sœur d'Aaron et de Moïse, mourut à Qadesh (Nombres 20, 1).

## QANA

Nom du torrent qui séparait le territoire des tribus d'Éphraïm et Manassé (Josué 16, 8), et nom d'une petite cité située au sud de Tyr, à la limite de la tribu d'Asher (Josué 19, 28).

## QARÉAH

*Chauve.* Nom du père de Yohànân et Yonatân, deux officiers juifs, alliés de Guédalias, désigné par Nabuchodonosor pour régner sur Jérusalem en 587 av. J.-C. (Jérémie 40, 8, 13).

## QARNAÎM (KARNION)

Cité du pays de Galaad, à l'est du Jourdain, où l'on emprisonnait les Juifs. Judas et Jonathan Macchabée les libérèrent après avoir vaincu l'armée syrienne placée sous les ordres de Timothée (2 Macchabées 12).

## QÉDAR

Nom d'une petite population descendante d'Ismaël établie dans le désert syro-arabe (Jérémie 49, 28).

## QÉDÉMOTH

Ville du territoire de la tribu de Ruben (Transjordanie) dans le désert du même nom, d'où Moïse envoya des messagers auprès du roi Sihôn afin d'obtenir le passage sur son territoire. Le refus du roi provoqua la bataille de Yahaç, dont Moïse fut vainqueur (Deutéronome 2, 26-33).

## QÈDESH

*Qèdesh-Nephtali*. Ville située dans la montagne de Nephtali, conquise par Josué (Josué 12, 22) et attribuée à la tribu de Nephtali. Devenue ville *de refuge* et ville lévitique, la cité porta aussi le nom de *Qèdesh de Galilée*. Le juge Baraq naquit à Qèdesh (Juges 4, 6).

## QEHATH

Deuxième fils de Lévi, aïeul de la famille sacerdotale des Qehatites.

## QÉÏLA

Ville du territoire de la tribu de Juda où se réfugia David alors qu'il fuyait le roi Saül. Les Philistins pillaient Qéïla et David aida les habitants à chasser les assaillants. Victorieux des Philistins mais encerclé par les troupes du roi Saül, David dut s'enfuir pour s'échapper (1 Samuel 23).

## QELITA (QÉLAYA)

Nom de l'un des lévites qui épousa des étrangères et s'en sépara aussitôt le retour de l'exil de Babylone (Esdras 10). À Jérusalem, Qelita enseigna la Loi au peuple de la ville.

## QEMOUËL

Fils de Nahor et de son épouse Milka, neveu d'Abraham, considéré comme l'ancêtre des Araméens selon la Genèse (chapitre 22, 20-21). Qemouël est aussi le nom du fils de Shiftàn, responsable de la tribu d'Éphraïm lors du partage du pays de Canaan (Nombres 34, 24), et celui du père de Hashavya, lévite principal pendant le règne du roi David (1 Chroniques 27, 17).

## QÉNÂN (KAÏNAM)

Fils d'Énoch, dans la liste des descendants de Seth, qui à 70 ans, engendra Mahalalel et vécut ensuite 840 ans. Qénân mourut à l'âge de 910 ans (Genèse 5, 13-14). Selon la généalogie de Jésus présentée dans l'Évangile de Luc (chapitre 3, 35-38), Qénân est le fils d'Arphaxad et le père de Sala, ou le fils d'Enôs et le père de Maléléel.

## QENAZ

Fils d'Élifaz et petit-fils d'Ésaü (Genèse 36, 11), ancêtre des Qenizzites, établis au sud de la Palestine. Qenaz était aussi le nom du frère cadet de Caleb, père d'Otniel (Juges 1, 13).

## QÉNITES

Tribu établie dans la presqu'île du Sinaï dont l'ancêtre était peut-être Caïn (Nombres 24, 21). Les Qénites séjournèrent aussi au sud du royaume de Juda et dans la plaine d'Izréel.

## QERYOTH-HÈÇRÔN

Ville de la tribu de Juda (Josué 15, 25) qui serait peut-être la ville natale de Judas Iscarioth, l'homme de Qeryoth.

## QETOURA

Seconde femme d'Abraham, qu'il épousa après la mort de Sara.

## QIR-HARÈSETH

Ville capitale des Moabites située au sud du fleuve Arnôn, à l'est de la mer Morte (Esdras 16, 7-11). Sur son emplacement fut édifié le krak des Chevaliers que prit Saladin en 1188. C'est l'actuelle Kérak, à 88 km au sud d'Amman.

## QIRYATH

*Ville* (hébreu). Élément fréquent dans les noms de cités, tels que Qiryath-Arba, ancien nom de la ville d'Hébron, Qiryath-Baal (ville de Baal), ancien nom de la ville de Qiryath-Yéarim, Qiryath-Houçoth, ville moabite, Qiryath-Sanna, ancien nom de la ville de Debir (Josué 15, 49) et Qiryath-Séfèr ou *ville du Livre*.

## QIRYATH-YÉARIM

Anciennement nommée Baala ou Qiryath-Baal, cette cité située sur le territoire de la tribu de Juda accueillit, dans la maison d'Avinadav, l'arche de l'alliance rendue par les Philistins. Shoval, fils de Hour, fils d'Éphrata, serait l'ancêtre de la ville de Qiryath-Yéarim qui fut la ville natale du prophète Ouriyahou, assassiné par le roi Yoyaqîm de Juda (Jérémie 26, 20).

## QISH

*Cadeau.* Nom du père de Saül, le premier roi d'Israël (1 Samuel 9, 1-2).

## QISHÔN

Torrent coulant au pied du Carmel et dans la vallée d'Izréel avant de se jeter dans la Méditerranée. Sur le bord du Qishôn furent tués les prophètes du Baal sur l'ordre du prophète Ésaïe (1 Rois 18, 40).

## QISHYÔN

Ville lévite située sur le territoire de la tribu d'Issakar au pied du mont Tabor (Josué 19 ; 21).

## QOHÉLETH

*L'Ecclésiaste*. Livre de l'Ancien Testament écrit vers 250 av. J.-C. par un auteur qui se présente sous le nom de Qohéleth. Le livre de Qohéleth, rédigé au moment des persécutions religieuses contre les Juifs, traite de questions philosophiques sur l'homme et la vie, où se mêlent la pensée traditionnelle d'Israël et la culture intellectuelle grecque.

## QORAH

Nom du troisième fils d'Ésaü et de son épouse Oholivama, né au pays de Canaan (Genèse 36, 5).

## QORBAN

Offrande pour le Temple, ou trésor du Temple. *Le vœu de Qorban* consistait pour un Juif à mettre un objet ou un bien au service de Dieu, du Temple ou du culte, et à l'y laisser. Jésus-Christ s'éleva contre cette pratique qui privait parfois des pauvres du nécessaire, des parents de leur dû, notamment lorsque des enfants avaient formulé ce vœu qui les poussait à enfreindre le cinquième commandement : *Honore ton père et ta mère* (Marc 7, 11-13).

## QUIRINIUS

Publius Sulpicius. Gouverneur romain de la province de Syrie en 6 et 7. Il ordonna un recensement fiscal cité dans l'Évangile de Luc (chapitre 2), au moment de la naissance de Jésus.

## QUMRÂN

Dans les vestiges de Qumrân, situés en Cisjordanie sur la rive nord-ouest de la mer Morte, furent découverts en 1947 plus de cinq cents manuscrits ayant appartenu à la bibliothèque d'une communauté monastique essénienne qui vécut à Qumrân environ cent vingt ans à partir de 150 av. J.-C. Cette communauté importante pour son temps fut détruite par les Romains en l'an 68. Elle était dirigée par un supérieur appelé *Maître de justice* qui s'opposait au grand prêtre de Jérusalem surnommé quant à lui *prêtre impie*.

Le Maître de justice possédait le don de prophétie et était considéré comme l'autorité suprême dans l'interprétation des saintes Écritures. Les membres de la communauté de Qumrân préparaient le chemin du Seigneur et attendaient les événements marquant la fin du monde et le jugement dernier.

## RABBA

Ancienne ville capitale des Ammonites, située à l'est du Jourdain (actuellement Amman, capitale de la Jordanie).

## RABBI

*Maître* (hébreu). Ancien titre porté par les guides spirituels du judaïsme, remplacé par la suite par le titre de *docteur de la Loi*. Les disciples et quelques autres personnages appelaient Jésus *Rabbî* (Marc 9, 5) ou même *Rabbouni*, tel l'aveugle guéri par Jésus, ce qui ajoutait encore à la déférence (Marc 10, 51). À l'inverse, Jésus interdit à ses disciples de se faire appeler rabbî, *car vous n'avez qu'un seul maître et vous êtes tous frères* (Matthieu 23, 8).

## RABBIN

Mot provenant de l'hébreu *rabbi* signifiant maître. Titre d'abord attribué aux docteurs de la Loi juive et aux prophètes puis, et encore aujourd'hui, au chef spirituel d'une communauté israélite, d'une synagogue. Il existe de nos jours dans le monde plusieurs centres de formation rabbinique qui font autorité sur le plan religieux et spirituel, mais le domaine juridique qui leur était jadis attribué a cessé de leur appartenir. Les rabbins président au culte du sabbat, aux cérémonies rituelles et aux fêtes, prêchent et instruisent les jeunes, célèbrent les mariages et les obsèques. Contrairement aux prêtres chrétiens, les rabbins ne sont pas ordonnés – le sacerdoce a disparu à la suite de la destruction du temple de Jérusalem en 70 –, mais ils suivent des études particulières. À la tête des rabbins se trouve le grand rabbin, chef du consistoire qui l'assiste dans ses travaux.

## RACHAT

Après leur sortie d'Égypte, Dieu exigea que les Israélites lui offrent chaque premier-né mâle, qu'il soit humain ou animal (Exode 13, 11-16). Cependant, les membres de la tribu de Lévi remplaçaient les premiers-nés qui auraient dû consacrer leur vie au Seigneur. Lorsque cela n'était pas possible, celui qui devait être remplacé était racheté avec une somme remise à Aaron ou ses fils pour le sanctuaire (Nombres 3, 47). Toute peine pouvait être rachetée selon la législation, de sorte que si quelqu'un pressé par le besoin vendait son bien ou sa personne, son plus proche parent devait le racheter, lui ou sa propriété, ce qui lui rendait sa dignité ou son moyen de subsistance. Des fautes ou des condamnations pouvaient aussi être rachetées de la même manière. Le principe du rachat provenait de la libération des Hébreux rachetés par Dieu de la servitude en Égypte (Deutéronome 7, 8). De même, Jésus-Christ, Fils de l'homme, est venu volontairement pour donner sa vie en rançon pour la multitude (Matthieu 20, 28).

## RACHEL

Fille de Laban et épouse favorite de Jacob à qui elle donna deux fils, Joseph et Benjamin, mais qui mourut à la naissance du second (Genèse 35, 16-20). Rachel, vénérée comme l'ancêtre d'Israël, fut ensevelie près de Rama, à 8 km au nord de Jérusalem.

## RAHAB DE JÉRICHO

Femme prostituée de Jéricho qui sauva les espions israélites en les cachant et fut pour cela récompensée au moment de la prise de la ville (Josué 2). Rahab figure dans la généalogie de Jésus où elle est citée comme mère de Booz (Matthieu 1, 5).

## RAHAV

*Le Tempétueux.* Nom d'un dragon de la mythologie babylonienne, personnifiant le chaos des origines, dont Dieu fut vainqueur (Job 9, 13).

## RAMOTH DE GALAAD

Ville de refuge située à l'est du Jourdain, où se déroulèrent de nombreuses et violentes batailles entre les royaumes d'Israël et de Juda (1 Rois 22).

## RAMSÈS

*Per-Râmessou-meri-Amon* (maison de Ramsès aimé d'Amon). Abréviation du nom de la ville édifiée dans le delta du Nil par Ramsès II (1304-1237 av. J.-C.). La tradition veut qu'elle ait été construite notamment grâce au labeur forcé des Hébreux. C'est dans cette ville que Joseph installa son père et ses frères ; c'est de Ramsès que partit Moïse avec son peuple (Genèse 47, 11 ; Exode 13, 37)

## RAPHAËL

*Dieu a guéri* (hébreu). Parfois appelé Azarias, Raphaël est l'un des sept anges *qui se tiennent devant la gloire du Seigneur et pénètrent en sa présence* (Tobit 12,15). Le christianisme considère Raphaël comme l'un des archanges et le fête le 29 septembre. Il est le patron des voyageurs.

## RAZIS

L'un des Anciens de Jérusalem qui décida de se suicider plutôt que d'être arrêté par les gardes du roi Nikanor (2 Macchabées 14, 37-46).

## RÉBECCA

Épouse du patriarche Isaac et mère des jumeaux Ésaü et Jacob.

## RÉCÎN

Roi d'Aram de Damas (740-730 av. J.-C.) ; avec le roi Péqah d'Israël, il incita le roi Akhaz de Juda à entrer en lutte contre l'Assyrie. Cependant, le roi d'Assyrie Tiglath-Piléser conquit Damas et fit assassiner Récîn (2 Rois 15 ; 16).

## RÉCOLTES

En Israël, la moisson débutait avec la fête des Pains-sans-levain et se terminait par la fête des Prémices ou des Semaines (Lévitique 23, 15-21). Sur le plan spirituel, le mot *récoltes* symbolise les fruits du travail des hommes sur la terre, le résultat de leur évolution spirituelle. *Celui qui sème pour sa propre chair récoltera ce que produit la chair, la corruption. Celui qui sème pour l'Esprit récoltera ce que produit l'Esprit, la Vie éternelle*, assure l'apôtre Paul (Galates 6, 8).

## RÉDEMPTEUR

Du latin *redemptor*, de *redimere*, racheter. Nom attribué au Christ, qui at donné sa vie pour le rachat des fautes des hommes et les amener à l'union à Dieu dans la vie éternelle. Cette rédemption est le grand mystère de l'Amour divin.

## RÉDEMPTION

Libération de la faute et des péchés. Pour ceux qui suivent son enseignement et vivent leur foi en Lui, le Christ apporte la rédemption et la vie éternelle.

## REFAÏTES

Nom attribué dans la Bible au peuple de géants nés d'un Philistin appelé Harafa (2 Samuel 21, 20). Les Refaïtes vivaient en Palestine avant l'arrivée des Hébreux (Genèse 15, 20). Og, roi de Bashân, descendait des Refaïtes.

## REFIDÎM

Endroit situé dans le désert où stationnèrent les Hébreux menés par Moïse qui fit jaillir de l'eau du rocher Mériba et où il contra une attaque des Amalécites (Exode 17).

## REINE DU CIEL

Nom donné à la déesse Astarté qui personnifiait, comme la déesse sumérienne Ishtar, la fertilité et la guerre. Malgré son alliance avec le Seigneur, le peuple d'Israël élevait des autels et offrait des sacrifices à la Reine du Ciel (Jérémie 44, 17-18).

## RÉKAV

Ancêtre de la tribu bédouine des Rékabites, petite communauté religieuse fondée par Yona-dav, fils de Rékav. Les Rékavites avaient la foi dans le Dieu d'Israël, suivaient scrupuleusement sa loi et son culte auquel ils ajoutèrent de nouvelles prescriptions (Jérémie 35, 6).

## RÉMISSION

La rémission consiste pour Dieu à remettre les péchés et les fautes des hommes qui se repentent. Pour les chrétiens, Dieu l'offre par Jésus-Christ à tous ceux qui croient en lui.

## RENCONTRE (TENTE DE LA)

*Tente du Témoignage.* Sanctuaire constitué d'une tente transportable sous laquelle se trouvait l'arche d'alliance, point de rencontre avec Dieu (Exode 29, 42). Cette tente sacrée était le centre du culte et l'endroit où on effectuait les offrandes, jusqu'à ce que soit édifié le temple de Jérusalem. La tente de la Rencontre se déplaça dans le pays de Canaan, puis David l'installa à Jérusalem. Elle comprenait le Saint des saints puis, séparé par une tenture, un sanctuaire sacré pour l'arche d'alliance, le chandelier à sept branches, le pain d'oblation et l'autel des parfums.

## RÉOU

Nom du fils de Pèleg, père de Seroug, et ancêtre d'Abraham (Genèse 11, 18-20). Réou est mentionné dans la généalogie de Jésus (Luc 3, 35).

## RÉOUËL

*Ami de Dieu* (hébreu). Beau-père de Moïse, prêtre de Madiân, parfois appelé Jéthro.

## REPAS DU SEIGNEUR

Ancienne expression pour désigner la célébration de la Cène (l'Eucharistie), qui répétait le dernier repas de Jésus-Christ avec ses disciples.

## RÉSA

Nom du fils de Zorobabel, mentionné dans la généalogie de Jésus.

## RÉSURRECTION

Du latin *resurrectio, resurgere*, se relever, se ranimer. L'un des plus importants mystères chrétiens, selon lequel le Christ revient à la vie trois jours après sa mort. Ses disciples devenus apôtres à la Pentecôte, cinquante jours plus tard, annoncèrent cette résurrection du Christ, l'un des points essentiels de la foi chrétienne qui la célèbre dans la joie pendant la fête de Pâques.

D'autre part, à la fin des temps, les Évangiles et l'Apocalypse de saint Jean annoncent que les âmes des saints ressusciteront et posséderont dès lors un corps immortel et lumineux.

## RÊVE

Pour la Bible, il existe des rêves passagers sans signification particulière et des rêves ou songes envoyés par Dieu, des révélations. La différence n'est pas toujours facile à faire, c'est pourquoi *Dieu avertit les faux prophètes qui prennent leurs songes pour la parole du Seigneur alors que ce ne sont que des trouvailles fantaisistes* (Jérémie 23, 26). Ces faux prophètes sont menacés de mort (Deutéronome 13).

Pour l'Ancien Testament, le rêve/révélation vient de Dieu dont il exprime la volonté : *Dieu vint trouver de nuit, en songe, Laban l'Araméen, il lui dit…* (Genèse 31, 24). Interpréter les rêves était ainsi une œuvre sacrée, dépendant entièrement de la volonté divine, ainsi que le précise Joseph à Pharaon avant d'interpréter ses songes (Genèse 41, 16). Plusieurs personnages bibliques eurent le privilège de comprendre la signification de leurs rêves : Jacob rêva de l'échelle menant au ciel (Genèse 28, 12), Joseph rêva à plusieurs reprises à la destinée qui allait être la sienne, puis interpréta les songes du grand panetier de Pharaon et ceux de Pharaon lui-même (Genèse 37 et 40). Nabuchodonosor rêva du sort de son royaume représenté par une statue aux pieds d'argile et le prophète Daniel lui donna la signification de cette image (Daniel 2).

## REZÔN

Fondateur du royaume des Araméites, chef de l'armée du roi Hadadèzer vaincu par David (1 Rois 11, 23-25).

## RIÇPA

*Chardon ardent* (hébreu). Nom de l'une des concubines du roi Saül avec laquelle Avner eut des rapports après la mort de Saül mais qui veilla sur ses fils après lui (2 Samuel 3 ; 21).

## RIMMÔN

*Grenade* (hébreu). Nom de plusieurs endroits situés en Palestine, notamment celui qui se trouvait dans le domaine de la tribu de Zabulon (Josué 19, 13) et celui qui se trouvait sur le territoire de la tribu de Juda (Josué 15, 32), au nord de Béer-Shéva.

## RIMMÔN-PÈRÈÇ

L'un des lieux où campèrent les Hébreux pendant la traversée du désert (Nombres 33, 19).

## ROBOAM DE JUDA

Fils de Salomon et de Naana, premier roi du royaume de Juda (926-910 av. J.-C.), Roboam fut à l'origine de la division des deux royaumes car les charges imposées aux tribus d'Israël étaient trop pénibles. Le règne de Roboam fut marqué par une guerre permanente contre Jéroboam, roi du royaume du Nord d'Israël. Roboam fut finalement vaincu par le roi d'Égypte Shishaq qui pilla le temple de Jérusalem (1 Rois 14).

## ROCHER

Symbole de puissance et de fermeté, point d'ancrage pour les hommes, le rocher, dans les Évangiles, est opposé au sable car *Le fou construit sa maison sur le sable et le sage sur le roc*. C'est en frappant un rocher, suivant l'ordre de Dieu, que Moïse fit jaillir l'eau dans le désert (Exode 17, 5-6). Image de la matière solide et de la force, le rocher est comparable à la puissance et à la stabilité de Dieu tout-puissant. Dans l'Ancien Testament, l'Éternel est comparé à un rocher dans les Psaumes de David, tandis que dans le Nouveau Testament, l'apôtre Paul assure que *ce rocher, c'était le Christ* (Corinthiens 10, 4)

## ROI/ROYAUTÉ

Après le temps des Juges, à la fois guides du peuple et stratèges, la nécessité d'un ensemble cohérent, militaire et administratif poussa les tribus israélites à former un État placé sous les ordres d'un roi. Saül, héros de la tribu de Benjamin, fut choisi parce qu'il s'était illustré pendant la bataille contre les Ammonites (1 Samuel 11). Cependant, ce fut le prophète Samuel qui fut à l'origine de la monarchie israélite et qui conféra l'onction royale à Saül (1 Samuel 9). À la mort de Saül, son fils Ishbosheth devint roi, mais la maison de Juda suivait David et David lui succéda *car Dieu chercha un homme selon son cœur et l'institua chef de son peuple* (1 Samuel 13, 14 ; 2 Samuel 2, 10). Après David régna Salomon, puis le royaume d'Israël se divisa entre le royaume de Juda au sud et le royaume d'Israël au nord.

## ROI DES JUIFS

Titre que l'on donna à Jésus afin de l'accuser devant Ponce Pilate. À la question de celui-ci, Jésus répondit : *Ma royauté n'est pas de ce monde. Pilate lui dit alors : Tu es donc roi ? Jésus lui répondit : C'est toi qui dis que je suis roi. Je suis né et je suis venu dans le monde pour rendre témoignage à la vérité* (Jean 18, 36-37). Cependant, alors qu'il entrait dans Jérusalem (jour des Rameaux), *la foule acclama Jésus en l'appelant roi d'Israël* (Jean 12, 13).

## ROIS (LIVRES DES)

Nom de deux livres de l'Ancien Testament qui rapporte les événements survenus sous le règne des rois d'Israël et de Juda, de 960 à 560 av. J.-C. Ces textes, rédigés vers 560 et 538 av. J.-C., débutent par la succession du roi Saül et l'avènement du roi David pour s'achever par l'exil à Babylone. Les livres des Rois racontent les règnes de David et de son fils Salomon, ainsi que la construction du temple de Jérusalem.

## ROI (VALLÉE DU)

Lorsque Abraham revint victorieux de sa bataille contre le roi Kedorlaomer, le roi Melkisédech de Sodome, vint à sa rencontre et le salua dans cette vallée (Genèse 14, 17). Par la suite, le fils de David, Absalon, y fit dresser une stèle pour perpétuer son nom ; on l'appela *la main d'Absalon* (2 Samuel 18, 18).

## ROMAINS (ÉPÎTRE AUX)

Rédigée vers l'an 58, l'épître aux chrétiens de Rome est l'occasion pour l'apôtre Paul de préciser ce qu'est le salut et l'œuvre de rédemption accomplie par Jésus-Christ pour les hommes qu'il libère du péché. L'œuvre s'accomplit grâce à l'intervention de Dieu au travers de Jésus-Christ, qui en raison de sa bonté universelle, veut que chaque homme soit racheté et délivré de ses péchés. Alors l'homme est plein de l'Esprit et vit comme un fils de Dieu.

## ROME

Capitale de l'Empire romain, la ville de Rome fut le lieu du martyr de l'apôtre Pierre puis le siège de l'autorité religieuse catholique et la résidence des papes (Vatican).

## ROSEAU

Symbole de fragilité, d'instabilité et de faiblesse car le vent l'agite sans cesse, le roseau est aussi un symbole de végétation et d'eau, la promesse que le désert fleurira un jour (Ésaïe 35,7).

## ROYAUME DE DIEU

C'est surtout dans le Nouveau Testament qu'existe la notion de Royaume de Dieu parfois appelé *Règne de Dieu*. Dans l'Ancien Testament, seuls les textes prophétiques annoncent qu'*un Messie régnera un jour sur Israël* (Daniel 7,13-27). Dans le Nouveau Testament, le Royaume de Dieu appartient au futur et à un autre monde, dans lequel les élus seront réunis avec Dieu (Marc 14,25).

## RUBEN

Nom du fils aîné de Jacob et de son épouse Léa, ancêtre des Rubénites établis à l'est du Jourdain. Parce qu'il avait entretenu des rapports avec l'une des concubines de Jacob, il se vit retirer son droit d'aînesse (Genèse 35 ; 49).

## RUFUS

*Roux* (latin). Nom du fils de Simon de Cyrène, qui aida Jésus à porter sa croix (Marc 15,21).

## RUTH

Femme moabite devenue le personnage principal du livre de l'Ancien Testament qui porte son nom. Ruth partit avec sa belle-mère Noémi à Bethléem où elle épousa Booz dont elle eut un fils, Obed, père de Jessé et grand-père du roi David.

# S

## SABA

Région d'Arabie peuplée par les Sabéens, connue surtout par sa reine qui vint visiter le roi Salomon (1 Rois 10). Symboliquement, la reine de Saba apparaît comme l'équivalence féminine solaire du roi Salomon (lui-même incarnation du principe masculin solaire). Leur couple est l'apothéose du pouvoir solaire terrestre. La magnificence du cortège de cette souveraine et sa relation avec le roi sont le thème de nombreuses illustrations de l'art religieux.

---

## SABAOTH

*Armées* (hébreu). Associé avec Élohim, ce terme signifie que Dieu possède la toute-puissance. Le mot Sabaoth fait allusion aux innombrables étoiles du ciel et aux anges mais aussi aux forces terrestres permettant aux Hébreux de survivre parmi leurs ennemis.

---

## SABBAT

*Shabbat* (hébreu), jour de repos. Septième jour de la semaine que la Bible désigne comme le jour où le Dieu créateur, une fois son œuvre terminée, se serait lui-même reposé. En commémoration de ce jour, les tables de la Loi (Décalogue) (Deutéronome 5, 15) exigeaient que les Hébreux s'abstiennent de tout travail et consacrent le septième jour de la semaine au culte et à la prière. Cette pratique à la fois physique et spirituelle s'est perpétuée et reste l'une des règles fondamentales du judaïsme. Jésus enfreint cette loi quand il déclare : *Le sabbat a été fait pour l'homme et non l'homme pour le sabbat, de sorte que le Fils de l'homme est maître même du sabbat* (Marc 2, 27). Le christianisme respecte le repos du septième jour mais l'a déplacé au dimanche, jour traditionnellement dédié au soleil et à la lumière. Le sabbat débute le vendredi après le coucher du soleil et se termine le samedi au même moment.

## SABBATIQUE (ANNÉE)

Année pendant laquelle tout sol cultivé devait être laissé en jachère (Lévitique 25, 18). Cette année sabbatique revenait tous les sept ans et avait pour but d'affirmer le droit de propriété de Dieu sur la terre. Certains attribuent cette coutume à la nécessité de répartir les terres tandis que d'autres y voient la mise en place d'un système pré-écologique permettant à la terre de se régénérer. Au bout de sept ans sabbatiques, l'année prend le nom de *jubilé*.

## SACRIFICE

Offrande faite rituellement à une divinité, un esprit afin de s'attirer ses faveurs, son pardon, ou simplement de s'approprier les qualités qu'on lui attribue. Chez les Hébreux, les sacrifices humains étaient interdits (Lévitique 18, 21), mais la Bible évoque des sacrifices, tels ceux d'Abraham ou du roi de Moab (mort du premier-né). Dans la loi de Moïse se distinguent les sacrifices d'expiation, d'oblation, d'action de grâces. Pour le christianisme, le sacrifice exemplaire et définitif est celui du Christ devenu lui-même *l'Agneau immolé*. Ce sacrifice est commémoré par l'Eucharistie qui renouvelle par le pain et le vin le mystère de la passion du Christ.

## SADDUCÉENS

Communauté judaïque qui se donnait comme ancêtre Sadoq, grand prêtre sous les rois David et Salomon. Les sadducéens formaient une aristocratie parmi les prêtres du Temple et représentaient la majorité des membres du Grand Conseil (Actes des Apôtres 5, 13). Adversaires des pha-

risiens, les saduccéens respectaient rigoureusement la loi du Pentateuque et n'admettaient aucune autre règle, niaient la résurrection (Matthieu 22,23) et étaient les véritables ennemis du Christ (Matthieu 3,7 ; 16, 1-11).

## SADOQ

Premier prêtre de Jérusalem sous le règne du roi David, Sadoq prit le
parti de Salomon au moment de la succession difficile de David (2 Samuel 15, 24-29). Ses descendants poursuivirent cette fonction jusqu'au
règne des Macchabées.

## SAGESSE

Dans l'Ancien Testament, la sagesse est un attribut naturel de Dieu et
une qualité que l'homme peut acquérir par son obéissance à la volonté divine, par l'étude et la pratique de la Loi (Jérémie 2, 8). Dans le
Nouveau Testament, la sagesse humaine n'est honorée qu'en tant
que voie conduisant l'être vers la foi et la conversion (Marc 6, 2), autrement, elle n'est que l'œuvre du diable.

## SAINT

Du latin *sanctus*, pur, vertueux. Attribué à une personne, un lieu ou un
objet, le mot *saint* les consacre aux yeux des profanes et des
membres d'une communauté religieuse. Toutes les religions, anciennes et plus récentes, possèdent des Lieux saints vers lesquels se
dirigent des pèlerinages. Le centre des temples, le *naos* dans lequel
ne peut entrer que le grand prêtre, est généralement le lieu le plus
sacré appelé *saint des saints*. C'est dans le Saint des saints que les Hébreux enfermaient le tabernacle, où était placée l'arche d'alliance.
Le christianisme considère comme saints les martyrs et les êtres qui
ont eu une vie exemplaire tant par l'amour qu'ils ont donné que par la
fidélité qu'ils ont montrée dans leur foi. Pour l'apôtre Jean (Jean 6, 69),
*Jésus-Christ est le Saint de Dieu*. Les saints sont généralement fêtés le
jour anniversaire de leur mort ; la fête de tous les saints, la Toussaint, est
célébrée le 1er novembre. On appelle *semaine sainte* la semaine qui précède Pâques et débute par le dimanche des Rameaux.

## SAINT-ESPRIT

Avec le Père et le Fils, le Saint-Esprit est la troisième personne de la Trinité. Selon l'Église catholique (*Credo*) le Saint-Esprit procède du Père et du Fils (*filioque*), alors que pour l'Église orthodoxe, c'est du Père par le Fils qu'il procède. Cette distinction est la principale raison du schisme qui sépara les deux Églises. C'est par le Saint-Esprit que la Vierge Marie conçut Jésus de même que c'est le Saint-Esprit qui présida au baptême du Christ en descendant sur lui comme une colombe. Le Saint-Esprit est aussi appelé Paraclet, c'est-à-dire le Consolateur, le guide et l'inspirateur des disciples : avant leur mission, au moment de la Pentecôte, il descendit sur eux sous la forme de langues de feu. *Allez, enseignez toutes les nations et baptisez-les au nom du Père, du Fils et du Saint-Esprit.* Les dons spirituels que reçurent les apôtres étaient les sept dons du Saint-Esprit, à savoir la sagesse, l'intelligence, la science, le conseil, la force, la piété et la crainte de Dieu.

## SAINT DES SAINTS

Nom de la salle du temple de Jérusalem dans laquelle était conservée l'arche d'alliance et dans laquelle le grand prêtre avait seul le droit d'entrer le jour du Grand Pardon, une fois l'an (Lévitique 16). Après le retour de l'exil à Babylone, le Saint des saints ne contenait plus l'arche d'alliance.

## SALA

Nom d'un ancêtre de Jésus-Christ cité dans sa généalogie comme fils de Naassôn et père de Booz (Luc 3, 32).

## SALAIRE

Salaire, dans le Nouveau Testament, signifie punition ou récompense dispensée par Dieu selon la qualité des actions des hommes et leur fidélité à la Loi et à la foi. *Le salaire du péché, c'est la mort*, dit l'apôtre Paul (Romains 6, 23).

## SALEM

Nom de l'ancienne ville de Jérusalem avant que ne s'y établissent les Hébreux. Melkisédeq était roi de Salem (Genèse 14, 18).

## SALIM

Endroit situé à l'ouest du Jourdain (Samarie du Nord) où Jean-Baptiste baptisait (Jean 3, 23).

## SALOMÉ

Fille d'Hérodiade qui obtint, après avoir dansé devant Hérode Antipas, que l'on décapite le prophète Jean-Baptiste. Salomé est considérée comme la femme fatale, intelligente, mais d'une terrible exigence (Marc 6, 21 ; Matthieu 14, 6). Les chapiteaux de l'art chrétien la représentent dansant entourée de voiles, non loin du plateau où repose la tête de Jean-Baptiste.

## SALOMON

Roi du grand royaume d'Israël (965-926 av. J.-C.), fils et successeur de David, bâtisseur du grand temple de Jérusalem. Salomon était réputé pour sa profonde sagesse, c'est pourquoi on lui attribue le livre des Proverbes (*Qohéleth*). C'est dans le Cantique des Cantiques que le grand roi laisse éclater son amour de la beauté, de la vie, de ses épouses et concubines (au nombre de sept cents pour les premières et de trois cents pour les secondes). Salomon agrandit le royaume d'Israël de l'Euphrate jusqu'à la Méditerranée et aux frontières de l'Égypte et le dota d'une organisation administrative, d'une armée avec des chars de combat et de garnisons défensives. Salomon qui était *le plus sage des hommes* (I Rois 5, 11) rétablit pourtant en Israël le culte des divinités étrangères et notamment celui d'Astarté, déesse de l'amour et de fertilité, et de Molek. Pour cette raison, Dieu décida qu'à sa mort, le royaume d'Israël serait démantelé. Salomon est cité dans la généalogie de Jésus (Matthieu 1, 6-7).

## SALUT

Pour les Évangiles, le Salut est la délivrance apportée par le sacrifice du Christ. Le Salut représente aussi l'affranchissement de tout ce qui asservit spirituellement, telle la soumission au péché.

## SALUTATION (FORMULES DE)

L'Ancien Testament mentionne de nombreuses formules de salutations telles que : *Dieu te fasse grâc*e (Genèse 43, 29), *Que la paix soit avec toi* (Juges 19, 20), *Le Seigneur est avec toi* (Juges 6, 12), ou encore *La paix soit avec toi* (1 Samuel 25, 6). Jésus exige que ses disciples disent : *Paix à cette maison* lorsqu'ils entrent chez quelqu'un. *Et s'il s'y trouve un homme de paix, votre paix ira reposer sur lui ; sinon, elle reviendra sur vous* (Luc 10, 5-6).

## SAMARIE, SAMARITAIN

La Samarie fut la capitale du royaume d'Israël fondée par le roi Omri vers 880 av. J.-C. Après sa ruine par le roi Sargon et les Assyriens (722 av. J.-C.) qui l'envahirent, elle devint une colonie macédonienne.
Au temps de Jésus, la Samarie n'était plus qu'une simple circonscription romaine. Issus du métissage des Israélites et des colons assyriens, les habitants de Samarie (Samaritains) furent jugés impurs et écartés des pratiques cultuelles juives. Jésus s'opposa à cet antagonisme ainsi que le montrent les paraboles du Bon Samaritain (il aide et sauve la vie d'un homme blessé sur la route) et de la Samaritaine (elle abreuve le Messie de l'eau qu'elle puise).

## SAMSON

Héros biblique qui vécut au temps des Juges, Samson était un membre du clan des Danites. D'une puissance extraordinaire, il réalisa des prouesses qui furent célèbres parmi le peuple israélite. C'est ainsi qu'il tua un lion de ses mains et mit en fuite ses ennemis en les frappant d'une mâchoire d'âne, puis qu'il mangea le miel contenu dans la carcasse du lion qu'il avait terrassé. Samson épousa la Philistine Dalila, qui profita du sommeil du héros pour couper ses longs cheveux, siège de sa force. L'ultime scène représente Samson (dont on a crevé les yeux), ses cheveux ayant repoussé, faisant s'écrouler le temple du dieu Dagôn en écartant de ses bras les gigantesques colonnes. Samson est un héros solaire proche de l'Héraclès grec, une figure héroïque souvent présente dans l'art populaire chrétien.

## SAMUEL

Prophète, dernier juge des Israélites, instigateur de la royauté sur l'ordre de Dieu, Samuel vécut aux environ de l'an 1000 av. J.-C. Sa vie et son activité sont rapportées dans les deux livres de Samuel, qui relatent aussi l'histoire des deux premiers rois d'Israël Saül et David. Le premier livre de Samuel raconte comment Dieu appela le jeune homme puis comment Il le désigna comme prophète et juge des Israélites. Alors qu'il avait atteint un âge avancé, Samuel ne put résoudre le problème de sa succession et Dieu lui donna l'ordre d'oindre comme roi Saül, qui fut le premier roi d'Israël. Lorsque Dieu rejeta Saül en raison de ses fautes, Samuel oignit David comme roi, puis il mourut alors que David fuyait la colère de Saül. On enterra Samuel à Rama.

## SANG

Pour l'Ancien Testament, dans le sang réside la vie, au point que le mot sang désigne la vie elle-même. C'est la raison pour laquelle *le sang crie vers le Ciel* (après le meurtre d'Abel) et réclame d'être vengé (Genèse 4, 10). C'est aussi la raison des interdits relatifs à la consommation de sang (Deutéronome 12, 16).

Dans le Nouveau Testament, Jésus-Christ donne son sang, c'est-à-dire sa vie, pour sauver l'humanité de son péché. Ce sang est présent dans le repas de la Cène que commémore l'Eucharistie.

## SANG (CHAMP DU)

*Hakeldama*. Nom du terrain situé au sud-est de Jérusalem, acheté avec l'argent donné à Judas Iscarioth, lorsqu'il trahit Jésus. Ce champ, qui était la propriété d'un potier, devint par la suite l'endroit où l'on ensevelissait les étrangers.

## SANTAL

Bois précieux provenant du Liban, utilisé par le roi Salomon pour les menuiseries du palais royal et du temple de Jérusalem. Ce bois rare servit aussi à la fabrication des harpes et des cithares pour les chanteurs (I Rois 10, 11-12).

## SARAH/SARA

*Princesse* (hébreu). Nom de l'épouse d'Abraham qui, déjà âgée et stérile, mit au monde Isaac. Elle fut ensevelie dans la grotte de Makpéla, acquise par Abraham près d'Hébron. Le prophète Ésaïe (chapitre 51, 2) déclare que Sarah *mit les Israélites au monde* tandis que l'apôtre Paul dans son épître aux Hébreux (chapitre 11, 11) écrit qu'*elle est un modèle de la foi*. Sarah est aussi le nom de la fille unique de Ragouël qui se maria sept fois et eut sept fois ses époux étranglés par le démon Asmodée qui les tuait l'un après l'autre pendant la nuit de noces (Tobit 3, 7-8). Finalement, elle adressa une prière à Dieu et promit de lui consacrer sa vie. Dieu lui envoya alors l'ange Raphaël pour chasser Asmodée. Ensuite, Sarah épousa le prophète Tobit.

## SAREPTA

Ville de Phénicie située au nord de Tyr où, sur l'ordre de Dieu, Élie se réfugia tandis que la reine Jézabel le pourchassait. Élie logea chez une pauvre veuve dont le fils mourut soudain de maladie. Invoquant le Seigneur, Élie provoqua sa résurrection et le prophète le présenta à sa mère en déclarant : *Ton fils est vivant !* (I Rois 17).

## SARGON II D'ASSYRIE

Roi d'Assyrie (722-704 av. J.-C.), qui conquit le royaume d'Israël et fit déporter la majeure partie de ses habitants pour les remplacer par des Assyriens (2 Rois 17). Sargon II construisit Dour-Sharroukîm qui devint la nouvelle capitale de l'Assyrie (actuelle Khorsabad en Irak).

## SATAN

Nom issu de l'hébreu ennemi ou adversaire, jadis donné à un guerrier assaillant ou à un adversaire intentant un procès. Dans la Genèse, Satan est le chef des anges qui se rebellent contre Dieu. Principe du mal, il est appelé *Prince de ce monde, Prince des ténèbres, Belzébuth*, ou plus simplement le démon et le diable. Satan est l'une des nombreuses personnalisations du mal, de la force d'attraction de la matière. Pour les chrétiens, Satan est opposé à toute libération de l'esprit, il est l'ennemi de toute démarche visant à harmoniser les relations entre les hommes et Dieu, entre les hommes et l'univers. Tentateur des hommes, les pièges que tend Satan aux humains sont toujours d'un domaine où l'esprit n'a aucune part : richesse, éternelle jeunesse, sexualité, pouvoir de vie et de mort. Malgré cela, Satan possède des ailes comme les anges et un pouvoir égal à celui des divinités. Satan illustre l'ego humain, dissimulé sous le masque des dragons, des monstres ou des serpents, mais parfois aussi sous les apparences de personnages aimables et trompeurs.

Dans le Nouveau Testament, Satan devient le diable (du grec *diabolos*) capable de tenter le Christ lui-même (Matthieu 4).

## SAÜL

Fils de Qish le Benjaminite, premier roi d'Israël (vers 1000 av. J.-C.), oint par le juge Samuel, dont le règne assura la stabilité territoriale et politique du pays. Le roi Saül combattit victorieusement les Ammonites près de Yavesh, les Philistins et les Amalécites qu'il anéantit près de Carmel, secondé par son fils Jonathan et Avner, chef de ses armées. Malgré l'ordre de Dieu, Saül refusa de supprimer tous les Amalécites *hommes et femmes, enfants et nourrissons, bœufs et moutons, chameaux et ânes* (I Samuel 15, 3) c'est pourquoi David, après sa victoire sur Goliath, le supplanta dans les faveurs de l'Éternel. Saül poursuivit alors David pour le faire mourir en l'accusant de conspirer contre lui. Réfugié chez les Philistins, David les poussa au combat contre Saül qui mourut pendant la bataille de Guilboa (1 Samuel 31).

## SAUL

Nom hébreu de l'apôtre Paul avant sa conversion sur le chemin de Damas.

## SAULE

Arbre cité dans la Bible car on utilisait ses branches au moment de la fête des Tentes (Lévitique 23, 40).

## SAUTERELLE

Dans la Bible, les sauterelles font partie des monstres ; elles sont une des plaies qui ravagèrent l'Égypte au temps de Moïse (Exode 10). Les sauterelles sont aussi mentionnées dans l'Apocalypse (chapitre 9, 3-12) où le cinquième ange leur ouvre les portes de l'Abîme. Le texte compare les sauterelles à des scorpions et des chevaux cuirassés de métal, description dont s'est emparée l'imagerie chrétienne médiévale. Pour l'Ancien Testament, les sauterelles étaient des animaux purs (Lévitique 11, 22) et, à ce titre, elles pouvaient être consommées. Jean-Baptiste mangeait ces insectes avec du miel, afin d'atténuer leur goût amer (Matthieu 3, 4).

## SAUVEUR

*Rédempteur*. Dans l'Ancien Testament, Dieu est dit Sauveur, tandis que dans le Nouveau Testament, le terme *Rédempteur* est donné à Jésus-Christ, *Sauveur du monde* (1 Jean 4, 14).

## SCEAU

Symbole de la puissance royale, le sceau est mentionné dans l'Apocalypse où les sept anges ouvrent successivement les sept sceaux fermant le Livre scellé tenu de la main droite par *Celui qui siège sur le trône…* (chapitre 5, 1). Dans l'Ancien Testament, le sceau est une marque permettant à Dieu de reconnaître les élus (Ézéchiel) et ceux qui se placent volontairement sous sa Loi. C'est à cette marque d'obéissance que l'ange exterminateur reconnaît ceux qui servent l'Éternel.

## SCRIBE

Après l'exil à Babylone, le mot scribe désignait les docteurs de la Loi qui commentaient la loi de Moïse et dispensaient un enseignement oral dans le Temple. Esdras fut peut-être le premier d'entre eux. Les scribes faisaient partie du Grand Conseil mais Jésus et ses disciples les associaient aux Pharisiens (Matthieu 5, 20). Ennemis de la nouvelle révélation, les scribes participèrent au procès et à la condamnation du Christ (Marc 14, 43).

## SECUNDUS

Chrétien de Thessalonique qui accompagna Paul au moment de sa troisième mission, à Éphèse (Macédoine) selon les Actes des Apôtres (chapitre 20, 4).

## SÉDÉCIAS DE JUDA

Fils d'Hamoutal, d'abord nommé Mattanya, Sédécias fut le dernier roi du royaume du Sud (Juda) de 597 à 587 av. J.-C. Il fut installé sur le trône à la place de son neveu Yoyaqîn par le roi Nabuchodonosor qui lui donna son nouveau nom (2 Rois 24, 17). Sédécias se révolta contre Nabuchodonosor qui conquit Jérusalem et déporta ses habitants à Babylone. Sédécias fut emprisonné, on lui creva les yeux et ses fils furent assassinés (2 Rois 25).

## SEIGNEUR

*Adôn* (hébreu). Possesseur. Dans l'Ancien Testament, le Dieu créateur est possesseur du monde, de son peuple Israël à qui il affirme : *Tu es à moi* (Ésaïe 43, 1). Parce que le nom de Dieu ne peut être prononcé, le tétragramme YHWH est remplacé par *Adônaï*, c'est-à-dire *Mon Seigneur*.

## SÉIR

Montagne du sud de la Palestine dont sont natifs les Édomites nommés Séirites (Genèse 14-32). Les premiers habitants de Séir, les Horites, furent chassés et exterminés par Ésaü et ses descendants.

## SÈLA

*Rocher* (hébreu). Ville édomite conquise par le roi Amasias de Juda qui la rebaptisa Yoqtéel (2 Rois 14, 7). Par la suite, les Nabatéens édifièrent leur capitale Pétra sur son emplacement.

## SÉLEUCIDES

Dynastie de souverains hellénistiques qui régna sur l'Asie Mineure de 305 à 64 av. J.-C.. Le premier souverain fut Séleucus I$^{er}$ Nicator (305-281 av. J.-C.) et le dernier Antiochus XIII Philadelphe. À partir de 64 av. J.-C., le royaume séleucide devint une province romaine.

## SÉLEUCUS IV PHILOPATOR

Roi Séleucide de 187 à 175 av. J.-C., successeur de son père Antiochus III ; son chancelier Héliodore pilla le Temple de Jérusalem et l'assassina alors qu'Onias III était grand prêtre.

## SEM

Aîné des fils de Noé qui serait l'ancêtre des Hébreux, Assyriens, Araméens et Arabes selon la Genèse (chapitre 9, 23-27). Sem est cité dans la généalogie de Jésus (Luc 3, 36). De Sem vient *sémite*.

## SENNAKÉRIB

Roi d'Assyrie (704-681 av. J.-C.) qui conquit la majeure partie du royaume de Juda et exigea du roi Ézékias un important tribut. Malgré le siège qu'il infligea à Jérusalem, il ne parvint pas à s'en emparer (2 Rois 18-19). Après avoir détruit une partie de Babylone (689 av. J.-C.) Sennakérib fit de Ninive la capitale de l'Assyrie. Il fut assassiné en 681 av. J.-C. par son fils Asarhaddon qui le remplaça sur le trône.

## SEPTANTE

La Septante est le nom donné à un ensemble (corpus) des traductions grecques de la loi de Moïse. La Septante fut commandée à soixante-douze traducteurs par le roi Ptolémée Philadelphe (283-246 av. J.-C.). Par extension, on a appelé Septante l'ensemble de la Bible traduite plus tard à Alexandrie.

## SÉPULCRE

Terme désignant, dans le Nouveau Testament, le lieu où demeura trois jours le corps du Christ après la crucifixion (Matthieu 27, 59-60). Hélène, mère de l'empereur romain Constantin le Grand, visita la Terre sainte en 326, et fit élever une basilique, l'actuelle église du Saint-Sépulcre, à l'emplacement présumé du sépulcre. Ce lieu est depuis l'objet de multiples pèlerinages. Le sépulcre symbolise le monde de l'au-delà de la vie, le principe d'anéantissement que le Christ est précisément venu vaincre. Il est le passage obligé de l'initiation spirituelle.

## SÉRAPHIN

Les *brûlants* : catégorie d'anges possédant six ailes, plus particulièrement chargés des purifications, ou exterminations, par le feu (Ésaïe 6, 2). Plus largement, les séraphins illustrent l'ardeur et le feu animant les serviteurs zélés, les porteurs de lumière puis, en définitive, une partie de la lumière elle-même.

## SÉRAYA

Grand prêtre de Jérusalem, fils d'Azarya, qui officiait sous le règne de Sédécias, dernier roi de Juda. Jérusalem ayant été vaincue par les Chaldéens, Séraya fut déporté et tué à Rivia chez le général du roi Nabuchodonosor (2 Rois 25, 18-21). Dans le livre d'Esdras (chapitre 7), Esdras est cité comme étant le fils de Séraya, tandis que le premier livre des Chroniques le dit père de Yosadaq et grand-père de Josué (chapitre 5, 40). Séraya est aussi le nom du fils de Nériya, officier du roi Sédécias, à qui Jérémie confia le livre contenant les malheurs qui adviendraient à Babel, en lui ordonnant de le lire aux Babyloniens (Jérémie 51, 59-64).

## SERAYAHOU

Fils d'Azriël que le roi Yoyaqun de Juda désigna pour arrêter le prophète Jérémie et son secrétaire Baruch, mais *le Seigneur les tint cachés.*

## SERGIUS PAULUS

Proconsul romain de Chypre vers l'an 48 que l'apôtre Paul convertit au christianisme malgré les manigances du faux prophète et magicien Élymas (Actes des Apôtres 13, 6-12).

## SERMENT

Utilisé pour affirmer une parole et garantir une promesse, le serment prenait Dieu à témoin (Genèse 31, 50-53), ce qui engageait parfois la vie de celui qui le prêtait car la Loi interdisait le parjure (Exode 20, 7). Dans le livre de la Genèse (chapitre 22, 16), Dieu fait lui-même un serment pour confirmer ses promesses et ses menaces.

Dans le Nouveau Testament, Jésus-Christ n'admet rien au-delà de la parole : *Et moi je vous dis de ne pas jurer du tout : ni par le ciel, car c'est le trône de Dieu, ni par la terre… Quand vous parlez, dites oui ou non. Tout le reste vient du Malin* (Matthieu 5, 33-37).

## SERMON SUR LA MONTAGNE

Appelé aussi *Les Béatitudes* (Matthieu 5 ; Luc 6), le sermon sur la Montagne est constitué d'une série de sentences dans lesquelles Jésus-Christ assure notamment que le Royaume céleste appartient à ceux qui placent l'œuvre de Dieu (l'Esprit) au premier plan de leur existence. La fin de ce sermon comporte l'exhortation à construire sur le roc (connaissance) et non sur le sable ou les choses de ce monde, toutes destinées à la destruction.

## SÉRON

Chef des armées du roi séleucide Antiochus IV qui fut vaincu en Syrie par Judas Macchabée en 166 av. J.-C. (1 Macchabées 3, 13-23).

## SÉROUG

Fils de Réou, père de Nahor, et arrière-grand-père du patriarche Abraham (Genèse 11, 20-23). Il est cité dans la généalogie de Jésus (Luc 3, 35).

## SERPENT

Animal chtonien, fils de la Terre, rampant dans la poussière selon l'ordre de Dieu (Genèse 3, 14), tributaire des quatre éléments, possesseur de la connaissance et du pouvoir de vie et de mort ; ses différents aspects, basilics, dragons, lézards ou vouivres (eau), correspondent aux différents états de conscience des hommes. Le serpent représente l'univers sensible et manifesté, le monde de l'illusion et de la matière. L'homme doit fuir le péché comme il fuit les morsures des serpents car *C'est la plus astucieuse de toutes les bêtes des champs* (Genèse 3) ; Jésus recommande sa ruse proverbiale à ses disciples : *Soyez donc rusés comme les serpents* (Matthieu 10, 16) ; il traite aussi pharisiens et sadducéens d'engeance de vipères (Matthieu 3, 7).

Le serpent est visible dans de nombreuses scènes de l'imagerie chrétienne telles le jardin d'Éden (serpent tentateur), le serpent d'airain (serpent guérisseur), ou encore on le voit entraînant les hommes dans la lubricité et le plaisir des sens.

## SERPENT D'AIRAIN

Dans le livre des Nombres (chapitre 21), il est rapporté que Dieu envoya des serpents venimeux aux Hébreux car ils critiquaient leur départ d'Égypte. Moïse pria Dieu de guérir ceux qui étaient morts de leurs morsures, et le Seigneur lui commanda de confectionner un serpent en métal brûlant et de le fixer à une hampe de sorte que *Quiconque aura été mordu et le regardera aura la vie sauve*. Le serpent d'airain réalisé par Moïse rappelle le bâton d'Hermès (dieu grec de la connaissance) et de celui d'Asclépios (dieu grec de la médecine).

L'évangéliste Jean (chapitre 3, 14) compare le serpent d'airain et le Christ en croix car, affirme-t-il, comme le serpent, *il faut que le Fils de l'homme soit élevé afin que quiconque croit en lui ait la vie éternelle.*

## SETH

*Bouture* (hébreu). Nom du troisième fils d'Adam et Ève, ancêtre de Noé, né après le meurtre d'Abel (Genèse 4, 25). Adam avait 130 ans lorsque naquit Seth qui lui ressemblait *comme son image* (Genèse 5, 3).

## SHADDAÏ

Nom attribué à Dieu au temps des patriarches et dans le livre de Job. Le sens de *Shaddaï* est imprécis, bien qu'il soit souvent rattaché au mot hébreu *Shâddad* qui signifie être violent, dévaster, ce qui a l'origine qualifiait tous les dieux. Les traductions grecques du mot *Shaddaï* donnent *Dieu puissant* ou *Dieu tout-puissant*.

## SHADRAK

Nom que le prévôt de Nabuchodonosor donna à Hananya, compagnon de Daniel, lorsqu'il était à son service à Babylone (Daniel 1, 7).

## SHAFÂN

Nom du secrétaire du roi Josias de Juda (2 Rois 22, 3). Alors que l'on restaurait le temple de Jérusalem, le grand prêtre Hilqiyahou découvrit le livre de la Loi (Deutéronome) qu'il demanda à Shafân de lire au roi Josias (2 Rois 22, 4-8).

## SHALLOUM

Nom de l'oncle du prophète Jérémie (Jérémie 32, 7) et du père de Maaséyahou, gardien du temple de Jérusalem au temps de Jérémie.

## SHALLOUM D'ISRAËL

Devenu roi du royaume du Nord en 747 av. J.-C. après avoir assassiné Zacharie, il fut lui-même tué par son rival Menahem après un mois de règne. Menahem le remplaça aussitôt (2 Rois 15, 13-16).

## SHALLOUM DE JUDA

Successeur de son père le roi Josias (en 609 av. J.-C.), Shalloum de Juda fut destitué par le roi égyptien Néko. Le second livre des Rois (chapitre 23, 31-34) cite Shalloum de Juda sous le nom de Yoakhaz.

## SHALTIEL

Fils du roi Yekonya de Juda, oncle de Zorobabel, qui fut prisonnier à Babylone (I Chroniques 3, 17). Shaltiel est cité dans la généalogie de Jésus (Luc 3, 27).

## SHAMIR

Nom d'une cité située dans le territoire de Juda (Josué 15, 48), et d'une autre située dans le territoire de la tribu d'Éphraïm, où naquit le juge Tola (Juges 10, 1).

## SHAMMA

Nom du petit-fils d'Ésaü, chef de la tribu des Édomites (Genèse 36, 13-17) et de trois guerriers de David appelés Shamma le Hararite, dont l'un, fils d'Agué, combattit victorieusement les Philistins près de Léhi (2 Samuel 23, 11-12). Shamma était aussi le nom de Jessé de Bethléem, frère de David (I Samuel 16, 9).

## SHAMMOUA

Nom d'un espion de la tribu de Ruben envoyé dans le pays avant la conquête (Nombres 13, 4) ainsi que d'un fils de David et Bethsabée.

## SHAOUL

Nom du roi d'Édom, natif de Rehovoth sur l'Euphrate (Genèse 36, 37-38) et de Siméon, fils de Jacob et de la Cananéenne (Genèse 46, 10). Shaoul était l'ancêtre des Shaoulites (Nombres 26, 13).

## SHÉAR-YASHOUV

*Un reste reviendra* (hébreu). Nom prophétique d'un fils du prophète Ésaïe qui l'emmena avec lui auprès du roi Akhaz de Juda à qui il annonça qu'une partie d'Israël se convertirait à Dieu et n'encourrait pas de châtiment (Ésaïe 7, 3), ce que signifiait précisément le nom de son fils Shéar-Yashouv.

## SHEFATYA

Fils de Mattân qui participa à l'emprisonnement du prophète Jérémie dans une citerne (Jérémie 38, 1-6).

## SHÈLAH

Fils d'Arpakshad et père d'Éber, ancêtre des Hébreux (Genèse 10, 24), cité dans la généalogie de Jésus (Luc 3, 35).

## SHEMA ISRAËL

*Écoute, Israël* (hébreu). Premiers mots de l'une des plus grandes prières juives, qui commence par les premiers mots du Deutéronome (chapitre 6, 4), récitée à l'office du matin et du soir.

## SHEMAYA

*Le Seigneur a entendu* (hébreu). Nom d'un prophète qui vécut sous le règne du roi Roboam de Juda dont il rédigea l'histoire (2 Chroniques 12, 15). Shemaya conseilla au roi de ne pas tenter une bataille contre Israël puis, alors que le roi égyptien Shishaq allait envahir le royaume, Shemaya avertit Roboam que Dieu le laisserait aux mains des Égyptiens parce qu'il avait trahi sa foi (2 Chroniques 12, 5). Shemaya était aussi le nom d'un faux prophète adversaire de Jérémie (Jérémie 29, 24-32).

## SHÉOL

Nom donné par l'Ancien Testament au monde de la mort, souvent traduit par le *Hadès* grec puis par le mot *Enfer*.

## SHESHBAÇAR

*Grand de Juda* (hébreu). Il dirigea entre 538 et 537 av. J.-C. les premiers Juifs revenus d'exil de Babylone, et rapporta des objets sacrés volés au moment de la conquête de Jérusalem par Nabuchodonosor en 537 av. J.-C.. Sheshbaçar fut désigné comme gouverneur par le roi de perse Cyrus (Esdras 5, 14) ; il fit poser les fondations du nouveau temple.

## SHEVAT

Nom du onzième mois du calendrier juif (janvier/février).

## SHEVNA

Maître du palais du roi Ézékias de Juda qui se fit creuser un tombeau dans le roc. Le prophète Ésaïe lui annonça qu'il serait destitué et remplacé par Elyaqim, ce qui arriva plus tard (Esdras 22).

## SHEVOUËL

Nom d'un lévite, fils de Guershôm, et petit-fils de Moïse, qui fut responsable du trésor du Temple (1 Chroniques 26, 24).

## SHIBBOLETH

*Épi* (hébreu). Utilisé comme mot de passe par le juge Jephté au moment de la guerre contre les éphraïmites. Les fuyards d'éphraïm étaient repérés à leur façon de le prononcer *sibboleth* (Juges 12, 5-6).

## SHIMËI

*Le Seigneur entend* (hébreu). Nom du fils de Guéran, de la maison du roi Saül, qui jeta des pierres contre David et le maudit lors de sa fuite de Jérusalem. David lui pardonna mais, peu avant de mourir, demanda à Salomon *de faire descendre dans le sang ses cheveux blancs*. Trois ans plus tard, Salomon profita d'une sortie de Shiméi hors de Jérusalem pour le faire assassiner (1 Rois 2, 8-9 ; 36-46). Un deuxième personnage, partisan de Salomon au moment de la conspiration d'Adonias, se nommait aussi Shimëi (1 Rois 1, 8), tandis qu'un troisième est cité dans l'arbre généalogique de Jésus, comme étant le fils de Joseph et le père de Mattathias (Marc 3, 26).

## SHINÉAR

Nom donné dans l'Ancien Testament à la Babylonie, peut-être dérivé de Sumer (Genèse 10, 10).

## SHISHAQ

*Sheshonq* (égyptien). Roi d'Égypte (vers 945-924 av. J.-C.) fondateur de la XXIIᵉ dynastie. Sheshonq reçut Jéroboam alors que Salomon voulait le faire tuer (1 Rois 11, 40) puis, la cinquième année du règne de Roboam, Sheshonq défit et pilla Jérusalem (1 Rois 14, 25-26). Le nom des cent cinquante villes situées dans le royaume de Juda ou dans celui d'Israël conquises par Sheshonq est gravé sur le mur sud du temple d'Amon à Karnak (Thèbes).

## SHITTIM

*Acacias* (hébreu). Nom du dernier campement des Hébreux dans le désert, avant le passage du Jourdain et Guilgal, premier campement en Terre promise. (Josué 2). À Shittim, les voyageurs qui se livrèrent à la débauche et au culte des idoles avec les filles de Moab furent punis par Dieu (Nombres 25).

## SHOUNEM

Localité où les Philistins campèrent avant de battre Saül à la bataille du mont Guilboa (1 Samuel 28, 4). À Shounem, le prophète Élisée était régulièrement accueilli par une Shounémite et son époux. Par des prières et des pratiques rituelles, il ressuscita leur fils qui venait de mourir (2 Rois 4, 8-37).

## SICHEM

*Nuque* (hébreu). Ville située sur un col (nuque) séparant les monts Ébal et Garizim (Juges 9, 7) et première capitale du royaume du Nord (Israël) après la mort de Salomon. À Sichem, Dieu apparut à Abraham qui érigea un autel (Genèse 12, 6-7), puis Jacob en éleva un autre mais parce que des hommes de Sichem avaient violé Dina, fille de Jacob, Siméon et Lévi massacrèrent les habitants et pillèrent la ville (Genèse 34). Après sa mort, on transporta les restes de Joseph d'Égypte à Sichem (Josué 24, 32). Devenu ville sacrée des Samaritains, Sichem fut détruite en 108 av. J.-C. par le grand-prêtre Jean Hyrcan Iᵉʳ.

## SIDON

Port et grande ville de Phénicie sur la Méditerranée, plusieurs fois conquise par les Assyriens, patrie de la reine Jézabel, épouse du roi Akhab d'Israël (1 Rois 16, 31), jalousée pour ses richesses et maudite par les prophètes parce qu'elle adorait des divinités.

## SILAS (SILVANUS)

Nommé Silvanus dans les épîtres, Silas était le compagnon de l'apôtre Paul (Actes des Apôtres 15) qu'il assista lorsqu'il était prisonnier à Corinthe. Secrétaire de Pierre, pour qui il rédigea (semble-t-il) la première épître (1 Pierre 5, 12), Silas est donné comme prophète par les Actes des Apôtres (chapitre 15, 32) et, notamment expéditeur de plusieurs épîtres aux Thessaloniciens.

## SILO

Cité située dans la montagne d'Éphraïm, sur la route allant de Béthel à Sichem (Juges 21, 19) où les Hébreux créèrent un centre religieux et installèrent l'arche d'alliance (Josué 18, 1). C'est à Silo que Samuel, adolescent au service de l'autel et du grand prêtre Éli (1 Samuel 2), écouta la voix de Dieu lui annoncer qu'il détruirait la maison d'Éli à cause des péchés d'Hofni et Pinhas, les propres fils du grand prêtre.
Les Philistins détruisirent le sanctuaire de Silo et volèrent l'arche d'alliance (1 Samuel 4).

## SILOÉ

Canal amenant l'eau potable de la source de Gihon à Jérusalem.

## SIMÉON

Second fils de Léa et Jacob qui, avec son frère Lévi, massacra les hommes de Sichem à cause du viol de leur sœur Dina (Genèse 29 ; 34). La tribu issue de Siméon, dont la ville principale était Béer-Shéva, était établie au sud de la Palestine, mais elle fut par la suite intégrée dans la tribu de Juda. Siméon fut aussi le nom de plusieurs personnages, dont Siméon II grand prêtre de 218 à 192 av. J.-C. et successeur de son père

Onias, de Mattathias, aïeul des Macchabées, de Siméon Thassi (le Zélé), autre membre des Macchabées, qui mena les Juifs au combat après la mort de son frère en 143 av. J.-C., et obtint pour eux l'indépendance auprès des Séleucides (1 Macchabées 13). En 140 av. J.-C., Siméon Thassi fut consacré grand prêtre, général et stratège à vie, ce qui fut le début du règne de la dynastie des Macchabées. Simon Thassi fut assassiné par son beau-frère Ptolémée en 134 av. J.-C. (1 Macchabées 16, 11).

Dans le Nouveau Testament, un vieillard nommé Siméon apprit par l'Esprit saint qu'il verrait la naissance du Messie avant sa mort. Voyant l'Enfant Jésus, Simon entama un chant de louanges dans le temple de Jérusalem. Sa phrase : *Maintenant, Maître, c'est en paix, comme tu l'as dit, que tu renvoies ton serviteur* fait désormais partie de la liturgie chrétienne. Un autre Siméon est cité dans la généalogie de Jésus (Luc 3, 30).

## SIMON

Premier nom de l'apôtre Pierre, puis d'un autre apôtre surnommé le Zélé (Luc 6, 15). Simon est également le nom d'un des frères de Jésus selon l'Évangile de Marc (chapitre 6, 3).

## SIMON DE CYRÈNE

Personnage de Cyrène que les soldats romains obligèrent à porter la croix de Jésus (Matthieu 27, 32).

## SIMON LE LÉPREUX

Homme de Béthanie chez qui Jésus s'arrêta et fut oint par une femme (Matthieu 26, 6).

## SIMON LE MAGE

Magicien célèbre à Samarie qui se fit baptiser car il espérait acheter aux apôtres le don de transmettre l'Esprit saint par l'imposition des mains. Pierre le chassa en lui déclarant : *Périsse ton argent et toi avec lui...* (Actes des Apôtres 8, 18). Le mot simonie, c'est-à-dire l'achat de fonction et le trafic de biens spirituels et cultuels, provient de ce Simon accusé aussi d'être à l'origine de toutes les hérésies.

## SIMON L'ISCARIOTH

Nom du père de Judas l'Iscarioth selon l'Évangile de Jean (chapitre 6, 71).

## SIN

Lieu désertique sur la presqu'île du Sinaï où les Hébreux reçurent la manne après leur sortie d'Égypte (Exode 16).

## SINAÏ (HOREB)

Montagne sur laquelle Moïse vit le buisson ardent, eut sa vocation, reçut les tables de la Loi (Décalogue), puis conclut une alliance avec l'Éternel, selon le livre de l'Exode (chapitre 19-40).

## SION

Colline à l'est de Jérusalem, d'abord forteresse des Jébusites enlevée par David, puis nom donné à Jérusalem devenue cité de David. Sur le mont Sion (l'actuel Ophel), se trouvait la tombe de David.

## SIVMA

Ville située à l'est du Jourdain et attribuée à la tribu de Ruben (Nombres 32 ; Josué 13, 19). Cette cité était célèbre pour ses vignes.

## SODOME

Ville du temps d'Abraham qui, avec Adma, Bèla, Cevoïm et Gomorrhe, faisait partie d'une fédération opposée à Abraham qui les battit dans la vallée de Siddim (Genèse 14). Sodome avait la réputation d'être un lieu où les hommes étaient *des scélérats qui péchaient gravement contre le Seigneur* (Genèse 13, 13). C'est pourquoi Sodome et Gomorrhe (généralement citées ensemble), en raison de la sodomie et de l'homosexualité qui y régnaient, furent frappées par Dieu, tandis que deux anges conseillaient à Loth, son épouse et ses deux filles de quitter Sodome et Gomorrhe qui furent anéanties sous une pluie de soufre et de feu. La femme de Loth qui s'était retournée vers la ville malgré l'interdiction fut pétrifiée en statue de sel.

## SOLEIL

Dieu crée ce luminaire qui préside au jour et le sépare de la nuit (Genèse 1). Le soleil symbolise le feu qui brûle et dessèche, mais magnifie et manifeste la gloire de Dieu. Pourtant, au temps du Messie, il ne sera plus utile car *le Seigneur sera pour toi la lumière de toujours, c'est ton Dieu qui sera ta splendeur* (Ésaïe 60, 19). Ce thème est repris dans l'Apocalypse qui affirme que la nouvelle Jérusalem *n'a besoin ni du soleil ni de la lune pour l'éclairer, car la gloire de Dieu l'illumine et son flambeau c'est l'Agneau* (chapitre 21, 23).

## SOPHONIE

Prophète à qui l'on attribue la rédaction du livre qui porte son nom. Neuvième des douze « petits prophètes », Sophonie officia sous le règne du roi Josias de Juda (639-609 av. J.-C.). Le livre de Sophonie, dont la rédaction se situe après l'exil à Babylone, se compose d'une partie annonçant le châtiment du royaume de Juda, d'une deuxième annonçant les futurs malheurs de Jérusalem et d'une troisième prophétisant le salut de Jérusalem et la conversion des païens. L'hymne *Le jour du Seigneur* (Sophonie 1, 14-18) a servi au *Dies irae, dies illa* (jour de la colère, ce jour-là), chanté aux funérailles dans le rite du christianisme romain.

## SOUKKOTH

*Huttes* (hébreu). Endroit où Jacob s'installa sur la rive du Yabboq, après sa réconciliation avec son frère Ésaü (Genèse 33, 17). Soukkoth est aussi le nom du premier camp des Hébreux après leur sortie d'Égypte (Exode 12, 37). Soukkoth fit ensuite partie du territoire de la tribu de Gad (Josué 13, 27).

## SOURCE

Pour la Bible, la source représente la vie et manifeste la bonté divine. Elle symbolise la vie spirituelle et le salut accordé par Dieu, lui-même considéré comme une source de vie éternelle. Pour Jean l'Évangéliste (chapitre 4, 1) l'eau vive est le symbole de l'Esprit saint, ce qu'affirme le Christ au verset 14 de ce même chapitre : *l'eau que je donnerai deviendra en lui une source jaillissant en vie éternelle*. L'Apocalypse (chapitres 21, 22) décrit le trône de Dieu et de l'Agneau d'où jaillit un fleuve d'eau vive.

## STÈLE

Monument en forme de colonne, fait de pierres non taillées, que l'on érigeait pour marquer ou commémorer un événement sacré important, tel que le rêve de l'échelle céleste vue par Jacob. La Genèse (chapitre 35, 14) cite la stèle élevée par Jacob à Béthel et celle qu'il érigea sur la tombe de son épouse Rachel. L'Ancien Testament mentionne un grand nombre de stèles élevées par Moïse (après l'alliance), par Josué sur le mont Garizim (après le passage du Jourdain) et à Sichem (après la proclamation de la Loi), ou encore par Absalon pour sa propre gloire (2 Samuel 18, 18).

## STÉPHANAS

Nom d'un chrétien de Corinthe que l'apôtre Paul baptisa avec toute sa famille (1 Corinthiens 1, 16). Ils furent les premiers chrétiens de Grèce.

## SUICIDE

Parce que la vie est un don de Dieu, la Bible et les religions qui en sont issues sont opposées au suicide que toutes condamnent sans exception. Cependant, le don de soi est considéré comme la plus grande preuve d'amour qu'un être puisse donner, pour les hommes et pour Dieu, car *Celui qui perdra sa vie la gagnera*, déclarent les Évangiles. Plusieurs suicides sont rapportés dans l'Ancien Testament et parfois illustrés dans la pierre. C'est le cas du roi Saül et de son écuyer se précipitant tous deux sur leur glaive (1 Samuel 31), celui d'Abimélek (Juges 9, 53-54), celui de Simri roi d'Israël en 882 av. J.-C., et de Razis qui préféra son épée à la prison des Séleucides (2 Macchabées 14, 37-46). Le Nouveau Testament ne rapporte qu'un seul suicide, celui de Judas, remplit de remords après avoir vendu le Seigneur.

## SULAMITE

Nom donné à l'amante chantée par Salomon dans le Cantique des Cantiques (chapitre 7). La Sulamite est devenue le symbole de la beauté féminine.

## SUZANNE

*Lys* (égyptien). La chaste Suzanne fut accusée injustement d'adultère par deux vieillards concupiscents qui, confondus par Daniel, furent finalement lapidés à la place de l'innocente. Cette scène est fréquente dans l'imagerie populaire chrétienne bien que l'histoire de Suzanne soit un ajout (chapitre 13) au livre de Daniel.

## SYCOMORE

Le Nouveau Testament rapporte comment Zachée monta dans un sycomore pour mieux apercevoir et entendre le Seigneur (Luc 19). Comme tout arbre, le sycomore relie le haut et le bas, la divinité et l'homme. L'escalader, c'est tenter d'approcher la source spirituelle. L'Ancien Testament relate qu'avant sa vocation, le prophète Amos exerçait la profession de *traiteur de sycomore* (Amos 7, 14).

## SYMBOLE

Assiette ou objet de céramique que deux personnes cassaient et se distribuaient avant de se quitter afin de se reconnaître par la suite en réunissant exactement les deux morceaux. Dans la Bible et jusqu'à nos jours, le symbole, texte, image ou parole, évoque une idée amenant à une prise de conscience, à une meilleure compréhension. Tous les signes de l'alliance sont des symboles de ce que Dieu offre aux hommes : arc-en-ciel, arche de l'alliance ainsi que tous les signes, songes et manifestations qu'Il envoie. Dans le Nouveau Testament, les paraboles, miracles, gestes de la Cène sont symboliques et affirment sa nature divine. Le christianisme a utilisé de nombreux symboles, notamment les animaux du tétramorphe, le signe du poisson, la croix et l'auréole.

## SYNAGOGUE

*Maison de la réunion*. La synagogue est un lieu de prières, de lectures et de méditations pour les Israélites, depuis le début de l'exil à Babylone, et à la suite de la destruction du temple de Jérusalem. Dispersés dans différents pays, les Juifs en exil priaient le visage tourné vers Jérusalem. Dans la statuaire médiévale, la synagogue est identifiable au sceau de Salomon qui orne son fronton.

## TAANAK

Ville cananéenne fortifiée conquise par le pharaon Thoutmosis au XVe siècle avant J.-C., qui était située sur le plateau d'Yizréel. Le roi de Taanak fut aussi vaincu par les Israélites (Josué 12, 21), mais la ville resta aux mains des Cananéens (Juges 1, 27). Reprise par David, elle appartint au royaume du roi Salomon (1 Rois 4, 12).

## TABERNACLE

*Tente* (latin *tabernaculum*). Chez les Hébreux, le tabernacle contenait l'arche de l'alliance. Dans le temple de Jérusalem édifié par Salomon, le tabernacle devint le Saint des saints ; dans le culte chrétien, il reçoit les hosties consacrées. Où qu'il se trouve, le tabernacle rappelle le temple des origines, l'arche de l'alliance, le coffre recelant une part de l'énergie divine ; il préfigure la Jérusalem céleste. Dans une synagogue, le tabernacle, la sainte arche, renferme les rouleaux de la Torah. La fête des Tabernacles (*sukkoo*) est l'une des grandes fêtes du judaïsme.

## TABLES DE LA LOI

*Shoulhan* (hébreu). Deux tables que Moïse grava suivant les paroles de l'Éternel alors qu'il se trouvait au sommet du Mont Sinaï (Exode 31, 19). Ces Dix Commandements (ou Décalogue) furent la base de l'alliance scellée entre Dieu et les Hébreux. Les tables de pierre tenues par Moïse ont toujours une forme de « carré long » (rectangulaire) ; le sommet est semi-circulaire afin de montrer symboliquement le ciel (dôme) surmontant, ordonnant la matière.

## TABOR

Montagne isolée située en Galilée près du plateau d'Yizréel où la tradition place la transfiguration du Christ (Matthieu 17) ; l'apôtre Pierre l'appelle la montagne sainte (2 Pierre 1, 18). Le mont Tabor est cité comme étant la création de Dieu.

## TABOU

Le mot tabou n'existe pas dans la Bible bien que de nombreuses interdictions montrent une prescription similaire, notamment pour ce qui regarde les lieux de cultes et les objets cultuels (Exode 3, 5) ainsi que les interdits touchant la vie sociale, et privée, la vie familiale et la nourriture.

## TALETH/TALITH

Le taleth est une pièce de tissu, une sorte de châle de prière, dont les franges, les *tsit-tsit*, symbolisent la protection et la présence divine.

## TALION

*Revanche* (latin). L'une des bases de la loi de Moïse ; le verset *œil pour œil, dent pour dent* est le plus souvent cité (Exode 23, 24).

## TALITHA QOUM

*Télîthâ Qoumî* (hébreu). Commandement donné en araméen par Jésus à la fille de Jaïros que l'on tenait pour morte : *Fillette, je te le dis, réveille-toi ! À ces mots la fillette se leva et se mit à marcher* (Marc 5, 41-42).

## TALMAÏ

Nom d'un homme descendant des géants anaqites, qui vivait à Hébron avant la venue des Israélites (Nombres 13, 22) et du roi araméen de Gueshour dont David épousa la fille Maaka (2 Samuel 3, 3).

## TALMUD

*Étude* (hébreu). Le Talmud est une somme d'enseignements et de commentaires, qui complète la Torah (Pentateuque) et lui donne les adaptations nécessaires aux différentes époques. Cette compilation, élaborée dans les écoles de Babylone et de Jérusalem pendant environ sept cents ans, s'est transmise de sages à prophètes.

Le Talmud est constitué de la *Mishna* (répétition de La loi), dont l'enseignement est réparti en 63 traités et 524 chapitres exposant tous les sujets de la vie, du culte comme de l'agriculture, fixant les fêtes et le droit, les métiers, et de la *Gemârâ* (explication complète), elle-même commentaire de la Mishna. La Gemârâ comprend la *Halachah*, droit, coutumes et morale, et la *Haggadah* ou partie narrative du Talmud.

## TAMAR

*Palme* (hébreu). Nom de la belle-fille de Juda, épouse d'Er puis d'Onân, qui conçut par ruse les jumeaux Pèrèç et Zérah en se déguisant en prostituée (Genèse 38). L'Évangile de Matthieu (chapitre 1, 3) la nomme dans la généalogie de Jésus.

Tamar est aussi le nom de la fille de David qui, violée par son demi-frère Amnon, fut vengée par Absalon qui le tua (2 Samuel 13) et donna le nom de Tamar à sa propre fille (2 Samuel 14, 27).

## TAMARIS

Arbre qu'Abraham planta à Béer-Shéva en invoquant Dieu qu'il nomma *Dieu éternel* (Genèse 21, 33). C'est sous le tamaris de Guivéa que le roi Saül se prononça contre les partisans de David, et c'est sous le tamaris de Yavesh, appelé aussi *térébinthe de Yavesh*, que son corps, et celui de ses fils tués par les Philistins furent enterrés (I Samuel 31, 13).

## TAMMOUZ

Nom du quatrième mois du calendrier de Babylone (juin/juillet).

## TARSE

Ville dans la province romaine de Cilicie où naquit l'apôtre Paul.

## TARSIS

*Fonderie* (phénicien). Ville fondée par les Grecs et peut-être située en Espagne, qui entretenait des relations commerciales avec Tyr en l'approvisionnant en fer, étain, plomb et argent (Ézéchiel 27, 12). Associé au roi Hiram de Tyr, Salomon forma une flotte marchande destinée à rapporter tous les trois ans les minerais indispensables ainsi que de l'or, de l'argent, de l'ivoire, des singes et des paons (1 Rois 10, 22). Refusant la mission que lui avait ordonnée Dieu, le prophète Jonas s'embarqua pour fuir sur un navire allant à Tarsis (Jonas 1 ; 4).

## TAUREAU

Symbole de puissance et de fécondité, le dieu d'Israël est le *taureau de Joseph* (Deutéronome 33, 17). Le taureau fut longtemps un animal de sacrifice et notamment lors du sacre du roi Salomon pendant lequel on sacrifia mille taureaux tandis que le roi faisait orner le dossier de son trône d'une tête de jeune taureau (1 Rois 10, 19 ; 1 Chroniques 29). Souvent associé au veau d'or, le taureau symbolise l'évangéliste Luc ; il est l'un des quatre animaux qui entoure le Christ en gloire.

## TAVEÉRA

*Incendie.* Lieu où les Hébreux firent étape pendant la traversée du désert. Parce qu'ils murmuraient contre lui, le Seigneur déclencha contre eux un incendie qui ne s'éteignit qu'après l'intercession de Moïse auprès de Dieu. Ce lieu fut nommé Incendie (Nombres 11, 1-3).

## TEL-AVIV

*Colline du printemps.* Cité de Babylonie située sur le fleuve Kebar, où le prophète Ézéchiel vécut avec d'autres Juifs déportés (Ézéchiel 3, 15). Tel-Aviv, créée en 1909, est la plus grande ville d'Israël (voir Jaffa).

## TÉMA

L'un des douze fils d'Ismaël (Genèse 25, 15) dont les descendants vécurent vraisemblablement dans l'oasis qui porte ce nom (Esaïe 21, 14).

## TÉMOIN

Dans la Loi, il fallait deux ou trois témoins pour que le témoignage soit recevable et le faux témoignage était puni d'une peine égale à celle infligée à l'accusé (Deutéronome 19, 15-21). Dieu est parfois pris comme témoin de pacte ou de serment car il sait tout des pensées et des actes des hommes. Sur la terre, le Christ, *témoin fidèle*, témoigne du Père qui lui rend aussi témoignage (Jean 8, 12-20). Les apôtres sont les témoins des actes du Christ et de sa résurrection (Actes des Apôtres 1).

## TEMPLE

Du latin *templum*, c'est-à-dire espace consacré. Édifice érigé par toutes les religions ainsi que les ordres initiatiques pour honorer une divinité. Le temple de Salomon, bâtit en 961 av. J.-C. à Jérusalem, et détruit par les Chaldéens en 587 av. J.-C., reconstruit en 538 et partiellement détruit en 70 de notre ère par l'empereur Titus Flavius, fut définitivement anéanti sous l'empereur Hadrien en 135. Le temple de Salomon est le plus souvent cité dans la littérature chrétienne et le plus représenté dans l'iconographie. Comme l'église, le temple est un microcosme, et la représentation du monde céleste, le macrocosme. Sur la terre, le temple est fait par l'homme, à sa mesure, de sorte que chaque être est à la fois l'ensemble du temple humain (il est le temple de Dieu) et une partie, une pierre, du temple universel.

## TÉNÈBRES

*Dieu sépara les ténèbres de la lumière et les appela nuit* (Genèse 1, 4-5). Ces ténèbres manifestaient le mal et étaient le séjour de nombreuses forces démoniaques. Pour l'Évangile de Jean, il existe un combat permanent entre la lumière et les ténèbres qui, au bout du compte, seront vaincues par le Christ, *la Lumière du monde* (Jean 8, 12).

## TENTATION

Nom donné aux tendances qui conduisent les êtres vers le péché, mais qui constituent la véritable expérience humaine. Satan tente Jésus qui résiste et montre ainsi la possibilité de vaincre (Matthieu 4, 1-11).

## TEQOA

Cité proche de Bethléem (territoire de Juda), ville natale du prophète Amos (chapitre 1) d'où provinrent de nombreux reconstructeurs du temple de Jérusalem après l'exil à Babylone (Nehémie 3, 5-27).

## TÈRAH

Nom du père d'Abraham, de Nahor et d'Harân qui partit avec Abraham, son épouse Sara et son petit-fils Loth, d'Our en Chaldée, pour se rendre au pays de Canaan. Tèrah mourut âgé de 205 ans lors d'une étape à Harrân (Genèse 11, 26-32). Il est mentionné dans la généalogie de Jésus (Luc 3, 34).

## TESTAMENT (ANCIEN)

Ancienne Alliance, selon la version grecque originelle, dénomination des livres de la Bible chrétienne extraite de la tradition juive selon la seconde épître de Paul aux Colossiens (chapitre 3, 14). Cette Ancienne Alliance est transcrite par l'Ancien Testament dans les traductions latines. L'Ancien Testament, selon le canon palestinien, se compose des livres de la Loi, du Pentateuque comprenant la Genèse, l'Exode, les Nombres, le Lévitique et le Deutéronome, des Livres prophétiques, Josué, Juges, 1 et 2 Samuel, 1 et 2 Rois, Ésaïe, Jérémie, Ézéchiel, et des douze « petits prophètes », puis des autres écrits comprenant les Psaumes, Job, les Proverbes, Ruth, le Cantique des Cantiques, Qohéleth, les Lamentations, Esther, Daniel, Esdras, Néhémie, Chroniques 1 et 2, et enfin les dix livres ajoutés plus tard au canon (les Livres deutérocanoniques). Il existe quelques différences entre le canon palestinien adopté par la tradition chrétienne et les traditions juives rassemblées dans la traduction grecque de la Bible, nommée la *Septante* car traduite par soixante-dix sages.

## TESTAMENT (NOUVEAU)

Nom donné à l'ensemble des livres, récits et lettres qui rapportent le message et l'action de Jésus et de ses apôtres. Débutant par les quatre Évangiles et se terminant par l'Apocalypse de Jean, le nouveau Testament comporte vingt-sept livres, écrits en araméen et en grec. Le Nouveau Testament, c'est-à-dire la Nouvelle Alliance, comprend les quatre Évangiles, les Actes des Apôtres, les épîtres et l'Apocalypse. Ouvrage fondamental du christianisme, c'est un témoignage prophétique, spirituel, symbolique et messianique, un message de sagesse et d'espérance.

## TÉTRAGRAMME

Nom donné aux quatre consonnes hébraïques, Yod, Hé, Vav, Hé, (YHWH) signifiant que l'on prononce Jéhovah, bien que ces lettres soient imprononçables puisqu'elles désignent le divin. Dans le culte judaïque, ces quatre lettres sont remplacées par le terme *Adonaï*, c'est-à-dire mon Seigneur, qui est le seul mot autorisé pour un humain s'adressant à Dieu. Dans le christianisme, on trouve le tétragramme souvent inscrit dans le triangle mystique, delta symbole de Dieu et de la Trinité.

## TÉTRAMORPHE

Les quatre évangélistes sont représentés par les *Quatre Vivants* cités par Ézéchiel et l'Apocalypse de saint Jean. Le *Lion* qui symbolise l'élément Feu et la résurrection, représente l'évangéliste saint Marc. Le *Taureau*, qui symbolise l'élément Eau, représente l'évangéliste saint Luc. *L'Aigle*, qui symbolise l'élément Air, représente l'évangéliste saint Jean. *L'Homme*, qui symbolise l'élément Terre, représente l'évangéliste saint Matthieu.

Le tétramorphe correspond aussi à toutes les énergies se manifestant par le nombre quatre, nombre de l'incarnation de l'Esprit dans la matière. Entourant le Christ en gloire, les quatre symboles illustrent les quatre horizons du monde, sa mission et sa royauté terrestre que rappellent ses bras étendus sur la croix.

## TÉVÉÇ

Ville de Palestine dont la légende rapporte qu'au moment de l'assaut des murailles par le roi Abimélek de Sichem, une femme jeta du haut de la tour une meule qui le blessa mortellement. Afin que personne ne puisse dire : *C'est une femme qui l'a tué,* il ordonna à son écuyer de le transpercer de son épée (Juges 9, 50-54).

## TÉVETH

Nom du dixième mois du calendrier juif (décembre/février).

## THADDÉE (OU JUDE)

L'un des douze apôtres du Christ (Matthieu 10, 3), mort égorgé, souvent statufié avec le poignard de son martyre. Thaddée prêcha au Pont, en Mésopotamie et en Perse avec l'apôtre Simon (égorgé lui aussi) où tous deux luttèrent contre des magiciens.

## THASSI

*Le Zélé* (hébreu). Surnom donné à Simon Macchabée.

## THÉOPHANIE

Des mots grecs *théos*, Dieu, et *phainein*, apparaître. Apparition d'une divinité dans le ciel ou sur la terre. Dans la Bible, cette manifestation eut lieu à plusieurs reprises, notamment lorsque la Trinité se montra à Abraham dans le bois de Mambré (Genèse 13, 18) et lorsque l'Éternel apparut à Moïse sur le mont Sinaï (Exode 24) puis à Jacob (Genèse 32). Les témoins de ces visions les décrivent en termes de lumière et de fulgurance. Dans le christianisme, l'Épiphanie et la Transfiguration sont des événements qui relèvent de la théophanie.

## THESSALONICIENS (ÉPÎTRES AUX)

Nom de deux épîtres de l'apôtre Paul destinées à la communauté chrétienne de Thessalonique. La première précise de nombreux points de l'enseignement de Jésus-Christ, salut et parousie. Elle fut rédigée vers l'an 50. La seconde, écrite quelques années plus tard, met en garde les chrétiens contre les hérétiques et faux prophètes qui annoncent, notamment, que le Christ est déjà revenu.

## THOMAS

Nom araméen signifiant *jumeau*. Apôtre présenté comme architecte par la *Légende dorée* et pour cela représenté avec une équerre. Cet apôtre du Christ évangélisa l'Inde (où une petite communauté chrétienne se réclame toujours de lui) et fut l'architecte d'un roi pour qui il édifia un magnifique palais dans le ciel, selon la *Légende dorée*. Thomas est aussi associé à l'incrédulité car, selon les Évangiles, il dut toucher du doigt les plaies du Christ pour croire en sa résurrection (Jean 20, 25-27). Malgré le nom qu'on lui donne, l'*Évangile de Thomas* est un écrit apocryphe. Thomas serait mort la tête tranchée par le glaive du grand prêtre de Jérusalem. Il est le patron des juges et des théologiens, et on l'invoque en cas de maladie des yeux.

## TIBÈRE

Empereur romain (14 à 37) sous le règne duquel vécurent Jean le Baptiste et Jésus de Nazarezth.

## TIBÉRIADE

Ville sur la rive du lac de Gennésareth, qu'Hérode nomma ainsi en l'honneur de l'empereur Tibère. Tibériade fut décrétée capitale de la tétrarchie de Galilée en l'an 26. Le lac de Gennésareth fut également appelé lac de Tibériade. C'est à Tibériade que furent rédigés la Mishna (IIIe siècle) et le Talmud de Jérusalem (IVe siècle).

## TIGLATH-PILÉSER

Nom de trois rois assyriens dont l'un régna en 746 av. J.-C. et conquit la ville de Gaza en 734, puis devint roi de Babylone en 729, sous le nom de Poulou, Paul (2 Rois 15, 19). Tiglath-Piléser s'allia avec le roi Akhaz de Juda au cours de la guerre contre Éphraïm en 733-732 av. J.-C. À cette date, il conquit le royaume du Nord (Israël) (2 Rois 15-16).

## TIGRE

L'un des principaux fleuves du Moyen-Orient, avec l'Euphrate, qui délimite la Mésopotamie appelée « pays des deux fleuves ». Dans l'Ancien Testament, le Tigre est l'un des quatre fleuves de l'Éden (Genèse 2, 14). Sur ses rives furent édifiées Assour, Ctésiphon et Ninive.

## TIMNA

Une concubine d'Élifaz, fils d'Ésaü, qui mit au monde Amaleq. Nom d'un chef édomite, et de la sœur de Lotân, fils de Séïr le Horite.

## TIMNA

Localité du territoire de Juda où Samson libéra et épousa une Philistine (Juges 14). Pendant le règne du roi Akhaz, la cité fut prise par les Philistins (2 Chroniques 28, 18).

## TIMNAT-SÈRAH

Nom d'une localité située dans la région montagneuse du territoire de Juda où Josué fut enterré (Josué 24, 30).

## TIMON

Nom de l'un des sept diacres désignés par les apôtres à Jérusalem.

## TIMOTHÉE (SAINT)

*Celui qui craint Dieu* (grec). L'un des disciples de l'apôtre Paul, évêque d'Éphèse mort martyr en 97, qui rédigea avec lui la première épître aux Thessaloniciens et l'épître aux Philippiens. Il est aussi le destinataire de l'épître qui porte son nom (épître à Timothée). Nom de deux généraux séleucides, battus par Judas Macchabée (2 Macchabées 8, 30).

## TIMOTHÉE (ÉPÎTRES À)

Les deux épîtres pastorales furent adressées par l'apôtre Paul à Timothée alors responsable de la communauté chrétienne d'Éphèse. La première rassemble des enseignements réglant la vie de la communauté, la seconde est un testament spirituel de Paul qui, sachant sa mort prochaine, précise que ses actes témoignent de l'Évangile.

## TIRÇA

Ville royale du royaume d'Israël qui accueillit les rois du Nord de Jéroboam Ier à Omri, qui fit de Samarie sa capitale (1 Rois 14, 17).

## TISHRI

Nom du septième mois du calendrier juif (septembre/octobre).

## TITE

Chrétien converti par Paul avec qui il collabora, destinataire de l'épître qui porte son nom. Tite assista avec Paul au concile des Apôtres de Jérusalem puis devint évêque de Gortyne, en Crète.

## TITE (ÉPÎTRE À)

Nom de l'épître pastorale destinée à Tite alors qu'il était pasteur, responsable de la communauté chrétienne. Peut-être rédigée par l'apôtre Paul, l'épître à Tite est constituée, comme les épîtres à Timothée, de règles concernant la communauté et la vie chrétienne.

## TIVNI

Nom d'un roi d'une partie du royaume du Nord (Israël), de 882 à 878 av. J.-C., rival d'Omri qui en fut vainqueur (I Rois 16, 21-22).

## TOBIAS

Personnage principal du livre de Tobit (père de Tobias).

## TOBIT

Récit romancé, rédigé vers 200 av. J.-C., qui raconte l'histoire de Tobit, Juif plein de piété appartenant à la famille de Nephtali, déporté à Ninive après la disparition du royaume du Nord (Israël). C'est dans ce livre qu'apparaît l'ange Raphaël, envoyé par Dieu.

## TOGARMA

L'un des trois fils de Gomer (Genèse 10, 3) dont les descendants s'établirent dans la cité de Togarma (Ézéchiel 27).

## TOHU-BOHU

*Inculte et désert* (hébreu). Selon la Genèse, *tohu-bohu* désigne l'état chaotique primordial de la Terre lorsqu'elle *était déserte et vide*. De manière erronée, cette expression signifie aujourd'hui chaos ou désordre.

## TOLA

Juge de la tribu d'Issakar (Juges 10, 1-2). Un autre membre de la tribu d'Issakar était l'aïeul de la famille des Tolaïtes (Nombres 26, 23).

## TONNERRE

Le tonnerre est un attribut de la divinité dans l'Ancien Testament, l'expression de la voix de Dieu car *D'en haut, le Seigneur rugit, de sa sainte habitation, il donne de la voix* (Jérémie 25, 30) et *Du trône sortaient des éclairs, des voix et des tonnerres* (Apocalypse 4, 5). Tonnerre et éclairs sont des théophanies.

## TORAH

*La Loi, la doctrine* (hébreu). Nom donné par le judaïsme à la loi mosaïque et au Pentateuque qui la contient. Le livre de la Loi, ou Sefer-Torah, comprend les cinq livres (rouleaux) attribués à Moïse : Genèse, Exode, Lévitique, Nombres et Deutéronome, qu'on lit le jour du sabbat.

## TOUBAL

Nom du fils de Japhet (Genèse 10, 2) dont les descendants commerçaient avec la ville de Tyr (Ézéchiel 27, 13).

## TOUBAL-CAÏN

Nom du fils de Lamek, que l'on considère comme le père de tous les artisans et fondeur de bronze et de fer (Genèse 4, 22).

## TOUR

La tour est une manifestation de l'orgueil amenant la perdition ou une offre de salut (de protection). Pour l'Ancien Testament, la tour de

Babel est l'exemple, souvent représenté, de la tour monstrueuse (parce qu'uniquement destinée au pouvoir humain) que Dieu ne peut que détruire.

## TOUT-PUISSANT

*Pantokrator* (grec). Qualificatif attribué à Dieu et souvent ajouté à son nom par la Septante qui traduisit en grec les termes hébraïques *El Shaddaï* signifiant dieu de la montagne.

## TOV

Région située à l'est du Jourdain. Avant de devenir juge, Jephté réunit à Tov une bande d'aventuriers (Genèse 11, 3-5). Dans le combat contre David, 12 000 hommes de Tov se trouvaient dans le camp des Ammonites (2 Samuel 10, 6-8).

## TOV-ADONIYA

Nom d'un lévite qui, sous le règne du roi Josaphat d'Israël, enseignait la Loi au peuple (2 Chroniques 17, 8).

## TOVIYA

Nom de plusieurs personnages dont l'un donna or et argent pour la couronne du grand prêtre Josué (Zacharie 6, 10-14), et l'autre fit partie des prêtres de retour à Jérusalem après l'exil (Esdras 2, 60). Un Ammonite du nom de Toviya essaya en vain d'empêcher la reconstruction de Jérusalem mais Néhémie déjoua ses manœuvres (Nehémie 13, 8).

## TOVIYAHOU

Nom d'un lévite qui, sous le règne du roi Josaphat d'Israël, enseignait la Loi au peuple (2 Chroniques 17, 8).

## TRANSCENDANCE

Par transcendance on entend définir la nature du Dieu unique, le plaçant au-delà de toute expérience et de toute connaissance humaine.

L'Ancien et le Nouveau Testament traduisent cet état insurpassable et non compréhensible par des mots tels que *Toute-Puissance*, *Omniscience* et *Omniprésence*, *Éternité* et *Immensité*. Ils font du Dieu unique le *Tout Autre*, celui qui est Saint et Sacré. La Bible est le premier grand texte spirituel qui évoque la transcendance de Dieu.

## TRANSFIGURATION

Des mots latins *trans*, au-delà, et *figura*, figure. Théophanie, état glorieux dans lequel Jésus-Christ apparut à ses trois disciples Pierre, Jacques et Jean sur le mont Tabor (Matthieu 17; Marc 9; Luc 9). Ces Évangiles rapportent comment le Christ apparut, enveloppé dans une nuée, accompagné d'Élie et de Moïse qui s'entretenaient avec Lui. Cette scène lumineuse est fréquemment représentée dans l'art religieux chrétien.

## TRAVAIL

La malédiction de la Genèse (chapitre 2, 15) a suscité de nombreux commentaires et attitudes qui ont pu aller jusqu'au mépris du travail. Dans la Bible, le travail était parfaitement réglementé par la Loi et les commandements qui, de plus, ordonnaient un repos hebdomadaire salutaire physiquement et socialement : *Tu travailleras six jours, faisant tout ton ouvrage, mais le septième jour, c'est le sabbat du Seigneur, ton Dieu. Tu ne feras aucun ouvrage* (Exode 20, 9). L'apôtre Paul préférait travailler et subvenir à ses besoins plutôt que de vivre de ce qu'auraient pu lui rapporter ses prédications.

## TRÉSOR

D'abord nom donné aux objets sacrés et biens conservés dans le temple de Jérusalem (1 Rois 6, 20) et les palais, le mot trésor prend un sens spirituel chez les prophètes puis dans le Nouveau Testament qui assimile le Royaume de Dieu à un trésor que les croyants peuvent partager (Matthieu 13, 44).

## TRIBUS D'ISRAËL

Les tribus d'Israël sont toutes issues des fils du patriarche Jacob, renommé Israël par Dieu lui-même, qui bénit chacun de ses fils avant sa mort. Chaque tribu était subdivisée en familles, clans et en unités plus petites selon les époques et les circonstances, dont chacune avait pour chef le père de famille, possédant plein pouvoir sur ses fils, jeunes ou vieux. Les tribus d'Israël avaient pour nom : Juda, Dan, Issakar, Zabulon, Asher, Siméon, Nephtali, Ruben, Gad, Éphraïm, Manassé (division de la tribu de Joseph), Benjamin, Lévi.

## TRIBUT

Contribution que les peuples conquis devaient remettre au vainqueur. Sous les règnes des rois David et Salomon, les peuples d'Israël payaient un tribut de dépendance envers Jérusalem (1 Rois 5) puis les royaumes d'Israël et de Juda durent à leur tour payer un tribut aux Assyriens vainqueurs (2 Rois 17, 3).

## TRINITÉ

Dogme fondamental du christianisme (fixé par le concile de Nicée en 325) précisant qu'un seul Dieu existait en trois personnes, le Père, le Fils et le Saint-Esprit. La première vision biblique de la Trinité est l'apparition (théophanie) de Dieu, près des chênes de Mambré : *Le Seigneur apparut à Abraham… Il leva les yeux et aperçut trois hommes…* (Genèse 18). Le christianisme admet l'existence de Dieu en trois personnes distinctes, mais consubstantielles d'une même nature. Le Père, créateur de tout ce qui est, le Fils, engendré de toute éternité et qui s'est fait homme. Le Christ est le Verbe actif, la Parole, tandis que le Saint-Esprit est l'amour du Père et du Fils. C'est le dogme central de la religion chrétienne.

## TROMPETTE

Instrument de musique utilisé par les hérauts (anges) de l'Éternel pour annoncer les grands événements, notamment l'ouverture des sept sceaux de l'Apocalypse, qui précède le jugement dernier.

## TROPHIME

Chrétien d'Éphèse, compagnon de Paul, responsable involontaire de l'incarcération de l'apôtre après que celui-ci l'eut emmené dans le temple de Jérusalem alors qu'il n'était pas circoncis (Actes des Apôtres 21, 29-30).

## TROUPEAU

Le troupeau se trouve représenté dans différentes scènes, notamment dans celles montrant David berger ainsi que dans celles où Jésus tient le rôle du Bon Pasteur. D'autres tableaux illustrent la fuite des esprits impurs se jetant sur un troupeau de deux mille porcs avant de se précipiter à la mer (Marc 5, 11-13).

## TRYPHON

Général des armées du roi Antiochus VI Dionysos. Afin de monter sur le trône, il fit assassiner son roi puis tua Jonathan Macchabée (1 Macchabées 13, 31-32). Lui-même fut assassiné lors du siège de la ville d'Apamée (sur l'Oronte) où il s'était réfugié. Antiochus VII lui succéda.

## TYCHIQUE

Disciple de Paul (Actes des Apôtres 20, 4) qui apporta les épîtres de l'apôtre aux chrétiens d'Éphèse et de Colosses (Éphésiens 6, 21-22 ; Colossiens 4, 7-9).

## TYR

Ville phénicienne située au nord du Carmel, qui était un centre commercial important sous le règne du roi Hiram Ier. La ville de Tyr et son roi participèrent activement à la construction du temple de Salomon à Jérusalem pour lequel furent livrés bois et métaux précieux, puis envoyés artisans et ouvriers qualifiés dans toutes les techniques. Tyr fonda de nombreux comptoirs en Méditerranée, notamment Utique, Carthage, Gadès (Cadix), afin d'en faire des escales pour sa flotte commerciale.

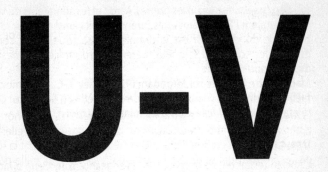

# U-V

## URIE

Nom d'un soldat hittite servant dans l'armée du roi David, mari de Bethsabée dont David tomba amoureux. Ne parvenant pas à soumettre le mari trompé à sa volonté, David le fit placer par Joab, commandant de l'armée, en première ligne des combats afin qu'il y soit tué, ce qui arriva (2 Samuel 11). Le temps du deuil achevé, David épousa Bethsabée, mère du futur roi Salomon.

## VASTI

Épouse favorite du roi Xerxès qui refusa de porter en public les bijoux qu'il lui avait offerts ; elle fut répudiée et remplacée par Esther (Esther, 1 ; 2).

## VAUTOUR

Animal impur selon le Lévitique (chapitre 11, 13).

## VEAU D'OR

Idole associant le symbolisme de la fécondité à celui de la Terre Mère, qui fut élevée par Aaron, les prêtres et le peuple d'Israël tandis que Moïse recevait les tables de la Loi sur le mont Sinaï où il demeura quarante jours et quarante nuits. En divinisant ainsi la matière, *Voici ton dieu, Israël…* (Exode 32, 4) les prêtres, Aaron et les adorateurs du veau d'or rejetaient l'Esprit saint et ils furent détruits ainsi que leur idole. L'épisode du veau d'or est le premier massacre religieux connu puisque les fidèles du Seigneur tuèrent les trois mille hommes qui avaient adoré la statue.

Malgré cette leçon, le roi Jéroboam (926-907 av. J.-C., royaume d'Israël) fit fondre deux veaux d'or qu'il dressa à Béthel (1 Rois 12, 28-29). Dieu rejeta alors Israël et le royaume fut ruiné (2 Rois 17, 20-23).

## VENGEANCE

L'Ancien Testament ne propose pas la vengeance comme un principe mais plutôt comme l'équilibre entre une faute et son rachat, c'est pourquoi il précise : *Tu paieras vie pour vie, œil pour œil, dent pour dent, main pour main, pieds pour pieds, brûlure pour brûlure, blessure pour blessure, meurtrissure pour meurtrissure…* ; un rachat pouvait cependant éteindre une vengeance (Exode 21, 23-25).

## VENT

Pour le christianisme, les vents répandent dans toutes les parties de la terre ce que le Verbe créateur insuffle à la création. Bien qu'il s'agisse de l'élément Air, les Quatre Vents sont aussi une forme d'incarnation de l'Esprit de Feu descendant sur la Terre.

## VENDREDI

Jour de la semaine consacré dans l'Antiquité à Vénus, le vendredi rappelle chaque semaine aux chrétiens le jour de la crucifixion du Christ. Le vendredi de Pâques est dit le *Vendredi saint* car c'est ce jour que l'on commémore, par le jeûne et la prière, la passion et la mort du Christ. Pour le judaïsme, le vendredi est le jour où l'on prépare le sabbat qui débute en fin de journée, au moment du coucher du soleil.

## VÉRITÉ

Dans l'Ancien Testament, être un *homme de vérité* (Exode 18, 21), c'est être un homme intègre et fidèle, sur lequel on peut compter. Dieu est le modèle de Vérité et sa Parole est Vérité (Psaume 119, 160). Les paroles et les actes du Christ, l'Évangile sont Vérité et toute autre doctrine ou philosophie est hérésie, parole de faux prophète ou tentation du Malin.

## VÊTEMENTS

Pour l'Ancien Testament, le vêtement ne fait pas le moine, mais marque néanmoins le rôle et le rang, l'appartenance à une société, l'importance et les fonctions sociales, morales ou spirituelles.

Différents épisodes bibliques montrent l'importance attachée aux vêtements, notamment celui du manteau d'Élie donné à Élisée, la tunique du Christ que les soldats romains refusèrent de déchirer car elle était d'une seule pièce et d'un tissu de trop bonne qualité (Jean 19, 23-24). L'absence de vêtement et la nudité symbolisent à la fois l'inconscience, la pureté et la candeur.

## VIEILLARD

L'Apocalypse de Jean montre que ce sont les *Sept Vieillards* qui détiennent les livres du destin du monde. Paysans, prophètes ou rois, les vieillards sont autant de gardiens des traditions (culturelles et religieuses), des veilleurs. L'Ancien Testament, comme la plupart des civilisations anciennes, associe la vieillesse et la sagesse ; c'est pourquoi les patriarches ont des longévités extraordinaires dans la Genèse.

## VIERGES (FOLLES, SAGES)

Suivant la parabole rapportée dans l'Évangile de Matthieu (chapitre 25), dix jeunes filles prirent leur lampe et partirent à la rencontre de l'époux. Celui-ci arriva au milieu de la nuit mais cinq d'entre elles n'avaient plus d'huile dans leur lampe. Seules cinq étaient prêtes et entrèrent dans la salle des noces. Les autres restèrent dehors, dans la nuit. L'iconographie chrétienne fait des vierges dépourvues d'huile des symboles de lâcheté, colère, infidélité, idolâtrie et avarice. À l'inverse, les vierges sages personnalisent courage, bonté, charité, paix et fidélité.

## VIGNE

Symbole de Connaissance, la vigne est l'arbuste le plus représenté dans l'iconographie chrétienne. La vigne est le premier accès vers le vin, c'est-à-dire vers l'ivresse mystique (les vignes du Seigneur). Résultat de l'œuvre à laquelle végétation, soleil et travail de l'homme ont collaboré, le vin est pour cela toujours un symbole de joie et d'allégresse. Dans l'une de ses paraboles, Jésus enseigne à ses disciples : *Je suis la vigne, vous êtes les sarments : celui qui demeure en moi et en qui je demeure, celui-là portera du fruit en abondance* (Jean 15, 5).

## VILLE

Pour l'Ancien Testament, les villes sont l'image de la vie organisée (sédentaire) et celle de l'orgueil que donnent l'opulence et la puissance. Les grandes cités sont souvent détruites pour ces raisons-là (Sodome et Gomorrhe).
La Jérusalem céleste est établie sur trois niveaux (les trois plans de conscience) et fermée par douze portes. Les grandes villes terrestres, généralement de plan carré, en sont l'antithèse.

## VIN

Le livre de la Genèse (chapitre 9, 20) rapporte qu'à l'époque du patriarche Noé, la vigne était cultivée et que l'on pouvait abuser de son produit, le vin, comme le montre l'ébriété du patriache.
Pour le Nouveau Testament, le vin est utilisé symboliquement dans le premier miracle de Jésus, aux Noces de Cana, et dans son ultime repas, la Cène, où il représente le sang du Seigneur. Le vinaigre, ou vin aigre, fut donné à Jésus sur la croix pour le désaltérer [c'était le rafraîchissement habituel des légionnaires romains (Marc 15, 39)] et non pour l'humilier davantage (Luc 23, 36).

## VIRGINITÉ

Symbole de pureté et d'innocence, la virginité des jeunes filles avant le mariage était un véritable idéal ; si elle n'était plus vierge au moment de son mariage, une femme pouvait être lapidée (Deutéronome 22,

21). C'est la raison pour laquelle *Quand un homme séduira une vierge non fiancée et couchera avec elle, il devra verser la dot pour en faire sa femme. Si le père refuse de la lui donner, l'homme payera en argent comme pour la dot des vierges* (Exode 22, 15-16).

## VISION

Terme utilisé pour désigner les apparitions, prémonitions et songes envoyés par Dieu aux prophètes.

## VŒUX

Promesse faite à la suite d'un événement heureux, au terme d'une souffrance ou situation délicate, ou encore avant une épreuve particulièrement difficile. Le vœu prend Dieu à témoin et le remercie par avance de l'aide qu'il apportera à celui qui le prie. Un vœu peut être aussi la marque d'un homme qui se consacre à Dieu.

## VULGATE

Du latin *vulgatus*, signifiant texte répandu. Nom donné à la traduction latine de la Bible faite par saint Jérôme au IVᵉ siècle, selon les textes hébreux pour l'Ancien Testament et d'après les textes grec et araméen pour le Nouveau Testament. L'ancienne Vulgate, dite *italique*, fut traduite à partir de la version grecque dite des Septante. Le concile de Trente (1546) a proclamé que la Vulgate était la seule traduction valable pour le catholicisme. L'édition offcielle fut réalisée par le pape Sixte Quint (1590) et prit le nom de *Vulgate sixtine*, puis révisée sous l'autorité du pape Clément III (1592) et appelée *Vulgate clémentine*.

**Y**

## YABAL

Nom du fils de Lamek (descendant de Caïn) et d'Ada, déclaré par la Genèse comme étant le père *de ceux qui habitent des tentes avec des troupeaux*, c'est-à-dire des nomades. Yabal avait Youbal et Toubal-Caïn pour frères, tous deux ancêtres des joueurs de cithare et de flûte, des fondeurs et forgerons du bronze et du fer (Genèse 4, 20-22).

## YABBOQ

Affluent du Jourdain qui prend sa source près de la capitale ammonite Rabba (actuelle Amman) ; il constituait une frontière naturelle entre les royaumes ammonite et amorite (Deutéronome 2, 37). Jacob combattit avec Dieu à l'un des gués du Yabboq où il reçut le nom d'Israël (Genèse 32, 23-31).

## YAËL

Épouse d'Héber le Qénite, général des Cananéens, elle tua Sisera, un guerrier vaincu, en lui enfonça dans la tempe un piquet de tente, après lui avoir donné à boire (Juges 4, 17-21). Son geste est glorifié dans le *Cantique de Débora* (Juges 5, 24-27).

## YAHAÇ/YAHÇA

Lieu d'une bataille entre les Hébreux et les Amorites lors de la conquête (Nombres 21, 21-23). Yahaç, sur le territoire de Ruben, fut ensuite une ville lévitique (Josué 21, 36) avant d'être conquise par les Moabites (Ésaïe 15, 4).

## YAHWISTE

Nom attribué à l'une des quatre sources du Pentateuque. Les trois autres étant l'Élohiste, le Deutéronomiste et le Document sacerdotal. Le Yahwiste serait le rédacteur des textes allant du chapitre 2 de la Genèse à la conquête de la Cisjordanie. Ce nom lui vient parce qu'il utilise le nom de Yahweh dès le récit de la Création, alors qu'il n'est révélé qu'à Moïse.

## YAÏR

*Que Dieu éclaire* (hébreu). Nom du fils de Segouv et petit-fils d'Hècrôn, membre de la tribu de Manassé (Nombres 32, 39), et de l'un des juges de la tribu de Galaad, qui succéda à Tola et jugea Israël pendant vingt-deux ans. Précisions symboliques, ses trente fils montaient trente ânes et possédaient trente villes nommées *Campements de Yaïr*. Yaïr fut enseveli à Qamôn (Juges 10, 3-5). Le père de Mardochée, tuteur d'Esther, de la tribu de Benjamin, portait aussi le nom de Yaïr (Esther 2, 5).

## YAKÎN

*Que le Seigneur affermisse*. Quatrième fils de Siméon, et petit-fils de Jacob (Genèse 46, 10). Yakîn est l'aïeul des Yakînites, au sein des Siméonites.

## YAKÎN ET BOAZ

Noms des deux colonnes de bronze que le roi Salomon fit fondre par Hiram de Tyr et que l'on installa à l'entrée du temple de Jérusalem. La colonne de droite fut nommée Jakin, en hébreu *Il établira*, et celle de gauche Boaz, ce qui signifie *Dans la force* (I Rois 7, 15).

## YAHO

Nom du temple de YHWH (appelé Yaho) édifié à Éléphantine par la communauté juive. Après de nombreuses tensions avec la population égyptienne, le temple fut détruit.

## YAVESH-DE-GALAAD

Ville de Galaad où les Hébreux envoyèrent une armée qui extermina tous ses habitants, femmes et enfants compris (Juges 21,10). Cependant, quatre cents vierges furent laissées en vie et données pour épouses aux membres de la tribu des Benjaminites. Encerclée par les Ammonites conduit par Nahash (vers 1024 av. J.-C.), Yavesh-de-Galaad dut son salut à Saül qui convoqua pour la première fois une armée composée de tous les membres des tribus d'Israël. Cette armée, forte de 330 000 guerriers menés par Saül et Samuel, anéantit les Ammonites (I Samuel 11,8). Après leur mort, on ensevelit Saül et ses trois fils à Yavesh-de-Galaad, sous le tamaris de Yavesh (I Samuel 31,12-13).

## YAVÎN

Roi d'Haçor, en haute Galilée, vaincu avec plusieurs rois cananéens à la bataille de Mérôm, remportée par Josué (Josué 11,7-8).

## YAZÉR

Ville amorite conquise par les Hébreux et attribuée à la tribu de Gad (Josué 13,25) qui fut reconquise par les Moabites (Ésaïe 16,8).

## YEDAYA

Nom d'une famille qui revint à Jérusalem après l'exil à Babylone et donna or et argent pour la fabrication de la couronne du grand prêtre Josué.

## YEDIDA

*Aimée du Seigneur*. Fille d'Adaya, épouse d'Amon, roi de Juda et mère de Josias (2 Rois 21 ; 22).

## YEDIDYA

*Aimé du Seigneur*. Nom donné par le prophète Nathan au roi Salomon, sur un commandement de Dieu (2 Samuel 12, 25).

## YÉDO

Prophète chroniqueur de l'histoire du roi Salomon (2 Chroniques 9, 29).

## YEDOUTOUN

L'un des lévites désignés avec ses six fils comme musicien par le roi David (I Chroniques 25). Yedoutoun était aussi le devin du roi et compté parmi les sages du royaume (1 Rois 5, 11). Quelques-uns de ses descendants participèrent à la réforme religieuse d'Ézékias et revinrent s'établir à Jérusalem après l'exil à Babylone (I Chroniques 9,16). Yedoutoun est le rédacteur des Psaumes 39, 62, 77.

## YEHONATÂN

Chancelier du roi de Juda Sédécias, dans la demeure duquel le prophète Jérémie fut arrêté (Jérémie 37, 15-20 ; 38, 26).

## YEHONATÂN

*Le Seigneur a donné* (hébreu). Nom du fils de Guershôm et petit-fils de Moïse, prêtre de la tribu des Danites qui se mit au service de l'idole de Mika (Juges 18, 30).

## YEHOSADAQ

Nom du fils de Seraya, dernier grand prêtre de l'exil à Babylone (I Chroniques 5, 40-41) et père de Josué, premier grand-prêtre après le retour à Jérusalem (Esdras 3, 2-8).

## YEHOSHÈVA

Fille du roi Yoram de Juda et d'Athalie, sœur du roi Akhazias de Juda, épouse du grand prêtre Yehoyada, qui sauva Joas quand Athalie voulut exterminer les enfants royaux. Elle cacha Joas dans le temple de Jérusalem où il resta six années (2 Rois 11, 2-3).

## YEHOUDI

Fonctionnaire du roi Yoya-qîm de Juda qui demanda à Baruch, lui-même secrétaire de Jérémie, de lire devant la cour le rouleau des présages du prophète. Le roi Yoyaqîm demanda ensuite à Yehoudi de lui lire le rouleau qu'il découpa phrase par phrase au canif pour les jeter au feu, jusqu'à ce que le rouleau soit détruit totalement (Jérémie 36, 23).

## YEHOYADA

Grand prêtre qui accepta que son épouse Yehoshèva cache le jeune prince Joas, âgé d'un an, dans le Temple alors que la reine Athalie tentait de mettre à mort tous les enfants royaux. Lorsque Joas eut 6 ans, Yehoyada organisa la déchéance d'Athalie, et fit acclamer le jeune et nouveau roi par le peuple. Après cela Athalie fut exécutée et Yehoyada *scella entre le Seigneur, le roi et le peuple l'alliance* tandis que le peuple détruisait le temple de Baal (2 Rois 11).

Jusqu'à la mort de Yehoyada, le jeune roi fut fidèle à ses engagements mais, lorsque le grand prêtre mourut âgé de 130 ans, Joas retourna vers le culte des idoles

## YEROUBBAAL

*Que Baal combatte contre lui*. Surnom attribué au juge Gédéon après qu'il eut détruit l'autel de Baal à Ofra d'Avièzer (Juges 6, 31-32).

## YESHOUROUN

*Droit* (hébreu). Terme qui dans le Deutéronome (chapitre 32, 15) désigne symboliquement Israël. Yeshouroun est actuellement le nom d'une synagogue de Jérusalem.

## YIRIYA

Officier de la garde de Jérusalem qui fit emprisonner le prophète Jérémie parce qu'il l'avait pris pour un déserteur (Jérémie 37, 12-14).

## Y H V H (YAHWEH)

Ce tétragramme est le nom sous lequel l'Éternel se révèle dans l'Ancien Testament (Exode 3, 14) : *Je Suis qui Je Serai* ou *Je suis Celui qui est*. La tradition rabbinique interdit que l'on prononce ces quatre lettres, car leur prononciation originale est *perdue*, peut-être depuis que Moïse l'entendit sur le Sinaï. Dans la lecture orale, les lettres YHVH sont remplacées par *Adonaï* (Mon Seigneur) ou par *Ha Shem* (le Nom). Dans l'iconographie chrétienne, le tétragramme YHVH est fréquemment au centre d'un triangle (delta) ou d'une nuée de feu.

## YOAKHAZ DE JUDA

Roi du royaume de Juda (609 av. J.-C.), successeur de son père Josias, mort au cours de la bataille de Méguiddo contre le roi égyptien Néko II. Celui-ci le destitua après trois mois de règne et le déporta en Égypte où il mourut (2 Rois 23, 30-33). Yoyaqîm de Juda, son frère, lui succéda.

## YOAKHAZ D'ISRAËL

Roi du royaume du Nord (Israël) (818-802 av. J.-C.), successeur de Jéhu son père (2 Rois 10, 35), il conserva le culte des idoles, notamment celui du taureau qu'avait instauré Jéroboam Ier. Dieu le punit pour cela et sa défaite contre le roi d'Aram est liée à cette infidélité caractérisée envers l'alliance du Seigneur.

## YOKÈVÈD

Selon le livre de l'Exode (chapitre 6, 20) et celui des Nombres (chapitre 26, 59), Yokèvèd était la mère de Moïse, d'Aaron et de Myriam. Elle était la tante et l'épouse du lévite Amrâm.

## YOM KIPPOUR

*Le Grand Pardon*. Dans le judaïsme, grande fête de l'expiation que l'on commémore par la prière et le jeûne, accompagnée d'un rituel de contrition et de pénitence. Le *schofar* (corne de bélier) est utilisé pour cet unique jour afin d'annoncer la réconciliation du pécheur avec Dieu.

## YONADAV

Nom d'un législateur, fils de Rékav, appartenant au clan des Rékabites, qui laissa à ses héritiers ces instructions : *Vous ne boirez jamais
de vin, ni vous ni vos enfants ; vous ne construirez pas de maison, vous ne
ferez pas de semailles, vous ne planterez pas de verger et n'en ferez pas
l'acquisition, mais vous logerez sous les tentes pendant toute votre vie,
afin de vivre longtemps sur le sol où vous séjournez.* (Jérémie 35, 6).

## YORAM DE JUDA

Roi du royaume de Juda (847-845 av. J.-C.), successeur de Josaphat
son père, époux d'Athalie, qui organisa le culte de Baal (2 Rois 8, 18) et
commit de nombreux meurtres. Le prophète Élie lui prédit une terrible maladie pour châtiment de son idolâtrie et, après avoir perdu
toute sa famille, Yoram mourut *sans être regretté, et on l'ensevelit dans
la Cité de David, mais pas dans les tombes royales,* selon le second Livre
des Chroniques (chapitrre 21, 20). Akhazias son fils lui succéda mais il fut
assassiné aussitôt, et Athalie, veuve de Yoram, régna sur Juda.

## YORAM D'ISRAËL

Fils du roi Akhab et de Jézabel, roi du royaume du Nord (Israël) de
851 à 845 av. J.-C., successeur d'Ochozias, son frère. Yoram d'Israël fut
le dernier roi de la dynastie d'Omri. Selon le second livre des Rois (chapitre 3) : *Il demeura attaché au péché que Jéroboam, fils de Nevath, avait
fait commettre à Israël ; il ne s'en écarta pas.* Cette attitude amena la révolution religieuse de Jéhu qui le tua d'une flèche et *fit jeter son
cadavre dans le champ de Naboth selon la parole du Seigneur* (2 Rois 9,
26) ; le roi Akhazias de Juda fut lui aussi assassiné.

## YOTAM

Le plus jeune des soixante-dix fils du juge Gédéon Yeroubbaal ; il fut
aussi le seul survivant de l'assassinat de sa famille ordonné par son
frère Abimélek qui voulait prendre le pouvoir. Fuyant Abimélek,
Yotam s'installa à Béér (Juges 9). Il est l'auteur de la parabole du roi
des arbres qu'il enseigna aux habitants de Sichem du haut du mont
Garizim (Juges 9, 7-20).

## YOTAM DE JUDA

Roi du royaume de Juda de 756 à 741 av. J.-C. dont il fut corégent avec son père Azarias (787-736) malade de la lèpre (2 Rois 15, 5). Il fut un bon souverain, qui *fit ce qui est droit aux yeux du Seigneur...* (2 Chroniques 27, 2). Il renforça les défenses de ses villes, défit les Ammonites qui durent lui payer tribut trois ans durant (2 Chroniques 27, 5). Akhaz de Juda, son fils, succéda à Azarias.

## YOUHAL

Descendant de Caïn, ancêtre des joueurs de chalumeau et de cithare (Genèse 4, 21).

## YOYAKÎN DE JUDA

Roi du royaume de Juda de 598 à 597 av. J.-C., successeur de son père Yoyaqîm (1 Chroniques 3, 16). Il régna trois mois et dix jours jusqu'à ce que le roi Nabuchodonosor de Babylone le destitue (2 Chroniques 36, 9). Yoyakîn de Juda fit *ce qui est mal aux yeux du Seigneur, exactement comme son père* car il autorisa le culte des idoles. Nabuchodonosor le remplaça sur le trône par son oncle Mattanya, qu'il nomma alors Sédécias (2 Rois 24).

## YOYAQÎM

Roi du royaume du Sud (Juda) de 608 à 598 av. J.-C., installé sur le trône et vassal du pharaon Néko II, ensuite vassal de Babylone à partir de 605 av. J.-C. Selon le second livre des Rois (chapitre 23, 37), *Il fit ce qui est mal aux yeux du Seigneur, exactement comme ses pères*. Il interdit à Jérémie l'accès du Temple (Jérémie 36, 5) car le prophète l'accusait d'abus de pouvoir (Jérémie 22, 13-17), accusations que Yoyaqîm brûla lui-même, après que Baruch les lui eut transmises (Jérémie 36, 23). Son fils Yoyakin lui succéda.

## ZABULON

Sixième fils de Jacob et de Léa (Genèse 30, 19-20), aïeul du clan qui porte son nom, établi au nord de la Palestine.

## ZACHARIE

Nom d'un prêtre du temple de Jérusalem, époux d'Élisabeth et père de Jean le Baptiste (Matthieu 23, 35).

## ZACHARIE (ZACHARIAS)

L'un des douze « petits prophètes » contemporain du règne de Darius le Grand (520 à 517 av. J.-C.), quelques années après le retour d'exil de Babylone. Avec le prophète Agée, il participa à la reconstruction du temple de Jérusalem. Le livre prophétique attribué à Zacharie comporte des prophéties, des promesses, huit visions concernant la reconstruction de Jérusalem et le couronnement d'un roi-prêtre, ainsi que la prévision d'un salut futur.

## ZACHARIE D'ISRAËL

Roi du royaume d'Israël (747 av. J.-C.), il succéda à son père Jéroboam et fut l'ultime roi de la dynastie de Jéhu. Il *fit ce qui est mal aux yeux du Seigneur* et fut tué après six mois de règne par Shalloum (2 Rois 15, 8-10).

## ZACHÉE

Zachée, chef des collecteurs d'impôts à Jéricho, est célèbre pour être monté dans un sycomore afin de mieux voir et entendre le Seigneur. Jésus, l'apercevant, le fit descendre et lui demanda, contre l'avis de tout le monde, son hospitalité (Luc 19, 1-10). Zachée aurait été le premier évêque de Césarée.

## ZÉBÉDÉE

Père de l'apôtre Jacques le Majeur et de l'apôtre Jean (Matthieu 4, 21) Zébédée était un pêcheur du lac de Galilée.

## ZÉEV

*Loup* (hébreu). Prince des Madianites, il fut exécuté par les hommes d'Éphraïm dans un lieu dit le *Pressoir du loup* (Juges 7, 25).

## ZEKARYA

Fils du grand prêtre Yehoyada, il reprocha au peuple, pendant le règne du roi Joas d'Israël, d'avoir quitté la voie du Seigneur et fut lapidé dans la cour du Temple sur l'ordre de Joas (2 Chroniques 24, 20-22).

## ZÉLOTE

*Zélé* (grec). Membre du parti révolutionnaire du I$^{er}$ siècle fondé par Judas le Galiléen, qui considérait que l'Empire romain allait contre la volonté de Dieu. Après la révolte populaire et la première guerre juive (qui ne prit fin qu'en l'année 70 avec la destruction de Jérusalem), les zélotes parvenus au pouvoir furent sans pitié pour les chrétiens dont ils persécutèrent un grand nombre.

## ZILPA

Servante de Léa et première épouse de Jacob (Genèse 29, 24). Croyant ne plus pouvoir enfanter, Léa amena Zilpa auprès de Jacob, qui eut d'elle Gad et Asher (Genèse 30, 9-13).

## ZIMRI

Commandant des chars d'Éla d'Israël (882 av. J.-C.), Zimri assassina son roi, tua tous les membres de la dynastie et se proclama roi d'Israël. Dans le même temps, l'armée nommait le commandant Omri comme nouveau roi et Zimri fut assiégé à Tirça. Vaincu, il incendia le palais dans lequel il périt après seulement sept jours de règne (1 Rois 16, 9-20).

## ZOHAR (SEPHER HA-ZOHAR)

*Livre des Splendeurs*, le *Zohar* est un recueil de commentaires du Pentateuque qui constitue l'ensemble le plus important de la littérature hébraïque et kabbalistique. Rédigé en araméen, il est attribué à Moïse de Léon, mystique juif d'Espagne qui au XIII$^e$ siècle s'inspira des écrits de Siméon bar Yohai (III$^e$ siècle), qui lui-même avait reçu ces révélations du prophète Élie.
Le *Zohar* réunit plusieurs traditions ésotériques et tente de trouver le sens caché des textes bibliques par l'étude mystique et symbolique des nombres.

## ZOROBABEL

Petit-fils du roi de Juda Yoyakim déporté à Babylone en 597 av. J.-C., Zorobabel fut nommé gouverneur de Juda et dirigea le premier groupe des exilés revenant de Babylone à Jérusalem (Esdras 2-3). Il participa à la nouvelle organisation du culte et à la reconstruction du Temple dont il exclut les Samaritains. Il coopéra avec le grand prêtre Josué et fut soutenu par les prophètes Aggée et Zacharie. Zorobabel est cité dans l'arbre généalogique de Jésus (Matthieu 1, 12-13).

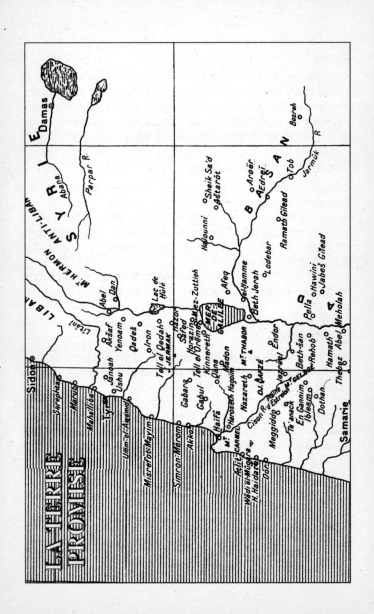

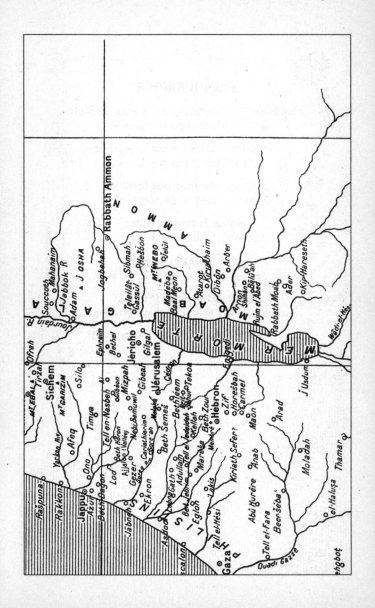

# BIBLIOGRAPHIE

**La Bible**, TOB (Traduction œcuménique de la Bible), *alliance biblique universelle*.

**Dictionnaire du Nouveau Testament**, X. Léon-Dufour, *Éditions du Seuil*.

**Dictionnaire illustré de la Bible**, Cannuyer Christian, *Éditions Bordas*.

**Origine de tous les cultes**, Dupuis C.-F., *Tradition Universelle*.

**Symbolique des Apôtres**, Robert-Jacques Thibaud, *Éditions Dervy*.

**Table pastorale de la Bible**, Passelecq G. et F. Poswick, *Éditions Lethielleux*.

**La Vulgate**, Abbé Glaire, *Jouby éditeur 1865*.